戴國煇全集 ①

史學與台灣研究卷‧一

◎境界人的獨白

獻辭

◎ 林彩美譯

獻給吾妻林彩美
最佳的理解者及協助我最多的人

　　我不是「台灣史的歷史家」。

　　我是要把台灣史放在中國史（而且是亞洲史、世界史）之全歷史過程中正當地定位，以此再構築「中國史像」，是我的目標。

　　作為住在日本的客家裔台灣人（更是中國人）學者，有明確的責任參加我自己，以及自己家族所生存社會的改善。

　　隨便任由激情做出強硬言行，與努力保持最高的學問水準並追求最高的知性，兩者之間有所不同，我是明辨自知的。

戴國煇

序

◎ 王作榮（前監察院院長）

　　亡友戴國煇先生生前是我的至交好友之一，也是最受我尊敬的歷史學家之一。他剛正不阿、誠實不黨、進退有節、行止有方，是我常說的現代中國傳統知識分子，現在兩岸都少有這類人物了。

　　其夫人林彩美女士窮十年之功力，收集、編輯、出版國煇兄之遺著，藉以流傳後世，嘉惠後學，其精神、毅力、夫婦情誼，尤足以令人肅然起敬，受到應有之尊敬。作榮忝在知交，際茲《全集》出版之時，理應寫一長序，向讀者介紹此《全集》之學術價值，與對世事之文化影響，無奈老病侵尋，無論體力、腦力、思考、運筆均已力不從心，走筆徒無手奈何而已。僅能作一短文，聊抒鄙意，敬祈各方大雅君子諒之。

王作榮謹序

2010年9月30日

序

◎ **林彩美（戴國煇夫人）**

　　2002年4月15日（戴國煇70冥誕）舉辦戴國煇逝世一周年追思會的同時，出版《戴國煇文集》（遠流出版公司、南天書局）共12冊以茲紀念。

　　2005年4月15日在中央研究院傅斯年圖書館舉辦戴國煇梅苑書庫入藏中央研究院人文圖書館儀式（從此改稱戴國煇文庫，詳細請參照《戴國煇先生梅苑書庫入藏中研院人文圖書館紀念冊》，2005年4月15日；或《傳記文學》第86卷第5期，2005年5月16日的拙文與相關文章。）

一份必達的使命：出版《全集》

　　有些朋友認為戴國煇的事情已告一段落，好意建議我今後要做自己想做的事，去過自己想過的人生。我只遜謝。因為對我來說所完成的只有前半段，還有後半段更艱難的工作刻不容緩等著我去進行。那就是《戴國煇全集》的資料蒐集和編輯完成，出版才算告一段落，那時候就可以海闊天空任我遨翔。

　　戴國煇在1996年要從立教大學文學部退休，計畫搬回台灣定居之前，文學部職員金安榮子女士熱情細心為戴國煇編好1964至1995年的著作目錄（包含單行本以及散見於各報章雜誌與收錄於他人著作中的論文、時事評論、書評、隨筆、座談、演講等）。我在準備出版《戴國煇文集》與整理藏書以捐贈中研院的忙亂過程，又陸續發現很多戴國煇親手註明「保、保留、保存」的中日文期刊，與刊登戴國煇文章的中日文剪報等，每有發現即隨手撿拾存放一處。經過記錄、核對，發現有前述著作目錄未編進去的文章和1964年之前與1996至2000年的文章，未發表的遺稿與碩士論文等，字數頗多，加上日文專書著作未譯成中文部分共約有二十冊之多。

　　戴國煇是1931年出生，自小學至初中二年級完全以日文受教育，不巧又碰上皇民化運動極狂暴年代，母語的客家話只能在家庭內聽與講，而不會看與寫，被迫過著語言的二元性生活。光復後雖然搭上學習北京話的熱潮拚命學習，但已失去人生學習語言的黃金時段（中小學階段是語文奠基的最佳時機），這個挫折並不小，令他始終惋惜救不回中文底子的貧乏。

　　1955年出國留學，預定先赴東京、代替其父探望光復後未回台的二哥。再轉美國研究農場經營學，然後回台工作（參照《戴國煇全集15・吳濁流的世界》）。卻陰錯陽差，在日本一待就是41載（先是與台灣留學生開辦讀書會並組織東大中國同學會而上了黑名單、又被註銷了護照。後來是為了研究的自由與養家餬口之故。）這期間他雖然長年訂閱數種中文期刊、報紙並閱讀中文書籍，但是學習、研究、教學、寫文章都以日文為主。因此1996

年搬回台灣之後，由於需要，所以年過65又開始認真嘗試以中文寫作。家裡的書房牆壁到處貼著隨時在書本、報章抄來的佳句與時尚語詞，註上發音，反覆唸讀。寫好文章就要我讀，像小孩斜著頭期待誇獎與肯定，頻頻問：「我的中文進步很多了吧？」

回憶這段往事，他那份執著與用功，使我暗自下定決心，要替他把《戴國煇文集》之外的日文專書著作與文章譯成中文。加上中文的文章鉅細收齊，依類編輯出版中文全集。閩南語有句俗語「睛盲不畏槍」就是指我這樣的人吧！我竟然也不知天高地厚，竟敢立下如此宏願，我是否太輕信「天下無難事，只怕有心人」？待我籌齊大致可出版全集的費用，便大言不慚向外放話要出版全集之消息，逼使自己處於破釜沉舟、無後退之路的處境。但我沒有悲愴，反而樂此不疲。

也曾經有學者與朋友，愛惜戴國煇的日文優美、涵義深邃，建議以原文出版，以保持原貌原味，避免太多錯誤而有傷品質。我不是未動過心，如以原文出版的確省事，而且也符合我已盡到利用我有利的立場，替戴國煇把散落的著述聚集在一起的目的。但想到他之所以要搬回故鄉、在日41載即便被註銷護照，也堅持不放棄做中國人的權利、回台後埋頭努力學習中文寫作的熱情，以及數十年看著他嚴謹不妥協的治學與生活態度，珍惜寸秒光陰堅持寫作。雖然他過世前未曾留隻字半句遺言，不忍他孜孜積累的成果散佚，我迺自認為他想讓1億的日本人讀他的著述，他更希望13億中國人（包括華僑、華人）讀他的著述。再者讓他還想寫、還想講而未及寫出講完的，因有此《全集》讓後進俊彥來接棒研究，更發揚光大，則他的萬縷遺憾也可減到最小。

　　何況又有台灣近現代史研究會（1970至1988年）的夥伴提議，不妨以日文出版精選集，我欣然接受此寶貴的意見。希望《全集》出版後，如有餘力，也可著手日文精選集的出版，讓日本人也重溫戴國煇的諄諄諍言。在這中日關係暗雲密布的今日，他識時務的忠言仍鏗鏘有力。

戴國煇的研究核心：台灣通史

　　1966年戴以《中國甘蔗糖業之發展》獲得東大農業經濟學博士，受東畑精一老師的引薦，成為第一個以外國人身分進入亞洲經濟研究所工作的研究員。開始嘗試研究台灣農業，並嘗試以台灣為出發點探究近代中日關係史。當時的台灣政治氣氛使台灣島內研究者以研究台灣史為禁忌，不敢公然碰觸。而日本學界視大陸中國為「正在升起的明日之星」，一邊倒向研究中國大陸蔚為熱潮，趨之若鶩，台灣史研究乏人問津。戴國煇深深不以為然，因為他認為日本近代對外出兵（1874年的「台灣出兵」開始），侵略中國、朝鮮、亞洲，是以台灣為起點，怎可跳過台灣不管？他著手研究台灣史、台灣問題、華僑史、華僑問題。在這些專題研究方面均出版專著。1970年，有三位東大研究所學生，宇野利玄（已故）、松永正義（現一橋大學教授）和若林正丈（現東京大學教授）來找戴國煇表明研究台灣史的願望。受這些熱心的學生們再三的懇求，戴終於答應出來主持台灣近現代史研究會（會名一開始為「東寧會」，後來改成「後藤新平研究會」，每月聚會一次，向會員發送會報，最後改名為「台灣近現代史研究

會」：1978年4月30日發行《台灣近現代史研究》創刊號，終刊號發行於1988年10月30日，共計六期，同時解散該研究會。）

　　研究會的共同研究題目，1930年發生在台灣的霧社事件就是其中之一，此成果由戴國煇編著成《台灣霧社蜂起事件——資料與研究》（社會思想社，1981年6月30日；中譯本上下冊，魏廷朝譯，國史館，2002年4月，同時收進《戴國煇文集》出版，引起日本學界的關注與肯定。戴在台灣史研究不但起了帶領作用，也掀起了台灣史研究在日本的一波波漣漪。

　　戴國煇研究中國農業史、中日近代關係史都是以台灣為突破口，因為台灣是他出生與生活的歷史基礎，他能切膚感到它的血脈流動。而以往的「正統」歷史研究都以王朝興衰、中央權力鬥爭為中心，從中央帶地方，這雖有利總體的觀照，但欠缺基礎的透視，所以他執著從邊緣向中心，從小向大，從「異端」向「正統」的治史態度，以此整理歷史、分析歷史、解釋歷史，以彌補中國總體史之盲點。台灣近現代史研究會未設會章，只有三點共識：（一）不忘初衷與不預設結論，治史態度始終如一；（二）不拘泥於「正統」；（三）不涉政治。以上三點可為戴國煇治史態度憑據。

　　戴國煇研究台灣史、中日關係史、客家問題、華僑史、華僑問題、霧社蜂起事件、二二八事件……他曾揶揄自己正在「漫反射」，其實他是有意識地從邊緣射回中央，他最終想寫的是台灣的通史。

　　他畢生的努力也是為建立良好的中、台、日關係而著書立論，他認為歷史不能遮遮掩掩，應攤出來一一探討，加害方應道

歉、賠償；被害方應記取歷史教訓，可恕不可忘，才不致重蹈歷史覆轍。戴主張我們要知日，而不是媚日，也不是抗日與反日。要探討如何從血的教訓中，建立中日友好關係和東亞永恆的和平，也必須建立從台灣看近代中日關係史的新觀點。

最後，由衷感謝中研院史語所等相關各所襄助《全集》出版經費，遠流出版公司王榮文董事長對出版《戴國煇全集》的熱心支持和對戴國煇義無反顧的情義相挺，文訊雜誌社不計盈虧、見義拔刀相助，於2008年底代為挑起重擔，步履鏗鏘、踏實往前進，封德屏總編輯、江侑蓮、王為萱正副執行編輯夙夜匪懈，竭誠付出，張錦郎老師嚴緊督促，王曉波教授、吳文星教授、林水福教授、中研院研究學者劉序楓先生、張隆志先生，以及陳淑美女士等，暗中為《全集》賣大力。譯者諸兄姊的努力和日文審校、校訂的諸位先生女士們的貢獻，在此我也要特別表達深深的謝忱。

對於我的家人十年來有形無形的付出與全面支持，並讓我「為所欲為」，也要深表感謝。

序：戴國煇與我

◎ 王榮文（財團法人台灣文學發展基金會董事長）

　　因為宏正兄的推介，1985年遠流出版了戴國煇的《台灣史研究——回顧與探索》。不久之後，老戴也擺脫了黑名單的流放生涯，可以回來故鄉。從此，我們的生命中有了彼此：老戴需要我介紹新朋友加速他重新認識闊別17年的台灣，我需要老戴幫忙打開認識日本出版之窗。

　　當時金石堂書店汀州本店開張不久，我的住家和公司恰好就在樓上，老戴只要回到台灣，大概就會到此看書聊天。後來索性就住在遠流悶熱的閣樓寫作。有一張照片記錄著他和張昭鼎和我在金池塘喝咖啡。彼時周正剛、曾志朗、詹宏志也會在此與他不期而遇。有一年他還特別邀請岩波書店總編輯來台北和我們幾位年輕出版人座談。這位老編輯的一句警語至今仍常繞我心頭：「我很害怕我的讀者跟我一起老了。」

　　1980年代我也常陪他去聽幾位黨外明星的演講，幫他蒐集研究台灣的史料。我也和他到過後火車站去看彼時盛行的脫衣秀，這位大教授美其名為「社會考察」。透過認真的第一手接觸和長期的學術思索，戴國煇寫出一篇篇擲地有聲的文章。1989年遠流

翻譯出版了他的岩波暢銷新書《台灣總體相》。1992年他和葉芸芸女士合著的《愛憎二二八》出版。從甘蔗糖業史、華僑史、霧社事件到二二八事件的研究，從自我認同到台灣主體性的提出，老戴在台灣史研究覓題開疆上已建立先行者的地位。

1996年戴國煇帶著六萬多冊的珍貴藏書搬離東京，定居台北。他到總統府上班，希望自己的專長有所貢獻、能發揮影響力。我與他喝酒聊天時不免聽他發牢騷說志向。可惜這一代的知識分子受困於統獨藍綠各種政治標籤，老戴的學術思索終究無緣得到公正客觀的對待。

老戴也許就帶著些許的遺憾，2001年離開了塵世。這十年來他的妻子，我敬重的大嫂林彩美女士，為了讓老戴一生努力保存的史料、他一生的學術思想有最好的歸宿和繼承，可說不畏艱難險阻、千金散盡不達目的不罷休。她讓梅苑藏書留在中央研究院照顧更多年輕的台灣史研究學者，她希望《戴國煇全集》能完整地呈現她先生所有的中日文創作，讓後人能窺老戴思想之全貌。

林彩美女士的志向感動了我。在遠流和文訊雜誌社的持續努力之後，27冊的《戴國煇全集》終於要完工出版了，《全集》提供了老戴要如何被蓋棺論定的所有材料，不過那是老戴和後世評論家之間的事。我關心的卻是這段出版因緣，彰顯了老戴夫婦的情深似海。我要向林彩美女士致敬——她愛戴國煇，也愛他的志氣，她選擇了一個特別的方向——十年辛苦不尋常！

編輯說明

一、【戴國煇全集】（以下簡稱【全集】）收錄歷史學家戴國煇從1955年赴日研究農業經濟與歷史以來，至2001年之46年間的作品，包括已出版之專著及未結集單篇文章、未刊文章。（其原著為日文者，加以翻譯，以中文呈現。）

二、【全集】計27冊，依主題及形式分卷，各卷冊數依作品數量而定，依序為史學與台灣研究、華僑與經濟、日本與亞洲、人物與歷史、文化與生活、書評與書序、採訪與對談共七卷。

三、【全集】中，《台灣總體相》、《愛憎二二八》、《台灣結與中國結》、《台灣史探微》、《台灣近百年史的曲折路》，《台灣史對話錄》、《愛憎李登輝》、《中國甘蔗糖業之發展》、《華僑》、《我們生涯之中的中國》維持原書之編排，其餘文章則依性質重新編輯。

四、以原書編輯之各卷，依原作品集（以下簡稱「原集」）出版先後為序，各卷書末附有他人評論戴國煇的書評選文。原集如係重新編排者，依文章性質分別歸入適當卷別，以文章發表日期為序，文章第一次出現時，文前附有原集目次，並註明各文重編之卷別。

五、各卷所收文章，以不重複為原則：原集部分，同一文章，原
　　收錄於多書時，《全集》僅收錄一次；未結集部分，文章發
　　表後經增修而再發表時，以最後一次所發表者作為定稿編
　　入，排序則依首次發表時間，同時於文末出處註明原發表時
　　間及增修原委等。原書之附錄，如有與其內文相關，則斟酌
　　留存。

六、《全集》的最後一冊為「別卷」，內容包括：戴國煇照片、
　　小傳、生平年表、日記、重要評論選篇、評論目錄、全集總
　　目（包括27冊目錄、已出版書目及提要、未結集及未刊文
　　章）、篇目索引（未結集及未發表篇目中文筆畫索引）。

七、戴國煇未結集之單篇文章，計有日文250篇、中文72篇，分
　　別編在所屬類別卷末，以「未結集」為名，冠以類別名稱，
　　以發表（或寫作）時間排序。

八、編輯時，若需說明者，加編註或譯註說明之，俾與原書之
　　「註」有所區別。

九、《全集》之編校以尊重原作為原則，關於校對之原則及編輯
　　符號說明如下：

　　1. 原書用字如係明顯的誤植或個別錯字，則予以改正，不加
　　　　說明；若明顯係日期、人名、職銜等引用上之錯誤，則加
　　　　編註修正；具有時代性的字詞，則沿用不改。

　　2. 原文欠清楚時，以四方框□代替。

　　3. 原文中有××、○○符號等，則沿用之。

　　4. 原文中強調語句之處，在字下加黑圓點表示。

　　5. 譯註前後加中括弧〔〕；原註則以小括弧（）表示。

6. 註解採當頁註形式：編註的標號為*1 *2 *3等；原註解的標號為1、2、3等。

7.文中凡有出版社的名稱，統一採全稱（略去股份有限公司等字樣）。

十、日文譯成中文的原則，舉例說明如下：

1. 專有名詞統一譯法

（1）亞細亞→亞洲

（2）日治時期→日據時期

（3）蘭領時期→荷據時期

（4）印度支那→中南半島

（5）日清戰爭→甲午戰爭

2. 人名及地名的譯名以通用譯法為準；不確定者於人名後，加「音譯」二字。

3. 日文書名及篇名，皆譯成中文，依國內已出版之中文譯法為主，否則直譯；於各卷第一次出現時，以中括弧加註原文名稱，如係戴國煇論著則例外不加註。當頁註及參考書目中的人名、書名及出版單位以原文呈現。

4. 日本人名字不以括弧加註日文；外國人則不論知名或不知名，皆加註英文，如是全名，則其姓以縮寫表示。

翻譯說明

◎ 林彩美

　　嚴復大師於《天演論》譯者例言，開門見山，第一句就是譯事之難，信達雅。信、達、雅不用說已成為從事翻譯工作者的最高目標。

　　作者戴國煇在《全集》14頁129〈亞洲與日本〉中提到，大意為寫論文或專書要用心盡力讓文章有深度與文采。人文、社會科學須追求美學性、藝術性的境界，自然科學也要如此。可見他對寫作達到「雅」之境界的要求之高。

　　在《全集》中，日文譯成中文時，這些都是我們工作團隊的共識與努力目標。

　　首先請到優秀譯者群，委之翻譯。譯稿都經過反覆校對（五校以上）、查證、討論，並注意《全集》整體譯詞的統一（因語言隨著時間演變，不能避免些許例外）與文意邏輯理路。

　　自古以來，日本人輸入大量漢字，漢文化將之吸收運用。然而明治維新以後，在一意脫亞入歐，趕超西洋的風潮下，日本學者競相翻譯西學，其方法是借用久已存在日文裡的漢字與漢文成語，在翻譯西洋詞彙時，創出日本獨自、新的漢字詞彙。而這些

新的漢字詞彙逆向被輸入中國。例如：文學、美學、哲學、法律、文明、社會、生產、政府、抗議、交流、交通、主義、反動、革命、反對、方法、表決、知識、藝術、工業、斷交、脫黨、動員、解放、說明、供給、獨占、治外法權、最後通牒、自然科學……。

　　誠如清末民初大學者王國維說：「日本之學者既先我定之而定矣，則沿用之何不可之有，故非甚不妥者，吾人故無以創造為也。」

一、因為使用相同的漢字之故，沿用日本漢字詞彙（簡略為沿用）也難免有誤解與困擾。舉出試作解釋。

1. 連帶：中、日詞彙不但共有牽連、連帶責任之意，在日文中又有團結、合作、聯合、號召、連帶感之意。日本在1960年代後半至1970年初，反對安保條約，學園紛爭、越南和平聯合反戰團體，勞工運動正酣時流行語之一，為了保留時代氛圍，《全集》盡量沿用。

2. 轉向：與中文的意思不同。意謂意識形態的轉變，特別指背叛共產黨，法西斯主義猖狂時期常用詞彙之一。

3. 近代化與現代化：modernization日本幾乎多用作近代化，而中國（台灣）則反之。日本在大正民主主義之後，受馬克思主義的影響，將近代化之後理想的、值得期待的下一個階段稱為「現代」。因此日本學者把modernization當作近代化，而幾乎沒有將之當作現代化。不過近代化與現代化有些不同，而在作者議論脈絡中是明顯不同。因此除原文即使用「現代化」或文脈（文章的前後關係）上可譯為現代化之外，一概沿用原文。

4. 市民與公民：市民與公民的英文都是citizen。市民本來是指推翻封建制度，產生近代市民社會的資產階級。所以市民社會就是資本主義社會。市民又是指有財產有教養，能自律行動的人們。日本的日常用語中，幾乎不使用公民而用國民一詞。公民是指具有選舉權與被選舉權的國民，所以在日本，廣義的市民包括日本公民與國民，以及沒有日本國籍的外國人。所以除了原文為公民或國民、或明顯有此兩詞的含義之外，沿用原文。

5. 華僑、「華僑」、華人、華人系、華裔：

⑴華僑：指以私人事務（留學、研究、經商等）長期居留外國的中國（台灣）人，不包含旅行者及公司、公職、外交等外派人員。

⑵「華僑」：在日本華人（已取得居住國國籍的）一詞未被普遍使用，所以作者以華僑加上引號表示包含華僑與華人。

⑶華人系、華人指已取得居住國國籍的原華僑。作者曾提及，華人的概念是晚期才漸形成並接受，所以他在1970至1980年代的華僑論述中，以「華人系」稱之，《全集》為配合此時代背景，統一沿用「華人系」，除非原文即「華人」一詞。

⑷華裔：包含華僑、華人、峇峇（華僑與當地女性結婚所生的子孫，受歐式教育，與中國的紐帶淡泊的人）等有中國血緣的人。

6. 華僑系資本、華人系資本、原住民系資本：對於居住國而言，華僑系資本屬於外國資本，華人系資本與原住民系資本屬於國內資本。

7. 上位、下位：以語言為例，北京話（國語）為上位語言，〇種

方言為下位語言。

8. 「甘えの構造」，本《全集》一律譯成相互依賴（interdepen-dence）嬌寵、包容的結構。

9. 出身、出生：出身包括出生地、籍貫、畢業學校、所屬團體、家庭、社會等背景，比出生含意要廣泛，依文脈選擇二者之一譯之。

10. 營為：經營、事業之意，沿用原文。

11. 當為：義務、本分之意，沿用原文。

12. 發想：構思、主意、腹案、表現之意，沿用原文。

13. 知性：意指有智慧的人，沿用原文。

14. 朝鮮、韓國、北朝鮮、南朝鮮、北韓、南韓：原文對朝鮮一詞不帶歧視之意。譯文依文脈擇善譯之。主要原則為，1945年以前，擇譯為朝鮮，而「征韓論」為專有名詞，不受年代之限。此外，「朝鮮」多用以指稱朝鮮民族。

15. 蜂起：起義之義，沿用原文。

16. 土著資本、土著資產階級：譯成本地資本、本地資產階級。

17. identity、自我同定、自我認同：統一譯成自我認同。

18. 自小作、小自作：前者譯為自耕兼佃耕，指自耕比率大於佃耕；後者譯為佃耕兼自耕，指佃耕比率大於自耕。

二、日本「国字」（日文自創漢字）：猪（山豬之意，用在姓名）、栃（樹名，用在地名栃木縣）、梶（樹名，用在姓）、辻（十字路口）、込（進入）、辷（滑、滑落）、辿（追尋）、　峠（山巔）等等。以上所舉特別沿用原文。

三、作者自創詞彙

1. 境界人：作者著有《境界人的獨白》，他居住日本41年不取日
   本國籍，受國民黨政府吊銷護照約10餘年而不放棄國籍，擁有
   中（台灣）日的語言、文化素養，對雙方關心、情深、卻不屬
   於任何一方之意。

2. 自分與他分：日本詞彙有自分（自己）而無他分，作者提醒日
   本人不能只有自分，應也要有他分。

3. 中華人特質：梅米（Albert Memmi）在其著作《歧視的結構》
   提出Judeite＝猶太人特質。作者仿梅米自創Chineseness＝中華人
   特質。泛指從社會學、心理學、生物學、體驗、客觀等層面所
   形成的中華人諸特性的總稱。

目次
contents

境界人的獨白

輯一　殖民地的傷痕

【圖表目次】

戴國煇全集 ①

史學與台灣研究卷・一

境界人的獨白

翻　　譯：林彩美・魏廷朝・龎惠潔

日文審校：林彩美

校　　訂：吳文星

輯一

殖民地的傷痕

《與日本人對話》：東京，社會思想社，1971年8月15日初版。

某副教授之死與再出發的苦惱

◎ 林彩美譯

某副教授之死與「山澗的世代」

　　聽到某副教授過世的傳聞已有相當長一段時間了。我懶惰也未加確認，就這樣過去了，直到最近有熟人的父親來日本，才得以證實他已因哮喘及併發症而過世。用「某」稱呼並沒有特別的理由，只因為這不僅止於他個人的問題，想將其作為一個共同的問題進行論述而已。

　　逛舊書店有時會有意想不到的收穫。其一是那不善於言辭，不是看黑板、地板，就是看講桌，絕不正視學生的臉上課的某副教授，意外地竟然留下許多優秀的研究成果。論文形式雖然是共同具名發表，但從其性質看，他是擔任共同研究的核心，這一點大致上是不會錯的。

　　曾留下傑出且十分有趣的研究成果的他，不知為何光復後應聘為大學副教授，還曾兼任圖書館館長，但之後卻沒有留下什麼稱得上成果的東西。在我所知的範圍內，或許應該說，幾乎沒有做出什麼來。

　　他因有哮喘的宿疾，體弱多病也是事實；但這不能當作不做研究的主要原因。問題相當複雜，除了個人的主體條件之外，如果不把他所處的客觀條件也加進來綜合考慮，是不能理解的。如一般所說的台灣社會貧窮所以不重視學問，或是由於政治的貧困所衍生的問題等諸多理由，在此就不再舉出。

　　我想就主體的條件，而且是特別限定在擁有被殖民統治經驗的知識分子相關問題上論述。

　　因非常籠統的區分而不免有些在意，在台灣被殖民地化的過程中，受大日本帝國的「近代技術」與軍國主義的威勢侵蝕最嚴重的世代，姑且以1915年（武裝抗日運動最後的大規模起義，西來庵事件發生當年）當時未滿15歲者（1964年現在64歲）為上限、1945年光復當時滿15歲者（1964年現在34歲）為下限，作為一個世代來看（在目前沒有充裕的時間展開詳細的世代論，所以對個人的特殊案例或由於出身階級，以及因階層而生的個人差異姑且捨棄）。

　　屬於此世代的人中，越靠近上限的，對過去的傳統與歷史就愈清楚，對自己的語言（包含思考方式）也愈精通。因此對所屬傳統與歷史的恢復就比較容易，對歌仔戲「噪雜」的伴奏也不以為苦。反之，越接近下限者遭受殖民統治的傷痕還不深，因此可以認為，他們也居於比較容易從被迫與自己的歷史與傳統的斷絕中恢復的條件之下。

　　而處於這一世代兩極之外的中間分子，問題最多，我把這一世代稱之為「山澗的世代」。1964年現在30歲後半至50歲後半的人屬於此世代。

　　屬於「山澗的世代」上半部分的先輩，以日本方式講就是體驗過大正民主主義的人。此體驗也使他們的近代被害者意識＝資產階級的權利被自覺或自己自覺。但那也只是瞬間之存在，隨即以昭和恐慌為轉機而被切斷。自九一八（「滿洲事變」）以來，以急速展開的日本帝國主義對中國的侵攻為契機，「山澗的世代」消極或積極地轉身或被迫轉身為其協助者（不管本人是否願意），分別被編入最初是滿洲國，然後是冀東政府，以及後來的汪精衛政權之內。進入太平洋戰爭之後，也被動員成為侵略南洋的「人的資源」附屬品的一部分。台灣人「支那浪人」、軍屬、志願兵、憲兵隊的翻譯、軍用物資的籌辦商人，再稍微下面的世代則以海軍工員送到日本內地，充當軍需產業的勞動者。這些加害者階層——儘管在相當大層面是帶著「負面」的東西——卻從在台灣受到的侮辱、歧視中部分地得到解放，如今在中國大陸、南洋成為日本帝國的二等臣民，狐假虎威，對當地人加以歧視與侮辱。只有少數對歷史具有特別洞察力的人，跑去重慶、延安，或在其指揮下從事抗日運動。

　　現在僅憑記憶將其著名者列舉出來，也有下面這些人。

　　與滿洲國有關係者，有謝介石與彭華英。謝介石與張勳之子在明治大學時代有深交，謝經歷甚多而當上滿洲國外交部長及駐日大使。彭華英先是活躍於啟發會、新民會、《台灣青年》雜誌以及在台灣民眾黨等組織從事抗日運動，後來就任滿洲電信電話公司的社長祕書，並且曾任職於汪精衛政權北京方面要職。

　　在汪精衛政權中知名者有成為該政權軍中將、台南出身的黃甚興（渭南），與逃出重慶、曾是汪政權的導演影佐〔禎昭〕大

佐在陸士〔譯註：陸軍士官學校〕的同窗、在李士群死後擔任新成立的政治部（原稱調查統計部）第一代部長的黃自強（奇敏）等。

　　文化人之中對日本當局最為合作的，是1920年代積極地從北京向台灣注入五四新文化運動精神的才子張我軍。他不但留在日本占領下的北京大學任文學院教授，還以華北代表的身分出席第一屆與第二屆大東亞文學者大會。

　　同樣是作為文學院教授留任的張的友人洪炎秋（1964年為台灣大學教授、《國語日報》社長），則是受命於國府當局擔任「北京大學農學院留平（北平）財產保管委員」，亦即當國府的監督而留任。再也不會有比兩個朋友在歷史上的個人選擇會出現如此大的差距，這一點是能留給我們自戒的事例吧。我對兩者大部分的論著都有同感，故感受更深。

　　從台中一中進入〔東亞〕同文書院，後來又任同一學院教授的彭盛木（阿木），可說是遭遇了遠甚於張氏的歷史悲劇。彭也是極為學究之人，除在《支那研究》雜誌上發表〈關於客家研究〉〔〈客家に就いての研究〉〕等諸多好論文之外，據我所知還著有一本《支那經濟記事解說》〔《支那経済記事解説》〕。據台灣文藝社社長吳濁流說，他在汪精衛政權成立後當過該政權財政部參事，同時兼任周佛海的翻譯。另一方面據說又送情報給重慶（少將待遇），後來因事情曝光而投獄，遭日本軍毒殺（參照吳濁流著〈無花果〉*，《中國》1969年6月號，頁58～59）。

＊　〈無花果〉後來收入《夜明け前の台湾》，由社會思想社出版。

出身客家的悲劇主角還有一人，名叫陳覺生，東〔京帝國〕大〔學〕出身，據說曾是北寧路局長宋哲元的對日聯絡者，居於當時能以電話直接與杉山陸相通話的地位。雖然因此受到杉山陸相進行對華特工活動的依賴，但他已經接受龔德柏的介紹，與有名的「國際問題研究所」主任王芃生聯絡上，在為重慶工作。據說後來也是因為曝光而被謀殺（參照龔德柏，《龔德柏回憶錄》上冊，頁134～135）。

國際問題研究所是抗日戰爭期間，直轄重慶曾家岩的軍事委員會的對日情報蒐集、調查、研究機構，僅因該所為對日工作機構，所以台灣人雲集於此。比較有名的人物有祕書長謝南光（春木），還有兩廣特派員李萬居。林嘯鯤、連震東、許顯耀等據說也是其成員。

雖然和國際問題研究所是否有直接關係還未查出來，但在同一時期重慶有《戰時日本》雜誌發行。總編輯是後來在二二八事件中「橫死」的宋斐如（文端，教育處副處長）；除此之外，在16名編輯委員中，據我所知確實為台灣人者有李萬居、李純青、謝南光、謝東閔四人。

在重慶這邊的文化人暫且不說，有官職的有丘念台、在日內瓦協助國際聯盟的顧維鈞〔按：顧氏並非台灣人〕、在關於「滿洲問題」的控訴上大顯身手的游彌堅、外交部的黃朝琴等。作為軍人知名者的有曾為第三十五集團軍副總司令、陸軍中將而後病死的新竹出身者鄒洪。鄒與陳誠是保定軍官學校第八期的同學，在北伐戰爭中為共同鬥爭的關係。他也是跳進辛亥革命、北伐與祖國革命之熔爐，在中國革命的達成之中追求台灣解放的諸多台

灣青年之一。

　　去延安的台灣青年中，以埃德加・斯諾（Edgar Snow）在
《中共雜記》〔《中共雑記》〕裡以「某台灣人」介紹的蔡乾
（孝乾）最著名（未來社版，頁170～171）。

　　人名的列舉就止於此。前輩們思想和行動的分類，以及詳細
的分析也留待別的機會，讓我們重新回到先前的話題吧。

　　如果說以「先知先覺」、自己躍上大陸舞台的還算好，「不
知不覺」地留在台灣的一群的故事就更辛酸了。至今還不能忘懷
日本帝國主義的榮光並以此自負的堂兄，所屬的海南島派遣軍軍
屬所幹的一連串暴行事實，將同人種者以「蕃刀」極盡砍殺而受
表揚的高砂義勇隊等，是被害者之同時，也是無意識的加害者，
應是最為悲劇的主角吧。高砂族的「勇士」至今還被催眠著，
最惡毒的是那些實行催眠的元凶，以及與他們站在同一陣營且
至今猶奏輓歌的人，他們直到現在還毫無反省，真是令人悲哀
（請仔細地閱讀《全讀物》1963年8月號所載〈高砂義勇軍始末
記〉）。

　　有良知的個人雖然與侵略者或殖民主義者站在同一陣營，但
擁有善意者還是占多數的，對這一點我不吝予以認同。但是個人
的微小善意到底是無力的（請看《人間的條件》〔《人間の条
件》〕中的梶〔譯註：作者五味純平據親身戰爭體驗所寫成的巨
篇戰爭文學，梶是主角，以一己之力抗爭巨大的侵華機構〕）。
被侵略者、被殖民統治者那稀稀落落的個人良心，小小的抵抗在
大狂暴的歷史罪惡行徑之漩渦中是同樣的無力，這也是我們所熟
知的。我們那膽小慎重、有良心的某副教授，正是前記「山澗的

世代」所屬人物之一。

台灣知識分子的悲劇

　　他的確是殖民地出身的菁英之一，但作為「不夠格者」——殖民地主義者經常將除了可作為例外的招牌、有利用價值的某一小部分之外的大多數被統治者菁英，以無資格者或不夠格者這個好像很有道理的虛偽理由將之排除——從大學的教室裡被趕出去。他好不容易在統治機構的末端街役場（鎮公所）得到生產助理之職，擔任台灣總督府經濟動員體制的小配角。他雖被排除，也只能甘為總督府統治的使徒。

　　光復的一大轉機，給這些曾經不夠格的菁英帶來很大的希望。不幸的是，我們的前輩汲汲地為奪回失去的權利和被排除的職位而忙碌，至今未曾擁有過將光復的意義、伴隨光復而來的自我定位放在當時的政治諸狀況下，從多方面進行反省的主體性想法。想把日本殖民地統治的果實（那是殖民主義者不得不放下的東西，而且其泉源到底只能求之於台灣的勤勞大眾，那也是他們血汗的結晶）據為己有而激烈地活動，幻想著只要取到那果實或搭上便車，那麼台灣的「近代化」就可達成了。直到現在，信奉這種似是而非的近代化路線的「好人」還是絡繹不絕。這些人物不只在台灣，也可見於亞洲各地，從此來看，是否可說是被殖民統治國知識分子的一般通性呢？甚感遺憾。

　　要自覺到在50年這絕不算短的苦痛日子裡，被殖民統治的過程中自己的靈魂已被催眠，要自己喚醒自己的靈魂，作為創造歷

史的一個主體，應該有必要責問自己的心靈深處，如何作為知識分子去參與策劃光復後自己的文化、社會，以及因戰爭而疲乏的故鄉山河之新建設。

隨著第二次世界大戰終結而來的價值大轉換，依各國面臨的不同情勢，不免有微妙的差異，而且這種差異在程度上還很大。圍繞著台灣的價值大轉換也在不知不覺中呈現出極其複雜的情況。圍繞著我們的價值體系，可大致區分為殖民者的統治價值和帶有其痕跡的被統治者的價值，以及在大陸重慶、延安、東北三省（舊滿洲）、旅大（舊關東州）、蒙古、南京等不同價值分裂、錯綜複雜的狀態出現在我們的眼前。雖然還只能說是一些很模糊的東西，但已經在那些因戰爭「結束」而放下心來、極其疲憊地喘氣的人們腦際裡縈迴著。

在當時居統治地位的價值者，不必贅言是重慶（潛在力當然也存在其他的地方）方面。在終戰、接收、內戰持續發生的過程中，這些分裂的價值急速地往單純化的方向移動。與我們台灣出身者有關係的部分，也以拿手的馬馬虎虎，像一窩蜂地奔向「慘勝」之蜜的飢餓禿鷹般，在激烈的抗爭下各自忙於搶奪食餌。曾經抵抗過台灣總督府的民族資產階級也不甘落後，寄身於「大公企業」等，為追求接收的殘渣而忙於角逐。對我們而言，「殖民統治到底是什麼」這樣的問題沒有一個「傻瓜」會去問。怕抓漢奸而發抖的買辦們，也在弄清楚台灣人是被「割讓」的棄民之特殊情況，不會受到追究之後，終於鬆了一口氣。在皇民化運動中曾經帶頭揮旗的御用紳士，在御用文學中神魂顛倒的一夥，也都是只求不要有人去碰觸其舊傷口。他們想忘卻那惡夢般的日子，

什麼學問或思想，見他的鬼去吧。曾因在台灣寺廟的「升天」過程中──在戰爭末期做為皇民化運動的一環，台灣總督府曾企圖廢止台灣人的寺與廟，稱之為升天──協助過總督府或郡守，很快地躲到東部藏起來當和尚的曾某，或竄逃到鄉下之後再到中部中學當教師而藏身的黃某，或許可以說算是不錯的了。

　　在台灣的價值移行過程中，既然是回歸祖國，當然就不可能自外於中國大陸的漩渦之中。但是由於長期遭受殖民統治和以台灣海峽為分界的大陸與台灣地理上的非連續性，使得被日本帝國強制與中國大陸的切斷政策更加產生相乘的效果。因此在過去的局面裡，與所謂中國的國民國家形成的「近代」志向，不得不出現相當程度的斷絕。在現在的局面裡，價值轉換之前的價值移行（或是回歸）過程變得更加複雜。過去是外力強加的分裂，現在甚至已有自己搭上去的情形存在。

　　這個分裂至少在現象上沒有體現出階級的兩極分化，而是像在「村子」裡發生村裡人與外來人的對立一般表現出來，呈現出一種頗令人費解的樣子。台灣出身的菁英中大多數在光復當初，曾經以為我們自己所擁有被殖民地統治的價值體系，是與大陸其他各省的價值體系同質的東西。不，對於兩者是不同性質的這種自覺，我們的前輩從一開始就沒有具備知覺的從容與主體性，這才是真實的情形。

　　重慶派及其周邊的人與其說是從「慘勝」之中重建國家，還不如說是為確保自己的地盤與「日產」（日本人所遺留的財產）而忙碌。在另一種意義上，本地台灣人的上層階級所具有的價值標準，應該是與自己的價值標準同質的，當初他們對這一點曾有

所期待。後來則是透過由上而來、由外而來的強要。據說時間雖然比較短，但與台灣同樣曾被殖民地化、有著被重慶派罵為「亡國奴」痛苦經驗的東北三省出身者，程度上雖然有些差異，但與台灣省出身者在相當的層面上擁有共同的感受。

　原因雖多，但可以被認為是主因之一的，是中國全體未在同一時期被同一國家殖民地化，因此以「八一五」為轉機再出發的出發線上，不能以同一步調與同一感覺來進行的這一點是我要指出的。未嘗過殖民地統治苦頭，也可說僅經歷過半殖民地體驗的人，不必被醜詆為「亡國奴」的官員，抱著解放者的優越感，並且為追尋「慘勝」之蜜而出現時，當然不可能有充裕的關懷、同情等多愁善感的時間。他們昂首挺胸帶著幾分逞強，但毫不客氣地將自己肯定的前近代統治價值，原封不動地、赤裸裸地自上覆蓋下來，強加於人。

　從相反角度可來驗證這一點的是朝鮮人的例子。意識形態的分裂暫且不說，他們是站在同一出發線上，以共同的感覺體驗到再出發的痛苦──換句話說是朝鮮人的知識分子體驗過為了再出發而進行的與殖民者價值的對決──以全部領土、整個國家同時被殖民地化的不幸作為代價。這種大眾性的表現從「廣泛地拒絕使用日語」，還有在日朝鮮人研究者多數是從事歷史的研究，以及許多作家站在抵抗文學的連續線上，繼續寫出優秀的作品，這些都可看出。

　相較於朝鮮人，我們這一邊、我們可憐的山澗世代前輩到底又做了些什麼呢？寫些大致與對決無關的投機文學，一旦遇到挫折便毫不羞愧地以自稱猶太人來逃避。就是經濟學方面也是如

此，以我們自己的立場出發，闡述伴隨殖民地化的台灣經濟變遷過程的論文幾乎沒有。目前有的只是與外國人聯名留下，諸如兒玉總督和後藤新平是怎樣的好搭檔，又是如何在熱情和科學的驅使之下，把台灣如何地近代化，台灣被開發、被近代化萬萬歲之類的獻媚之作而已。在原始積累階段的抗日游擊隊上萬之犧牲者，或圍繞著土地的收奪兼併之本地資本家、地主階層，以及農民與台灣總督府、日本資本主義之間的關聯，好像一點都不成為問題似的。結果是把矢內原忠雄的《日本帝國主義下之台灣》〔《帝國主義下の台灣》〕奉為聖經，放棄自己作為研究者的特權——以自己的頭腦思考、創造的智慧創作者的特權，不知舊帝大出身的過去榮光僅僅只是虛像而對其緊追不捨，引以為豪。

對故矢內原博士的為人稟性，我沒有在背後指責的意思。反倒是在那瘋狂的時節中他的頑強抗爭是難能可貴的，我對他抱持敬畏之念。如果說矢內原氏的研究與一般的殖民政策講座擔任者或殖民主義者所做的殖民地研究是同質性的東西，當然我沒有這樣的想法。然而不管如何，以不談「價值」的術語來處理，矢內原氏是和加害者、統治民族屬於同一陣營的帝國大學教授這點，是不能否定的。

既有上述的局限、又承認學問局限的話，《日本帝國主義下之台灣》已純粹地、客觀地把歷史的所有局限都揚棄的研究成果，這應是很難認同的。將其聖經化一事是對矢內原氏的侮辱，是最能顯示我們自願當奴隸之證據。自欠缺對決態度的奴隸想法而來的，當然是坐享其成的想法。即對於那不忌憚地向大谷律子說：「過去，日本時代；今天，大陸時代；未來，說不定是美國

時代」（大谷律子，〈台灣記〉〔〈台湾記〉〕，請參照《亞洲社會研究會會報》第13號）的奴隸根性全暴露的老醜之態，也沒有什麼可悲哀的了。

　　我在這裡無意斷言諸位前輩完全沒有對決的態度，也許曾經嘗試過。可看作因圍繞台灣的變化過於急遽，而錯過對決的時機。但是不能一直用「或許這樣……」的漂亮話就完事的。光復已過19年，從現在開始也不遲。為了行使我們主宰自己命運的這種當然的義務與權力，比山潤的世代稍晚的我們，來給自己賦予質詢日本殖民地化的意義之任務吧。

　　把忘卻當美德的人，可能會以「現在還在……」將我們的提案整理掉；或者逃避現實，以喜好回憶而付諸一笑也未可知。

　　這兩者都不對。我對揭瘡疤毫無興趣。何況殖民統治的歷史罪惡不是在統治國的「人」，歸根究柢是在殖民地統治體制的制度上。再者，殖民主義的犧牲者不只是被殖民者，與殖民者在同一陣營的大部分人也被迫犧牲，這才是真實的，為了慎重起見，特別在此提起這點（參照安藤彥太郎，〈檢證日本的「原罪」〉〔〈日本の「原罪」を検証する〉〕，《圖書新聞》，1964年1月1日號）。

　　我的意圖只是要我們承認自身因被殖民所受的傷痕，要以自己的意志、站在自己的立場上整理這些東西，把可繼承的遺產手段化，以此為「槓桿」嘗試著做再出發的思考而已。

建議──日本「原罪」的檢證

　　我們的副教授痛苦極了。並非是在講義的內容上，而是在其表現的手段上受挫。本來應該是最能夠得到台灣人學生同情，他們卻反而將其看成最無能且分數最苛的頑固者而和其相背離。他在對我們的論文進行理論上的指導之前，就已被中文難倒，過分拘泥於字面的修改。不要說是北京話，就連他自己的母語閩南話也不能完全地運用自如。

　　由於日本的所謂「近代」教育，的確降低了我們的文盲率。然而我們卻付出了遠遠超過於此「恩惠」的代價：被強制著過這種具有二元性的語言生活。這與某國的菁英基於自己的意志學習外國語，以學得的外國語作為手段來使用，在意義上是完全不同的。從外面把日語強加給我們，將我們的母語從所有社會生活中排除，以培育「皇民」為目的而創出「國語家庭」的努力，像是語言也有優劣似的，我們的語言受到了殖民者蔑視。我們漢民族出身的台灣人，幸虧有漢文化作為抵抗的手段，還可在殖民地的狀況下利用最低的機會「二元性」將其在家庭生活中勉強保持。

　　但是既不會寫也不會讀，根本沒有文字的高山族，連這個最底限的機會也無法確保，他們的口傳文化在統治末期已大體上面臨潰滅狀態。

　　殖民者企圖以語言政策把我們從自己的歷史與文化斷絕。我們少數的前輩培養自己的語言，努力地將之與自己的過去連結起來。隨著中日戰爭的爆發，「國語家庭」的創出與特別配給制度的實施──在台灣推行皇民化運動的過程中，將家庭內老幼都使

用國語（日語）的家庭指定為國語家庭，用特別配給肉、砂糖等作為物質上的激勵，在政府所有的窗口都使用日語的政策，迫使我們的漢文作家退步。不止於此，還侵蝕我們的語言，最終連我們的思考也被誘導陷入殖民者的圈套之中。從日本人亦即殖民者蔑視我們「母語」的狀況開始，到現在終於從我們自身之中創造出積極接納這種蔑視的買辦階級與階層。日語已不單單是手段，而變成我們價值的一部分，變成自己頹廢的媒介。

　　一般人能夠掌握學問或語言的機會，一生之中並沒有幾次，特別是語言的學習更是如此。光復當初，我們山澗世代的前輩差不多都已過了適合學習語言的年齡。會話還馬馬虎虎可應付過去，如果到了讀或寫文章，更需要以自己的語言進行深入思考的時候，就會陷入非常艱難淒慘的狀態，這是不難想像的，實際狀況也正是如此。

　　在台灣的語言問題——特別是隨之而來的思考方式——如前所述，與中國的近代化意向有部分的斷絕。又在近代的統一國家成立以前——當然標準語也未制定，其普及也沒能來得及當成課題排上日程——已被日本分割占據，台灣海峽自然的不連續性，加上人為的強權隔離政策等的結果，使得回歸祖國的同時，台灣便客觀地被強加上語言生活的三元性了。

　　屬於山澗世代的前輩，在當時與現在都是社會中堅以上的年齡集團（是否位居社會中堅則是另外的問題）。本來真正嘗試著承擔自己命運的話，應該努力學習自己母國語的。但是價值轉移的膠著與語言學習的困難，令某副教授只能凝視黑板，妨礙他去正視學生的面孔，有自信地講課。悲劇非僅他一人。1950年代由

於國民黨當局的徵兵而被召集起來的台灣出身的新兵，送別時常唱：「代天征討不義……」〔譯註：日本軍歌〕。又選舉運動時播放〈軍艦進行曲〉〔譯註：日本海軍軍歌〕，日本軍歌在酒家的氾濫，其他很多日本「俗文化」的痕跡，使有良知的人感到心痛。

部分能克服語言三元性的前輩我也不是不知道，但是完全能夠戰勝則恐怕還是要等下一代吧。

我早就有這種想法：殖民地統治的最大罪惡不是經濟基礎的破壞或物質的掠奪，而在於人性的破壞。語言上的三重生活，被剝奪了母語，自墮於奴隸的思考等，殖民地統治的罪惡之深，人們應該深深地知曉。

我想，如果只作為傳達意志手段的語言機能成為問題，那還是單純的。問題的複雜性在於透過語言的悲劇含有價值的部分，變成如前述所謂價值轉移的膠著狀態的一個原因。就是現在這個時候，依然存在著把使用日語看成遺毒與不這樣認為的人們之間的隔閡（參照〈消除遺毒〉，《徵信新聞報》，1964年1月16日），實在應該感到悲哀。將其當作遺毒而加以指摘很容易，但要讓那些不以為然的人理解是很難的。這也是悲劇。這個悲劇的所在，確實還是在於不能共同站在再出發痛苦的起點線上，因有不許追究被殖民地化意義的各種內情，在欠缺對決態度的情況下就搭了便車，經歷了挫折、逃避的生存方式。問題在於：那些東西直到現在還被以山澗世代為首的諸多知識分子所持有。我是這樣認為的，不知如何？

我想起那與殖民地體驗的傷痕不合道理地交戰，未能戰勝，

也沒能找到再出發的意義，就在自我厭惡之中而過去的某副教授心中的苦惱時，感到心痛的，難道就只有我一人嗎？

有個說法是，偏見比無知離真理更遠。我們因為只是被不同層次問題的現象面所迷惑，從而具有看不見事物本質的危險，在現階段不但不會少，還可能重蹈前輩所犯下的歷史選擇錯誤的覆轍，其危險性將很大。不一定只有聲音大的才是正確的。戰爭中，日本推出貼補拼湊的軍國調理論，迷惑了所有人，冒牌貨在表面上占多數的時候，真貨就被所有人視為賣國奴而被關在獄中的案例，可當作我們的歷史教訓。

台灣有很多與某副教授同樣小心翼翼、有良心的人，不僅有且似乎還被擴大再生產。這真是令人感到掛心的情況。

最近剛來日本的後輩問到：「如果台灣不被日本人占領，會有今日的台灣（暗喻「近代化」的台灣）嗎？」這個提問本身應沒有太大的含意，可是相當多的台灣人擁有這樣的疑問，就值得關注了。嚴格地說是什麼都不知道，有今日台灣的假定與沒有今日台灣的假定可同樣成立，也可以有比今日台灣更好的假定。但是以提問之意來看，顯然從一開始就沒有預定接納第三個假定是很明白的。有這種想法的留學生占大多數，所以常常有日本學生會發出「為什麼只有台灣學生肯定日本的殖民地統治」這樣的疑惑。前面留學生的提問之基底，是在於中國的落後是「中國人」，即惡的根源是在「人」，我們台灣人與外省人（指第二次世界大戰後從大陸移住到台灣的人）是不同的說法。我認為這正是民族的自信因殖民地教育、皇民化教育而喪失所引起的。

對於自己的靈魂被催眠而不自覺的朋友，我為此感到著急也

不是一兩次了。

要查明我們落後的原因，有上溯到鴉片戰爭、太平天國的必要，應該從科學上去分析我們為什麼抓不住近代化的契機，並且開始著手進行。

幸或不幸就像剛剛講過的，不得已被迫與中國走向近代化的意向斷絕的台灣，不但靈魂被催眠，被他民族掌握主導權，變成走向近代化的承擔者＝在對日本資本主義的從屬化過程中，受到排斥，只能被當作附屬品對待。但事實上，當地的資產階級也有分到某種程度的利益。以這部分分到的利益，顯得比在戰亂中受盡苦難的我們的原鄉廣東、福建，在某種程度上保持著更為進步的物質社會生活。此現象造成的幻影使「殘渣」不為人察覺為「殘渣」，隨著時間的經過與光復之初挫折感的累積，起了淡化被統治歷史過程中所受屈辱感的作用。人們被眼前留下的結果所眩惑，故而美化了日本統治時代的回憶。

我們從結果中撿出一些來看，的確，日本施行的近代教育──雖是加上許多的歧視與限制──降低了「文盲率」（加上下引號，表存疑，下同）。此外，在日本資本主義的絕對要求下所進行的產業開發，其結果是以近代糖業為首的諸工廠存留下來，近代的衛生管理與設施的擴充令瘧疾猖獗的程度減輕等也可被確認。

可是我們知道，其財源的大部分是從我們的腰包掏出去的。

所以我們不能只從結果面來看，將促成此結果的行為過程正當化。何況由殖民地統治所推行的「近代化」企圖不值得美化，這是連有良知的日本人朋友也承認的。

此外，上記「成果」如果沒有日本帝國的崩潰，就沒有留給我們的可能性，這是參照世界史上所有史實皆沒有的，對這一點我們絕不能忘記。

再一次回顧日本帝國為何要開發台灣吧。日本帝國的意圖不是為了施行慈善事業，這是顯而易見的事實。台灣本地的資本家從所有具甜頭的事業中被驅逐，連設立只有台灣人的股份公司都被禁止。農民的土地主要為效勞日本資本主義而被收用，再用其血汗去敷設鐵路與道路。

用我們的稅金所建立的台北帝大、台北高等學校、台北一中，除了少數有特權的台灣人以外，完全只教育日本人菁英。「近代教育」除了讓我們的菁英不成材之外，只培育出醫生（為了保持殖民地寶貴的勞動者與農民的健康）與律師（做為維持殖民地秩序的潤滑油）。這可說是在任何殖民地皆相同的現象。

因近代教育之故，我們自身的傳統中被斷絕，從喚醒自我靈魂的文學與藝術中被排除。歌仔戲或客家的「採茶」──一種以採茶歌、山歌為中心的農村戲──殖民者不僅不尊重且採取蔑視的政策。在教育政策上，台北高等學校、台北帝大對台灣人的入學限制自不待言，公立中學的入學在第一關的篩選也非常巧妙地被操弄。換言之，殖民者透過農村國民學校或農業學校，在台灣人之中培養農業開發與振興糖業的下級技術人員。

近代的醫院設備與公眾衛生設施的擴充，是為確保日本國內資本投資的安全，以及保障榨取的對象能健康如拉車之馬般地勞動為最高目的。

如果覺得我這樣說太過分，想想如果農民與勞動者大半因瘧

疾而倒下不能工作時，殖民者向誰榨取？又可榨取些什麼來呢？中上流階層的台灣人受到前述的教育及衛生設施的恩惠是事實，但也只是「順便」而已，並沒有其他更高的意涵。

　　無論如何都要說日本人是以善意將台灣「近代化」的話，那麼，因為日本國現在比戰前更富裕了，請問，有沒有日本人願意前去受貧困與疾苦折磨的非洲大陸，人數只要有當時去台灣的人的一半就行了。

　　殖民地統治的動機是精神上的這塊招牌，早已被社會科學拆下。至今仍有堅持抱著「幫我們開發」、「幫我們近代化」這種天真想法的我們（台灣人），到底是悲劇還是喜劇呢？

　　在甲午戰爭中被打敗、被殖民地化的我們之所以落後，的確是由於制度上、軍事上、技術上的劣勢所致。被殖民地化是有其相應的理由，卻不以清朝官僚制度的腐敗，以及因其腐敗而啃蝕大眾，漸漸地使我們的前輩不成材這點來看，而以好像中國人是先天劣等般把問題偷換掉，這是不對的。

　　有許多不經過殖民制度而進步的史例，即不等別人來開發，以自力建成出色國家的「落後」國家之例。

　　在被殖民地化的同時，我們也正處於走向近代化的陣痛期，在惡戰苦鬥當中，只要翻開近代史就可以明瞭這一點。洋務運動是其中一部分，劉銘傳在台灣的新政——雖未成功——也是其中之一。

　　不管怎樣，積極追究50年的日本統治一事，對我們來說到底有什麼意義，然後以自己的立場正確地給予定位。要把殖民地遺產從正反兩面把握，正面的遺產也非作為價值原封不動地繼承下

來，而應經過一次客觀化、對象化的手續，徹底把它變成自己的手段來活用才好。

不待言，近代化的主導權由誰掌握？由誰挑這個擔？由此而來的近代化歷史意義就不同。我們的諸前輩未能認識到這些，對自己的定位也不做，天真地以為脫去奴隸的衣裳便可重新成為主人，從而跌了一大跤。

在所有的成功都以美金換算的今日之台灣，從那裡跳出來急急忙忙地依樣畫葫蘆，選擇與其從根源的問題去接近，不如抄近路來得迅速俐落，為追求值錢的東西而廢寢忘食的我的友人們，自負不屬於此範疇的各位兄姊，現在正是與殖民地傷痕對決的時刻，在新的歷史——絕不是做為與中國史、世界史切斷的內向狹窄地限制在一島史上的台灣歷史——的展望之中，作為台灣的知識分子應以何種方法參與策劃我們的文化與社會，作為創造歷史的主力分子生活下去，應該由自己思考、決定來行動吧！

雖已過了19年，絕不可避開為了前進而不可或缺的步驟。要把再出發的苦痛真正地變成自己的東西，從現在開始應該也不遲。我堅信要忍受此苦痛，才是把我們從褊狹與偏見之中救出的唯一道路。

《日本帝國主義下之台灣》可說是基本的文獻之一，但絕不是聖經，台灣既不是為了台灣人而被近代化，也不是為了台灣人而被開發；是日本因敗戰的結果，不得不把產生殖民地利潤的乳房留給台灣，對於我們台灣人而言，那只是意味著得到其殘渣而已。

我們台灣人何其有幸，未經過流血的淒慘就實現了殖民者的

逃散。看！阿爾及利亞的悲劇！我願意相信他們之中絕沒有對法國的近代化喊萬萬歲、讚美法國的笨蛋吧。

　　本稿受艾柏特・梅米（Albert Memmi）著《殖民地》〔《植民地》〕（三一書房）、尾崎秀樹著《近代文學的傷痕》〔《近代文学の傷痕》〕（普通社，後為勁草書房）莫大啟發，特附記於此。

本文原刊於《暖流》第5號，東京：東大中国同学会，1964年2月，頁32～40，原題「某助教授の死と再出発の苦しみ」。本文係作者據前文大幅度增潤而成

我的發言
——台灣研究的態度

◎ 林彩美譯

　　第24屆聯合國大會開幕了。隨著也一如往常，連新聞版面的短訊欄都幾乎不被當一回事的「國府」台灣所謂「中國代表權」問題，稍微浮上報紙版面的多事之秋。

　　秋天的各大報，只以「應景」的形式，把與中國民眾（包括住在台灣1,300萬人〔譯註：此為1968年的統計數字〕的全中國人）沒有多少關係的、國際儀式象徵之一的「票數」提供在版面的一角。

　　已十分清楚這個票數本來對於民眾不具有本質性的任何意義，但圍繞「票數」煞有介事地分析或評論，還是熙熙攘攘於秋天的新聞版面。

　　多恐怖的老套守舊啊，應該就此打住才是。敬請中國研究關係者從上述煞有介事的分析或評論的老套回歸正業吧。這是我的小小建議。

　　對於我們來說，從中國現代史全面且本質的接近，作為一地域的台灣，和1911年以來以一個政治勢力而存在的國民黨及其行使政治權力所體現的「國府」，在中國研究上是不可或缺的。

　　此前提如能被接納的話，與其細緻地追蹤圍繞國府台灣的國際諸關係動向，更重要的毋寧是掌握台灣內部的政治、社會、經濟的正確實際情況。

　　居住台灣的1,300萬中國人如何營生，擬以什麼樣的形式參與世界史，不要只看其表相，應把觀察的射程伸長到深層。

　　台灣的農民和勞工，以什麼樣的型態逐漸被捲入或參與高度經濟成長之中，因而逐漸引起台灣內部社會與經濟變動，其實際狀態如何。又與此相對應的國民黨十全大會的舉辦，領導階層在中央、地方政治的世代交替，蔣經國就任副行政院長與經合會（「行政院國際經濟合作發展委員會」是國府經濟政策的制定方案與執行最高機關）主任委員所具意義等，從學問上加以探討，應是以往對國府台灣草率的認識到真正的、豐碩的理解之第一步所不可或缺的。

　　特別是將蔣就任上述職位，視為他自1949年末以來在台灣所進行政治嘗試在成熟階段的具體體現，便有極深的含意。

　　蔣今後的嘗試是否是繼「江西新政」（在贛南就任行政專員期間＝1939年至1940年代初期，於江西省所進行的以往國民黨所未曾見的劃時代嘗試）、「上海打老虎」（蔣就任東南區經濟特派員期間，1948年，於上海精明強悍地取締伴隨金元券發行的金融投機）的第三次挑戰值得關注。

　　僅止於「夜生活的歡樂」、「北投溫泉」、「對日感情良好」等等的旅遊情趣，或「廉價優質的勞動力」、「沒有強力的勞動工會」等經濟動物性的方式接近台灣，是不能理解真正的台灣的。

　　又以經濟合作為名的日本企業的進入，對今後中日兩民族帶來怎麼的歷史結果，也成為無法充分預料之事。「首先請注視台灣的實際狀況吧」，這是我的發言。

　　　本文原刊於《エコノミスト》第47卷45號，東京：每日新聞社，1969
　　　年10月14日，頁51

《日本人與亞洲》：東京，新人物往來社，1973年10月15日初版。

台灣簡史

◎ 陳鵬仁譯

前言

　　一般提到台灣，許多人只會想到台灣本島。但事實上，台灣係由台灣本島和15個附屬島嶼，以及澎湖群島的64個島，共計79個島所構成，行政上的正式稱呼為中國台灣省。

　　它位於東經119度18分至122度6分，北緯21度45分至25度37分之間。本島的大約中央嘉義市附近，橫斷著北回歸線，即南部為熱帶，北部為亞熱帶。因此被稱為常夏之島。

　　台灣省的面積為35,961平方公里，人口大約1,400萬人〔譯註：本文統計數字至1969年底；現約2,300萬人〕。

　　居民除少數外國人之外，由被認為原住民的高山族（日本占領時代稱為高砂族）、先住漢族系居民（指二次大戰結束之前移住的中國大陸漢族出身者而言，一般稱為本省人），以及後住漢族系居民（指的是二次大戰後移居的漢族系居民，一般叫作外省人）三大部分構成。

　　高山族有阿美族（Ami）、泰雅族（Atayal）、排灣族

（Paiwan）、布農族（Bunun）、卑南族（Puyuma）、魯凱族（Rukai）、鄒族（Tsou）、雅美族（Yami）、賽夏族（Saisiat）九族；人口大約25萬人〔譯註：據內政部統計，至2009年底原住民總人口數為504,531人〕，大部分居住於台灣本島的高山地區。

被稱為外省人的後住漢族系居民為大約200萬人。這些人大多來自東南沿海地區，尤其是浙江、江蘇兩省，東北出身者也不少。1949年秋天，隨國民政府遷到台灣，與其同來的軍人、官吏等的出身地，雖然數目有差別，卻遍及於全中國大陸。其居住地方，除一部分的退役軍人在橫貫公路沿線所開農場和全台灣村落的公家機關任職外，幾乎皆住在都市及其近郊。

除高山族和外省人外，便是上述的本省人。本省人的總人數為大約1,200萬人。其出身可大致分別為福佬人即福建南部（以泉州、漳州為主），以及客家人即廣東（以嘉應州【梅縣】和惠州為主）。福佬和客家，係以所使用語系來區分；而廣東出身者中，以潮州為祖籍者使用與福佬話相近的潮州話；以福建汀州、永定為祖籍的福建省出身者，大多以客家話為母語。本省人之中，因福佬系居民先來台灣，占沿海一帶特別是台灣本島西部一帶平地，以至於今日；客家系居民稍晚來台，所以分布居住於高山族所居住高山地區，與福佬系居民所住平地的中間地帶的山麓地區。

先史時代

以往一般都說台灣原住民是屬於馬來系印度尼西亞種的高山

族。但根據近年來以台灣大學考古學系為首的台灣本島西部和東部考古學遺物、遺蹟發掘調查，發現了大陸系野獸化石，二次大戰前，前台北帝國大學金關丈夫教授等發掘黑陶、紅陶、彩陶等陶片所做考古學的研究（請參看金關丈夫〈台灣先史時代北方文化之影響〉〔〈台湾先史時代に於ける北方文化の影響〉〕，以及國分直一〈有肩石斧、有段石斧及黑陶文化〉〔〈有肩石斧、有段石斧及び黒陶文化〉〕等論文，收於金關丈夫等著《台灣文化論叢第一編》，1983年），我們可以知道，先史時代的台灣文化，不是南方諸島系的單一要素，也有中國大陸系的要素，也就是說，先史時代的台灣居民與中國大陸的居民，實具有一部分的同一文化系統。這等於說，台灣的原住民並不限於馬來系印度尼西亞種的高山族，相較於高山族，中國大陸系民族可能更早前來台灣，可設想因為某種理由而中斷或回去中國大陸。

　　在中國大陸的研究者之中，有人認為高山族與海南島的黎族一樣，是從中國大陸移居的民族。（請參看劉大年等著〈台灣歷史撰述〉，收於中國科學院歷史研究所第三所編輯委員會編，《中國科學院歷史研究所第三所集刊第二集》，1955年。）

從文獻看中國大陸與台灣的關係

　　要了解古代的台灣，除上述考古學的遺物、遺蹟之發掘調查研究，高山族民間傳說之整理和科學分析外，也可以根據中國古籍中有關台灣的記載來做研究和分析。

　　有人認為，中國戰國時代（西元前403～221年）的重要地理

書《禹貢》所說「島夷」；《前漢書》（大約撰於西元82年）之地理志〈東鯷〉；《三國志》（陳壽【223～297】著作，有關日本最古老之文獻，著名的〈魏志倭人傳〉乃該書之一部分）的「夷州」為台灣，但要成為定說，尚需進一步的考證。

　　目前，學術界的一般說法是，台灣史最古的正式紀錄為西元3世紀中葉，沈瑩之《臨海水土志》（請參閱前引劉大年等著）。因沈瑩為三國時代吳國之人，故我們可以將《三國志‧孫權傳》，吳之黃龍2年（230），吳之孫權令衛溫和諸葛直率萬人之士赴夷州的記述，當作在文字上所記錄史上最大規模中國大陸與台灣的接觸。這是1,741年前的事情〔譯註：本文寫於1971年，故為1,741年前〕。

　　其後，經過三國的吳，經兩晉南北朝至隋朝大約三個半世紀的期間。目前似乎未發現有關台灣的特別文獻和資料（參考桑田六郎，〈古代之台灣〉〔〈上代の台湾〉〕，收錄於《民族學研究》第18卷1、2期，1953年）。

　　從6世紀末到7世紀初，隋朝統一了分裂為南北的中國，順其餘勢經略台灣。就是現存文獻所知中國大陸與台灣的第二次大規模接觸。

　　根據《隋書‧流求國傳》的記載，隋煬帝於607年，派遣朱寬和何蠻到台灣，「尋訪異俗」之後，三年後即大業6年（610），令陳稜和張鎮州帶萬人，從廣東潮州經澎湖諸島遠征台灣。

　　這一期間的台灣原住民，應是高山族的一部分，其社會經濟生活甚為原始，似尚不知鐵為何物，而利用比較進步的石器從事

開墾。其農耕為山田燒墾方式，還沒有牛、馬、羊，有許多豬和雞，這是〈流求國傳〉的記載。（請參看拙作〈台灣舊式糖業的發展〉，收錄於拙著《中國甘蔗糖業之發展‧第四章》，1967年，日本亞洲經濟研究所〔參見《全集》10〕。）

台灣因全球規模的地形變化，與中國大陸分離以來，由於台灣海峽之天險，台灣與大陸的文化關聯遂留下考古學的遺物和遺蹟而斷絕。

但隨大陸造船航海技術之發展，大陸與台灣又開始接觸，因而有前述的遠征。

這個接觸，就封建王朝而言，並沒有什麼經濟價值，因當地原住民「未開蒙昧」，所以對於邊疆孤島的台灣雖然有一時的軍事上經略，卻沒有實施經營台灣。應可如此想。

除由封建王朝主導遠征外，亦可能有大陸東南沿岸居民漂流到台灣。

另一方面，台灣對大陸的接觸，根據宋朝文獻（宋‧樓鑰撰《攻媿集》卷88，〈汪大猷之行狀〉），毘舍耶人（指高山族）曾入侵平湖（澎湖）。又根據著名的《諸蕃志》（南宋‧趙汝適著作）的記載，傳淳熙年間（1174～1189年），高山族曾經前往福建泉州之水澳、圍頭村行暴，奪走鐵器等。

有趣的是，根據上述記載，高山族奪取的主要是鐵器。從台灣對大陸的進攻，可能是高山族之中善於使用木筏或獨木舟之部族所為。至於其航路，很可能是由南台灣到平湖，由平湖而至福建南部。

由於在台南附近發掘了宋朝石器、古錢等，可以充分證明，

隨漢民族的政治、經濟、文化的活動中心，移到江南的過程中（南宋），迅速地促進了大陸與台灣新的接觸。

事實上，元世祖忽必烈進攻日本（所謂元寇，第一次為1282年，第二次是1287年，皆失敗）以後，於1292年，隨國力的增強，曾派楊祥嘗試招撫台灣，但高山族沒有答應。因此成宗於元貞3年（1297），令福建省長（平章）高興率軍遠征台灣（《元史·瑠求傳》），作為經略的一環，中國政府在澎湖設立台灣的第一個地方行政機構「巡檢司」（元·汪大淵著《島夷志略》）。這是台灣史劃時代的政治事件。

《島夷志略》說，台灣居民與大陸的交易，高山族以鹿、豹等獸皮、獸角之類，與大陸的珍珠、瑪瑙等裝飾品，以及浙江的磁器交換。因此我們可以了解，上述政治力的浸透實有經濟活動為其背景，殊值關注。

新的發展——明清兩代的台灣

明帝國七次遠征西洋（即今日的南洋）是舉世聞名，《明會典》記載，率領遠征軍的鄭和，曾在赤嵌（今日的台南）補給水，而台灣民間傳說也有許多關於「三保太監」（鄭和）的故事。

除鄭和的故事之外，明朝的民間傳說，有不少是關於林道乾的事。林道乾出身廣東潮州，本為縣吏，因故參加反體制活動，16世紀中葉以後，與當時的倭寇勢力勾通，稱霸於自東南沿岸到台灣海峽一帶的民間海上武裝貿易集團裡。以台灣烏水溝（台灣

海峽）為天險，作為活動的最好基地；一方面大力從事反體制活動，同時利用漢族移居者或以海盜行為掠奪而來的農民，在台南附近做了農業開發的嘗試。

繼林道乾之後，以台灣為基地的，有稱霸南海的林鳳（別稱阿鳳），他是廣東饒平人。林鳳出生於嘉靖年間，從小就到處流浪，後來入夥海盜，起初以澎湖為基地，明萬曆元年（1573），敗於福建總兵胡守仁而逃往台灣，隔年被趕往菲律賓，舉家與西班牙一戰，結果被打敗。

根據現有史料判斷，從16世紀中葉到末葉，漢族出身者在台灣的活動，主要利用它作為「海盜」的基地，台灣的開發可能只限於基地的農產物的自給。

大致在同一時期，始於15世紀末，歐洲人發現新航路，為了在新殖民地尋求胡椒等香料，一波波人潮前來，及於東亞。其中葡萄牙人，從印度經由馬來半島的麻六甲和中國大陸的華南來到日本。於1540年代，以九州平戶為根據地，開始與日本從事貿易，於1557年（租借澳門），終於迫使明朝打開貿易的大門。

因這些以東亞為首的新國際關係的展開，台灣也為葡萄牙人所注意，在北上日本的途中，從遙遠的海上發出Ilha Formosa（美麗島）的感歎，就是指台灣本島。

對於漢族真正著手開發台灣，一般皆以顏思齊為第一人。顏出身福建海澄，本為手工業的工匠，後來前往日本，又移居台灣，以北港為中心從事開發經營。這是1619年前後數年的事。

繼顏思齊之後，將統治台灣和開發台灣的重點擺在中日貿易和「海盜」活動，是在日本以國姓爺馳名的鄭成功之父鄭芝龍。

　　而與鄭芝龍前後出現於台灣，比葡萄牙人和西班牙人慢一步、一心一意想插足這兩個國家之東方貿易勢力圈的，便是荷蘭人。

　　荷蘭人在菲律賓被西班牙人、在澳門被葡萄牙人打敗之後，於1603年（萬曆31年）占領了澎湖。

　　起初，明朝並不在意荷蘭人占領澎湖，後來得知荷蘭人在澎湖大興土木，積極建設要塞，因此趕走了荷蘭人。

　　被趕走的荷蘭人，於1622年再來馬公，建設城堡和砲台。明朝遂令福建巡檢司南居益率領海軍（當時稱為水師）與其一戰，但不僅未能趕走荷蘭人，荷蘭人更把大艦隊開到福建沿岸，展開兩面作戰。

　　因倭寇束手無策的明朝，為了確保福建沿岸地方的安全，對荷蘭東印度公司，以從澎湖群島撤退為條件，准許其以台灣本島（明朝當時看台灣本島為海盜、反叛集團的巢穴）為根據地，可與中國民間通商交易。

　　荷蘭人於1624年，在安平建設熱蘭遮城，在對岸本島赤嵌建築普羅民遮城塞，以台南為中心開始重商主義殖民地的經營。

　　當時稱霸菲律賓的西班牙，因荷蘭在台南近邊築城，大有獨占對日與對中國貿易之情勢而感到恐慌，於1626年在台灣北部建立自己的勢力圈以對抗荷蘭，遂在雞籠（基隆）與淡水建築城塞。

　　於是台南附近為荷蘭人、北港周邊為鄭芝龍一夥、北部則為西班牙人所統治。

　　在這三大勢力之中，實行最強有力的殖民地統治方策的是荷

蘭東印度公司。從前在台南盛行圍繞中國的走私貿易，因荷蘭軍事力量的介入，中國和日本的交易者除被課徵重稅外，進而慢慢地被排除在外。日本人濱田彌兵衛一夥人，與荷蘭人在台南的衝突事件是很多人都知道的。

在這期間，沒聽說鄭芝龍這一夥人與荷蘭人發生過衝突。這可能是由於鄭芝龍等將中國大陸的物資（主要是生絲和陶器）仲介給荷蘭人，並將荷蘭的物資（金屬類、藥材以及爪哇一帶生產的香料等）運到中國大陸，以及購買台灣的砂糖與一部分米賣到日本，故鄭芝龍一夥人與荷蘭人的關係，沒有日本人與荷蘭人之間的矛盾和衝突，屬於互補關係，能夠共存所致。

鄭芝龍一夥人，本質上是武裝貿易集團，為了強化其根據地，鄭芝龍於1628年，由福建招來數萬人到台灣，每人給予三兩銀，三人借予一頭牛，展開積極策略鼓勵從事農耕（黃宗羲，《賜姓始末》）。

荷蘭人也學鄭芝龍，從對岸的福建、廣東招來人民，以種植甘蔗和稻米，同時安撫高山族，將山產、鹿皮大量輸往德川時代的日本，將鹿角、鹿肉賣到中國大陸，以賺取利潤。以其餘勢，於1642年將占據北部的西班牙人趕出台灣。

1650年代，荷蘭人將統治的根據地從安平移到台南，隨統治的加強，只是從漢族系居民徵收的人頭稅，一年就有33,700里爾〔譯註：real，西班牙貨幣〕，每人1里爾狩獵稅，共達36,000里爾。以贌社稅＊、漁業稅、屠宰稅、釀酒稅和貿易等，一年獲

＊ 荷蘭人據台期間實行贌社制度，即部落貿易承包制度，凡進入原住民部落的漢族商人須參加競標活動，而得標者須向荷蘭人繳納承包稅金，此即贌社稅。

得大約30萬荷元的殖民地利益。即從1624到1644年的20年間，由對岸大陸移居台灣的漢族系居民，推測為大約25,000戶（A.R. Colquhoun and J.H. Stewart-Lockhart "A Sketch of Formosa" *The China Review*, Vol. 13）。1644年當時的台灣漢族系居民約3萬戶，總人數為大約10萬人（《台灣總督府舊慣調查報告第二部調查經濟資料報告》上卷〔《台灣總督府旧慣調查報告第二部調查経済資料報告》上卷〕）。這是以台南附近居民戶數和人口的推舉數字，不是全西部地區人口的數字，自不待言。

而從1651年漢族系居民中，7歲以上者每人課徵4里爾人頭稅，一年可徵收37,000里爾來推算，我們可以知道荷蘭人統治區的漢族系居民，應該不到1萬人。

荷蘭人統治區漢族系居民人口數的另外一個推算，係由菲力浦（G. Phillips）所做，他說在安平、台南有大約25,000至30,000人。（"Notes on the Dutch Occupation of Formosa" *The China Review*, Vol 10）

總之，在17世紀中葉，台南周邊的漢族系居民為大約十萬人，其中一到三成住在荷蘭東印度公司直轄地區，其餘大多數人應該居住於以北港為中心、漢族所開發的地方生活。

荷蘭東印度公司，因砂糖輸出的景況大好──主要輸出地為日本和波斯（拙著《中國甘蔗糖業之發展》）──在台南周邊的農業開發以種植甘蔗為主，稻米隨漢族系居民的增加，島內糧食自給自足，一部分則輸出至糧食不足的地區──尤其是福建省。因台南屬於熱帶，處女地極為肥沃，擁有製糖所需的燃料──薪炭類──即未開發森林的存在，就荷蘭當局而言是絕好的條件。

荷蘭當局對於上級田、中級田、下級田，每一甲步〔譯註：一甲步為一公頃〕分別徵收18石、15石6斗、10石2斗的稻穀作為地租（連橫【雅堂】，《台灣通史》）。

其統治以2,000至3,000名的軍隊為憑藉，以「結首」制度〔按：結首制並未實施於荷據時期〕組織漢族（以幾戶至十幾戶為一「小結」，以數十個小結為一「大結」），小結設小結首，大結指定大結首，皆由荷蘭人指派，對於結首，則給予更多的開墾地，以為間接統治。在此期間，隨漢族居民人數的增加，被稱為「平地蕃人」的「平埔族」，遂日趨漢化，稻作面積也隨之大為擴大。與此同時，因漢族和平埔族農耕的展開，高山族便被迫愈往高山移動。

荷蘭人教平埔族荷蘭語文，傳授基督教，建設學校等，以謀求擴充和強化殖民統治的基礎，迨至1661年被鄭成功等驅逐，前後38年，從台灣得到極龐大的殖民地利益。在這期間，頻頻發生以漢族系居民為首的抵抗運動，尤以郭懷一的起事（1652年）為有名。

把荷蘭人驅趕出台灣的鄭成功，將台灣當作「抗清復明」的基地，我認為係基於以下的理由：第一，利用台灣海峽天然之險對抗清朝，俾復興明朝；第二，台灣是乃父鄭芝龍所開發的新天地，漢族系居民多係鄭成功的同鄉，作為基地極容易得到人和；第三，新開地物產豐富，其中米可做兵糧，砂糖輸出作為軍費。

鄭家的統治台灣，歷經鄭成功（1662年病逝）、鄭經（1681年病故）、鄭克塽三代計22年，隨第二代鄭經之死發生繼承之爭，以及因清朝幾次遷界令（是一種大陸的經濟封鎖，和禁止與

大陸居民的關係與接觸）受到很大的打擊，加以大清帝國的威勢與名水師提督施琅的包圍作戰，終於向清朝投降。這是1683年的事情。

鄭家三代的治世，因鄭的部將和幕僚之中有不少不齒於接受清朝統治的知識分子與政治家一起前來台灣，故在中南部實施屯田制，獎勵和發展生產、振興學校、推進砂糖貿易等，結果出現台灣有史以來的大漢化運動。農業的開發，自台南周邊北路擴大到竹塹（新竹），南路至鳳山。

與上述開發的同時，漢族人口在這大約20年，從荷蘭末期的大約5萬人，增加到12萬人。

清朝的台灣統治，大約為213年（1683～1895年），在這期間，漢族人口由上述12萬人增加到255萬人（1893年），耕地從18,000甲（1684年）增加到75萬甲。行政劃分由當初隸屬於福建省的一府三縣，隨開發的進展與對外防務的關係，於1885年設省，分成三府、一直隸州、六廳和十一縣。

農業，除傳統的稻米和砂糖外，也輸出茶葉，尤其由原生樟樹所提煉的樟腦，隨英國毛織品工業的發達，大事加工和輸出。

清朝對於台灣的統治，特別注意和警戒台灣為傳統的叛亂集團的基地，因而嚴格限制大陸人民移居台灣，直接、間接抑制台灣本地集團勢力的增長。可是，從對岸的福建和廣東，流亡農民卻一批一批地往寶島台灣移住，尤其鴉片戰爭的結果，瀕於破產的福建、廣東農民，以農業勞動者大量流向北部台灣和東部台灣的未開發地區。充滿拓荒精神的「小租戶」和直接生產者的「現耕佃戶」的農民，一步一步地從點到面擴大其開墾地，進而支持

寄生地主制的形成。另一方面，攢清廷管理貿易之空隙的商人，透過砂糖、茶葉、樟腦以及稻米的輸出，累積商業資本，從而形成了「郊」。

迨至19世紀中葉，分割世界的後進地區，以及歐美資本主義列強之爭取殖民地的活動日趨激烈。從重商主義階段，進入帝國主義階段的資本主義列強，殖民地化印度，甚至於窺伺中國，台灣因之也被捲入漩渦之中。其重要動向為：第一，英軍於鴉片戰爭（1840年）時，為了牽制大陸，出兵台灣近海；第二，美國遠東艦隊司令帕利派軍隊到基隆，測量調查煤礦和港內（1854年），建議美國政府占領基隆；第三，根據《天津條約》，開港台灣府（包括台南和安平）和淡水；第四，普魯士船砲轟南部高山族部落（1860年）；第五，開港打狗（高雄）和基隆（1863年）；第六，美國軍艦砲擊和侵犯南部高山族部落（1867年）；第七，在台英國商會與清朝官憲發生衝突，因所謂「樟腦紛爭」，英國軍艦砲擊安平（1869年）；第八，日本的「討伐」牡丹社事件（1874年）；第九，廢止琉球藩與設置沖繩縣（琉球完全被納入日本勢力圈，1879年）。因中法戰爭（1884年），法國艦隊砲擊和封鎖基隆、淡水和澎湖。這一連串的外患壓力，清廷改變了對台灣的看法，因此台灣乃有洋務運動的實施和加強台灣的國防力量（請參看拙稿〈晚清期台灣的社會經濟——並試論如何科學地認識日帝治台史〉〔日文原題為「清末台湾の一考察——日本による台湾統治の史的理解と関連して」〕，收於《仁井田陞博士追悼論文集》第三卷〔參見《全集》6〕）。

日本統治與台灣抗日運動

　　因甲午戰爭，台灣以「割讓」名義成為日本的殖民地。台灣有志的軍官民眾，以承認清朝的宗主權，對世界宣布「台灣民主國」的建國，激烈抵抗日本的占領而失敗。其後雖產生很多犧牲者，但一連串地展開抗日武裝游擊活動、復歸中國活動、解放殖民地運動等抗日運動，持續至二次大戰末期（其詳情，請參看台灣省文獻委員會編，《台灣通志稿・卷九・革命志抗日篇》；台灣總督府警務局編《台灣社會運動史》〔《台湾社会運動史》〕，龍溪書舍，1973年復刻發行；《現代史資料・台灣Ⅰ、Ⅱ》〔《現代史資料・台湾Ⅰ、Ⅱ》〕，みすず書房發行）。

　　隨二次大戰的結束，台灣歸還中國，日本占領台灣長達半個世紀。日本有一部分人認為殖民地統治當局在台灣行過善政，但既然是殖民地統治，自無善政可言。尾崎秀樹說得好：「對於日本在台灣所推行的近代化，有不惜予以稱讚的日本人，但這是毫無意義的。的確，衛生層面的改善、普及教育、農業技術的改良等有相對的正面貢獻，但我們必須知道那是為了使日本的殖民地剝削更有效，只是扮演潤滑油的作用。這完全不是恩惠，而是一種剝削的準備（事前）工作而已。」[1]

---

1 〈私にとっての台湾〉，刊登於1971年8月2日《日本讀書新聞》。台灣人發表的文章則有，林凡明、何敏〔譯註：戴國煇的筆名〕〈日本人對台灣錯誤的認識〉，刊於1969年7月號《世界》月刊〔參見《全集》7〕，可以參考）。關於抗日運動的文獻，中川静子《日本帝国主義下の台湾──霧社事件》、李稚甫《台灣人民革命鬥爭簡史》，和拙著《與日本人的對話》，東京：社會思想社等書均值得參考。

　　我認為，今後圍繞台灣的中日關係，勢必將有很大的變動。我們要正確認識台灣是中國的一部分，並認真思考對日本人而言，過去對台灣的統治是什麼？對日本資本主義來說台灣曾經是什麼？今後應該如何行動，科學地予以正確界定，來重新思考台灣才對。

　　　　本文原刊於《高校教育社会科資料》第8號，1971年10月，頁1～8

霧社蜂起事件的概要與研究的今日意義
—— 台灣少數民族喚起的問題

◎ 魏廷朝譯

　　台灣現在〔1980年〕大約有20萬人左右叫作高山族的少數民族。高山族是總稱，而人類學家把他們分類為泰雅族、賽夏族、曹族、布農族、魯凱族、排灣族、阿美族、卑南族、雅美族九個系統。事實上，他們本來的居住地區、語言、社會組織等一直互不相同，彼此間的異質性，至今仍舊被強烈地保持在種種層面。

　　通常稱為高山族的，是只指居住在山地地區的未漢化少數民族（接受漢化，住在平地，曾被稱為熟蕃或平埔蕃的人們除外）。

　　如今被叫作高山族或山地同胞（也簡稱「山胞」，粗略分稱為山地山胞、平地山胞）的這些少數民族，追本溯源，一向被漢族系住民賤稱為蕃人、生蕃、熟蕃等。

　　1895年第一次中日戰爭，也就是甲午戰爭的結果，台灣在「割讓」的美名下變成為日本帝國的殖民地以後，日本官方與一般人都沿襲明清以來漢族系住民的舊習慣，稱他們為蕃人、蕃族，並且將被漢族系住民與新近侵入的日本人更進一步逼迫而不得不當作居住地的山麓或山岳地稱為蕃地，稱呼其居住區為蕃

界、其部落為蕃社。台灣總督府把這些「蕃地」與「蕃界」，自一般行政區域分開，另設特別行政區域分開統治。不過，在霧社蜂起事件時（1930年秋），由於行政上的方便，台灣總督府將台灣的少數民族分為泰雅族（北部）、布農族（中部、南部）、曹族（中部，阿里山一帶）、雅美族（紅頭嶼）、賽巴特（同賽夏，北部，新竹一帶）、排灣族（南部）、阿美族（東部）七個種族，然後更將其中的阿美族全部與部分排灣族（大武支廳除外）編入普通行政區域來管理。

漢族系住民也好，殖民者日本人也好，並不是不知道蕃就是與蠻相通的賤稱。

然而，把自己的社會看成文明社會，而對自己惡魔性格的存在絲毫不感良心不安，這種驕傲的「富有者」，當然察覺不到那些賤稱（在它底部，編織著偏見、歧視、壓制的結構）所具有的自我腐蝕作用的功能。

對驕傲的人們而言，「蕃人」的社會是未開化的社會，既不肯從他們所固有而獨特的文化中發現其獨自性，而承認該異質文化的存在並加以包含，也不能夠認識少數民族存在著與自分（自己）對稱的他分（他己）這項真理。

儘管如此，殖民者日本人當局還是為了必須因應新情勢的不得已原因，暫且先從制度的層面著手，把以往的生蕃改稱高砂族，熟蕃改稱平埔族。

時間正是本書所探討的霧社蜂起發生後五年的1935年（昭和10年）6月，更明確的說，於1935年6月4日，台灣總督府以訓令

第34號公布的戶口調查規定[1]，種族欄的記載為：

六　種族欄中應依左列簡稱記載：

甲　內地人　　　　　　　內

乙　本島人　福建族　　　福

　　　　　　廣東族　　　廣

　　　　　　其他漢族　　漢

　　　　　　平埔族　　　平

　　　　　　高砂族　　　高

接著，在同年12月的《台灣總督府報告例》的修正中，也規定把向來「生蕃人」的稱呼改為「高砂族」，另一方面當局還通令在公文書及一般文書上，也應該使用上述改正的稱呼。

這種通令和要求當然也向新聞雜誌等各相關方面提出，但由於支持蔑視先住民的政治社會經濟結構體本身並未隨著改進，效果很小，連把發行處設在總督府內的綜合雜誌《台灣時報》，也在1936年以後仍續用蕃族一詞。

上述的蕃族到高砂族的稱呼改正，或許伴有以霧社蜂起為頂點的高山族哀史之特性，不過，那絕對不是殖民者當局針對激烈抗戰充滿榮耀的「文明人」（統治民族常將抗戰矮化稱謂蕃害）表示的「仁慈」措施。

瀏覽一下1930年霧社蜂起事件到形式上改正稱呼的1935年，

1　畠中市藏，《台灣戶口制度大要》（1936年），頁309～311。

也就是1930年代前半，對日本帝國主義來說是激盪的時期。以1931年的九一八（「滿洲事變」）到次年3月1日的「滿洲國」建國宣言為契機，日本帝國主義對大陸的侵略直線向上變本加厲。只從表面看它的脈絡，當時的日本人好像把眼光偏向北方，可是這當然不是全部的真相。日本的政要咬定台灣是「帝國向華南、南洋發展的策源地，而且在產業上或貿易上，又在國防上占極重要的地位」[2]，並把剛剛完成裝潢的台北市公會堂（今中山堂）作為會場＊，從1935年10月10日起50天，由總督府支援，舉行了盛大的台灣博覽會。

這場博覽會不用說，確冠以「始政四十周年記念台灣」，來向國內外誇耀台灣的殖民地統治成果為目的。但是，當局的另一個主要目標不外是要以此契機，利用博覽會的舉辦，來策劃「南進基地台灣」更進一步的「安定」與飛躍性的發展。

單以1935年一年來看，軍事層面的動向就很劇烈。在海軍，除了第三艦隊、三位宮殿下（久邇宮朝融王殿下、朝香宮正彥王殿下、伏見宮博英王殿下）所搭乘的練習艦隊——淺間號與八雲號；軍艦——龍田號；驅逐艦——羽風號、大刀風號、帆風號等，先後四次接踵訪台外，還有為了謀求充實海軍力量而有設置鎮守府台灣的活動的表面化。另外，海軍省軍需局長小野寺中將來台視察油田（其實，台灣總督府除了先前在錦水、通霄等地採

---

2 始政四十周年記念台湾博覧会協賛会編，《始政四十周年記念台湾博覧会協賛会誌》（1939年），頁2。

＊ 該博覽會共有五個會場，台北市公會堂係第一會場之一部分。

掘以外，於10月5日決定撥付往後三年內挖掘六處油田所需的180萬補助金）。至於航空方面也有了倉促的舉動，例如從三月間完工松山機場愛國飛機庫開始、匆匆忙忙新設飛行聯隊、動工興建台北機場飛機庫、陸軍航空本部長堀中將來台、開動航空氣象觀測所建設工程等。

另一方面，與上述博覽會的籌辦並行著，在產業經濟方面也有所表現。同年4月4日在總督府內設立台灣開發委員會，接著同月14日設立熱帶產業調查會，制定規程，公布調查大綱，對委員及幹事發出聘書等。

此外，在6月18日，由總督府部局長會議主持施政十年計畫的研究會，到了8月10日，由時任總務長官的平塚廣義帶著同化政策、重輕工業發展計畫、山地開發、交通政策、華南南洋政策赴東京，與拓務省協商以資作成定案，屆時同時決定的就是台灣產業開發十年計畫。

另者，在政治層面上，儘管表面上採取打壓自稱「台灣緣故者」的在台日本人的反對運動，事實上卻是相當顧慮並支持他們的權益，且於同年4月1日公布台灣地方制度改正律令及府令，為了適應新情勢，雖然略嫌落後朝鮮（1931年實施），於同年10月1日實施地方自治制（當然是極為不完備的制度）。

在制度上，台灣總督府把生蕃改稱高砂族，把熟蕃改稱平埔族，也可以當作上述一連串政策展開的一環來加以理解。藉博覽會這個機會，由總督府警務局理蕃課（「理蕃」就是對「蕃人」鎮壓、馴化、統治的總管）主辦，於10月29日在台北的警察會

館，首次舉行所謂高砂族青年幹部懇談會[3]，這是非常富於啟示的事。

在這樣的脈絡之下，「蕃人」日後在中日戰爭、太平洋戰爭急速發展情勢中，從「兇蕃」一躍而被捧為高砂義勇隊，被當作戰爭的消耗品，被動員到第一線去。始終不願放棄賤稱，以當時的媒體界為首的「文明人」，如今也忙碌於創作高砂義勇隊的美談了。

世界共通的弊病，統治民族、殖民者、「文明人」，對被打壓者恣意的、自以為是的孽業，在此地台灣當然免不了。尤其是高山族所受災害，正由於是少數民族，當然越發嚴重。

這個暫且不提，正由於自稱「文明人」的闖入，少數民族高山族被剝奪了自創文字的機會，甚至連自身的歷史也被搶奪，致使直到現在仍然無法起步爭回並重建曾被搶奪的歷史大業。

不過，被虐待的民族、被打壓的人們的新的胎動頻仍，且自從進入1970年代以來，更可以期待其加速度開展，所以可以想像高山族將在近期內親自寫下他們對「文明人」的打壓作戰並贏取屬於自己的抗戰史。我的嘗試，說起來只是在他們親自寫完光榮的抗戰史以前的穿針引線作業而已。

筆者絲毫沒有代替高山族寫其抗戰史的打算。既不認為自己的手乾淨得足夠替他們寫，也不敢那麼不知趣。

因為霧社蜂起事件是高山族長期光榮的抗戰史上值得紀念的金字塔，所以作為沾滿血污的「文明人」的一份子，就算只是該

3　參照井出季和太，《南進台灣史攷》（1943年），頁367～369。

事件的文獻與資料的整理保存也好，總想姑且嘗試一番。

　　我專攻台灣的近現代史，每當翻開近現代一百年的中日關係史時，就格外強烈意識到霧社蜂起事件完全不是別人家的事。

　　近年以來，包括美國人在內的有心專家，逐漸能夠認清像美國帝國主義者在越南美萊村，或對北越的轟炸等滅絕種族的集體屠殺這種罪過，可以讓人追根溯源到白人們對美國原住民（印地安人）及黑人的惡行，更可追溯到打壓菲律賓人民獨立革命運動的史實，而這些一連串惡行，恰可將滿手血污編結成黑黑的一條線。

　　我老早就指出日本人對自己軍國主義罪孽的贖罪意識，只承認限於「滿洲事變」以後對中國的侵略戰爭的不當，我力倡對中國的認識錯誤之根源應該追溯到「甲午戰爭」來思考。更強調該將台灣的殖民地化過程加以正確定位，這才是尋求中日關係真正正常化（也要包括思想）所不可缺的程序作業。

　　再者，我還一有機會就不辭僭越，婉轉提倡：日本如果要正確地認識亞洲，必須先從正確認識日本內部包括愛奴、琉球、未解放部落、在日朝鮮人等的少數民族群問題做起[4]。

　　越南的人類悲劇教訓不只是加害者美國人的問題而已。人們現正被迫面對應該留意這是我們全部不顧忌地自稱「文明人」、「先進國人」的人們共同的問題。的確，邁進近代以來，我們有納粹的奧斯威辛（Auschwitz）、日本軍國主義的南京、新加坡大屠殺；美國帝國主義的廣島、長崎；越南美萊村和北越的轟炸；

---

4 請參照拙著，《與日本人的對話》（社會思想社，1971年）。

性質雖然稍異的，還有印尼的九三○（1965年）與馬來西亞的五一三（1969年）等事件。

　　我不覺得在近代以前的漢民族內沒有過類似上述的欺壓弱者的事實，也認為在人類各地方不乏類似基督教徒迫害猶太人的例子，這樣想可能較為正確。

　　我才不相信只有我自己所屬的民族「絕對不會幹集體大屠殺」這種常見的神話。

　　與霧社蜂起相關聯的一連串事件篤定確屬上舉的人類惡行的一部分。因此，揭露霧社蜂起事件，並非針對揭開日本人的舊傷痕來告發日本人，而係當作以批鬥自己為目的的一項作業。

　　此外，筆者並不打算超越統治民族與被統治民族的關係，也不以超歷史的、超階級的方法來認識並掌握問題。只是希望先說清楚：站在真正的民族主義的立場，以歷史性的、階級性的視角引進去作為分析手法不可或缺的前提下，總需確知上述一連串的問題絕對不是他人之事而正是我們自家事，且需要經常意識人類內藏的魔性，然後才開始做分析。

　　我希望往後一直珍重這個問題意識。在本篇暫且先介紹蜂起事件與第二次霧社事件的概要，打算一面整理並評論戰後以來公開的論文記述之類，而另一方面探討新研究觀點的構築與研究在今日的意義。

第一節　霧社蜂起事件與第二次霧社事件

　　首先在這裡把目前為止一直被通稱為霧社事件或第一次霧社

事件、第二次霧社事件做名稱上的明確區別。

　　霧社事件（也叫作第一次霧社事件）與第二次霧社事件，如後所述，性質完全不同。簡而言之，前者是由高山族主體性蜂起所引發的事件，而後者卻是隨著統治當局方針，對該蜂起的報復行為所招致的陰謀事件。

　　因此，我們為了要區別這兩個事件，決定特別稱前者為霧社蜂起事件，而獨將後者按照往例稱為第二次霧社事件。

　　1930年10月27日黎明，被日本殖民地當局一直保證為「蕃界」中最「開化」、富裕、教育水準也最高的當時台中州能高郡霧社分室管區（今南投縣仁愛鄉）的11個高山族部落中的6部落（另有8部落的說法[5]。可能是由於雖未達成全體部落蜂起，但有一部分部落成員參加，而仍予以算進的部落有2個），壯丁數大約有300多名，為了反抗日本帝國主義的暴政與殖民地官員一而再的欺騙、侮辱、暴行而一起蜂起的事件，這叫作「霧社蜂起事件」。

　　蜂起這事端，從當天黎明開始，一面慎重且井然有序地對霧社東方腹地的各警察駐在所〔譯註：派出所〕，加以有組織、有計畫的襲擊。採用逐步進逼他們所設定最終的、集中的目標——霧社小、公學校、蕃童教育所聯合運動會會場（霧社公學校）的手法。

　　他們不僅組織襲擊隊，決定分擔目標，然後採取行動，並且在襲擊駐在所（一半採用火攻）的過程中，一面切斷架設在溪谷

5　參見生駒高常，《霧社蕃騷擾事件調查復命書》（1930年11月28日）。

的鐵索橋與電話線，同時也沒有忘記搶奪武器彈藥。

　　殖民地當局對這次蜂起，一開始震驚於辛辛苦苦培養的霧社明日之星花岡一郎和花岡二郎，竟然帶領參加計畫並充任要角這回事（在收拾事件殘局階段，警察當局理所當然企圖迴避責任，堅持花岡一郎和花岡二郎的消極參加論，也就是兩人因為不得已的情由而被牽連，甚至於偽造兩人的「遺書」且對自殺方法與殯裝都下了特別工夫。因此，擬於近期內將以「花岡一郎和花岡二郎之死與遺書」為題，另寫篇文稿），接著對於下列事大驚失色，那就是蜂起者大舉衝入運動會會場，異口同聲叫喊「內地人（日本人）連小孩都不許放過，本島人（漢族系住民）不要殺」[6]，並以升「國旗」（太陽旗）為信號成群衝進運動會場的那股激憤。

　　順便說明，花岡一郎和花岡二郎都出身於蜂起部落之一的荷戈社（Hogo）。一郎因在霧社分室管區內同輩中擁有出眾的不凡資質；二郎以出身自有來頭的家門，雙雙經管區警察挑選，獲准從蕃童公學校轉進日本人小學校（日本人兒童所念的小學校，各班只有一、二名至數名漢族系台灣人買辦有力人士的子弟，經警察特准為共學生。他們兩個高山族子弟獲准入學，在1920年代高山族子弟獲准入學為共學生當屬例外中的例外）。此外，兩人間並無血緣關係，卻逕自分別替達吉士‧諾賓取花岡一郎，而替達吉士‧瑙伊取花岡二郎這種日本名字，企圖培養成為「理蕃」工具。

6　參見前引書。

　　一郎後來升學台中師範學校講習科，而蜂起時任職霧社波阿隆（Boalun）駐在所擔任蕃童教育的乙種巡查；二郎畢業埔里小學高等科後，擔任霧社分室的警手（警察官助手）。不僅一切學費由官方支付，連兩人的婚禮都由警察當局籌辦且供給和服等。儘管是高山族出身的新娘，一郎的新婦取了「花子」，二郎的新娘取了「初子」這種日本名字。[7]

　　高山族蜂起後對霧社的郵局、全職員宿舍、日本人民房，以及鄰近的駐在所等施以火攻。但據說對鄰接漢族系台灣人住家的日本人住家，由於避免延燒前者而不曾放火。

　　襲擊結果，死了日本人134名；漢族系台灣人成人一人與孩童一人（大人中了流彈，孩童因穿著和服而被誤認為日本人枉遭誤殺），成為高山族反抗史上不曾有過的計畫性大蜂起事件[8]。

　　由台灣總督府方面看來，此事件屬於「本島理蕃史上未曾有的不祥事件」的大蜂起，當局先是宣布新聞管制，接著不僅把警察，甚至連軍隊與飛行隊都加以大動員，實施持續五十多天（鎮壓自10月28日開始，於12月20日警察支援部隊全員歸建，12月26日撤回全部軍隊）的所謂「討伐」的大鎮壓。附帶說明，為「討伐」而出動的部隊中，警方兵力有州事務官1人、警視2人、警部13人、警部補13人、巡查部長78人、巡查878人、警手178人，小計1,163人，另外有工人1,381人（日本人兩人，漢族系台灣人

---

7 江川博通，《霧社の血桜》（1970年），頁196～198；及大田君枝、中川静子，〈霧社をたずねて〉，《中国》，1969年8月號刊載，頁16。

8 台灣總督府警務局理蕃課編，《高砂族調查書——第五編蕃社概況‧迷信》（1937年4月5日），頁133。

1,048人，所謂「友蕃」亦即與當局合作的高山族331人），其他（包括電話技術工人、囑託、醫師、護士等）182人，小計1,563人，合計達2,726人的龐大人數[9]。此外，如表1，軍隊足足動員1,194人（1930年11月24日為止），不僅做新兵器的實驗，還使用山砲、機關槍等近代大量殺人兵器猛攻，且從空中進行波浪式連續轟炸（使用了炸彈、催淚瓦斯、毒氣）。

另一方面，為了促成蜂起高山族心理上的動搖，從飛機撒放多達6,000張勸降傳單[10]（字面用片假名「及早投降者不殺。投降的人，要丟下步槍，舉起兩手，走到馬赫坡（Mahebo）蕃社來」，且有插圖的印刷[11]，還派他們子女攜帶酒和食品去勸降。

然而，決心拚命或玉碎而蜂起的勇士們，除了被俘虜者以外，大部分人是與其投降（為了面子當局把俘虜也充數當作投降者報備），寧願攜家帶眷選擇「寧死不屈」而壯烈犧牲了。這種感人至深的、明知必敗而做的果敢的反抗，竟使當時具有強烈民粹色彩的《日本及日本人》雜誌在以〈向霧社蕃族學什麼〉〔〈霧社蕃族に何を学ぶ乎〉〕為題的短文中寫道：

> 逃進溪谷，躲在叢林，奮戰到最後一個人為止，而且沒有出過任何叛徒，既到最後關頭就從容以領袖花岡一郎為首，率領妻兒，與全同族，面對太陽一起殉難，如斯最後一幕使人如見

9　井出季和太，《台湾治績志》（1937年），頁799～800。

10　大竹文輔，《台湾航空発達史》（1939年），頁233。

11　傳單的實物照片，請參照前舉〈霧社をたずねて〉，頁14，或前舉《台湾治績志》，頁796所登照片。

往昔戰國時代武士持重節義，既極其英勇，也令人哀傷。他們連一顆子彈也不願白白發射，一定瞄準而後才發射這種心態，雖屬因日常生活傳統而來的訓練成果，在巍峨峻峰，層層巨岩，翁鬱叢林，羊腸山路間，如馬、如猿，神出鬼沒的情形，比起眞田幸村在甲府越前的山間帶領奇兵更爲神奇，以一夫抵萬夫，刀斷箭盡而不

具民粹色彩的《日本及日本人》雜誌

求降，視死如歸，舉家共赴，並在死路上撒花，豈非一首哀詩！再說，蕃人中的婦女們，鼓勵男子出征，先自盡上吊者，多達一百餘人，這項報導痛打我們的肝膽。（中略）如今，眼見日本人特有的燦爛的武士道精神在其本國已經喪失，反由尚未開化的蕃人展現，何人能不慨歎！[12]

---

12 《日本及日本人》，第213號（1930年11月15日），頁6。鈴木明將筆者從該雜誌的引用，在其著作《高砂族に捧げる》（中央公論社，1976年8月10日），頁282，竟不負責的寫著：「按照附註來說，那是由《證詞‧我的昭和史》這本書裡所提的《日本及び日本人》（昭和5年刊？＝鈴木）的再引用」。我既沒有做那樣的附註，而且我的引用始終根據我親自接觸《日本及日本人》雜誌並加以影印後才做成的。鈴木氏何等杜撰，可從他太輕率地把《日本及日本人》雜誌寫成《日本及び日本人》（旁點為筆者所加）從這地方可看出。希望一併加以更正。

表1　霧社方面出動軍隊人員表（1930年11月24日調查）

出動月日	部隊別	階級別				摘要
		軍官	士官	兵	計	
10月28、29日 11月5、17日 至11月15日	軍司令部	5	4	—	9	11月17日，士官1名 為輪班而出發
10月29日	守備隊司令部	3	4	4	11	士兵4名中含傭員2名
10月28日	台北步兵第一聯隊	1	5	55	61	另有軍官1、士官2、 兵12編入守備隊司令部
11月2日	台北步兵第一聯隊	2	4	41	47	
10月28日	台北步兵第一聯隊台中分屯隊	21	37	296	354	內戰死士官1、兵3、 負傷兵6
10月30日至11月1、2、15日	台南步兵第二聯隊	34	57	521	612	內戰死軍官1、 士官3、兵14 負傷兵11 花蓮港大隊軍官6、 士官1、兵82，11月21日返回
10月27、28日	屏東飛行第八聯隊	8	7	26	41	略
11月7日	基隆重砲兵大隊	1	2	5	8	
10月28、30日 至11月1日	台北衛戍病院	2	6	10	18	
11月1日	台南衛戍病院	——	1	4	5	
10月27日 10月28日	憲兵隊	3	10	15	28	
	計	80	137	1,073	1,194	

資料來源：山辺健太郎編，《現代史資料22台湾(2)》（東京：みすず書房，1971
年），頁629。又表中的戰死者數等似乎不正確，預定以另文考證。

　　當然，筆者並不是無條件贊成或共鳴《日本及日本人》雜誌
的論調。不過，一向在表面上提倡武士道精神、大和魂，暗地裡

卻假借「和解典禮」、「歸順典禮」來誘殺，搬弄權術，使盡一切欺騙的所謂理蕃事業名義下的惡行，這才是高山族爆發怨恨而蜂起的真正原因。但是一旦陷入需要擔負蜂起事件的責任，那些殖民主義者鼠輩卻為了逃避輿論的追究而下令新聞管制，費盡口舌把蜂起的原因動機，加以卑俗化、矮小化。並且，將蜂起的行為，極力歸責於「蕃人數百年來傳統性的殺伐殘忍本性與砍頭的惡習」的再出爐而毫不慚愧，《日本及日本人》的論調與此相比還帶些人情味而已。

　　這且不提，蜂起遭到鎮壓後，相關部落裡倖存者在「保護蕃」之名下，被沒收所有的武器，接受當局的收容及視察監視。

　　根據我所初見資料，台灣總督府刊發的「第二次霧社事件」相關的官方文書〈蕃社襲擊事件概要〉，相關情況約略如下：

　　　當去年十月，霧社事件突發時，當局依據軍隊的支援和友蕃的操作，極力加以壓制的結果，尚能迅速獲得平定。不過，當時因期望盡快使霧社地方一帶回復平靜，而以力誘反抗蕃人復出為權宜的處理，對於求降者，不問其是否行兇者，一概予以收容保護。當時對投降蕃人的處理，雖然考慮周圍的情況，著想將來的撫蕃，也認為移居別地或許更適當，可是他們好像都不願離開原居地。假如強行遷移就會再度分散四處而逃竄至深山，因此暫且決定臨時安置於附近適當地方，分別令「馬赫坡」（社）、「波阿隆」（社）、「斯庫」社（Suku）、「塔羅灣」社（Tarowan）的人聚集在「斯庫」社小社「西巴烏」（Shibau）一帶；「羅多夫」社（Rodof）、「荷戈」社的人

分別聚集在羅多夫社內。在事件的前一天（第二霧社事件發
生的前一天）4月24日，西巴烏有319名，羅多夫社有195名。
此外，去年事件爆發時，投靠親戚避難而被收容到現在的有
「陶茲阿」社（Taoutsua）44名，及「托洛庫」社（Torokku）
3名。換句話說，把以上的561名特稱保護蕃，並一直專心加以
監視。

相形之下，霧社騷擾事件當時，擁護官憲，對搜索兇蕃提供支
援的有「萬大」蕃、「白狗」蕃、「干卓萬」蕃、「托洛庫」
蕃與這次踴躍攻擊的「陶茲阿」蕃，其中以陶茲阿、托洛庫、
萬大各蕃當時最英勇活躍，並對事件的解決貢獻不少。因此把
他們當作友蕃，當時特別貸與若干槍枝，並令他們擔任搜索警
戒和嚮導等任務。[13]

　　由上述的所謂「友蕃」陶茲阿部落壯丁帶頭，依據當局提
示，在1931年4月25日襲擊往日蜂起高山族中倖存的「保護蕃」
這樁事件，就是所謂的第二次霧社事件。當局一如往例，製造本
事件發生的原因及經過，可是從事件當時就是被害者的蜂起高山
族自不必說，連同漢族系台灣人與通情達理的日本人，全都看穿
了事件是當局所導演的。最近，當時服勤於陶茲阿駐在所的巡查
部長小島源治或許是良心發現吧，做了承認製造那事件的「告
白」。

　　小島氏的告白，採用覆函給江川博通（已故，事件當時擔任

---

13 台灣總督府編，《蕃社襲擊事件概要》，頁1～2。

能高郡警察課長，後來以自費出版《霧社的血櫻》）的詢問信的方式。文章稍長，但因為是重要的證詞，所以把它重錄：

（前略）我（小島）從前就霧社事件始終說幾乎已完結並不是只指有過該事件，而是尚涉及第一次霧社事件、第二霧社事件相關聯事而寫下來的。如您所知，第二霧社事件的起因，自收容敵蕃波阿隆社、馬赫坡社、荷戈社等的蕃人於櫻駐在所附近，稱為櫻社，加以保護這一點。霧社事件業已了結，當收容中的敵蕃開始其農耕，並正在作業時，友蕃很可能加以襲擊並砍頭，因此站在官憲的立場，認為假如繼續供槍枝給友蕃不穩定情勢就必定繼續，所以決定勸告友蕃歸還原先借去的槍枝彈藥，由三輪警務部長、寶藏寺警察課長一行率領警察隊、機槍隊兩個小隊到陶茲阿駐在所開始勸告。我和陶茲阿社頭目有力人士交談結果獲悉：如果現在被拿走借來的槍枝，我們以友蕃身分討伐反抗蕃時曾經付出了相當大的犧牲並已釀製彼此間敵意。我們出入埔里或霧社時，免不了隨時被馬赫坡社、波阿隆社的蕃人殺掉，因此，借來的槍枝被收回等於是螃蟹被拔掉手腳，所以請續借到全般情勢平穩下來為止。寶藏寺先生也感到為難，而跟三輪先生商量的結果決定今天要慎重考慮。一行判斷陶茲阿社難纏，於是改為先解決托洛庫社。就在這時候，寶藏寺課長偷偷地叫小島來一下，便繞道往駐在所後面去。商量半天的細節從簡而單就要點說明便是：極機密地今晚奇襲保護蕃，給那友蕃來一個爽快如何，事後才讓他們繳交全部槍枝。於是，小島讓警備員偷偷避開，警備員離開蕃社後，偷偷溜出

駐在所，密會陶茲阿社首領透露了前述內容，他們欣喜承諾，
躲避一向安排著警哨的路，繞路越嶺，在黎明前襲擊櫻社。相
信您一定知道陶茲阿蕃砍了保護蕃的頭有一百零一個這回事。
（後略）[14]（旁點為引用者所加）

　　陶茲阿社的「友蕃」所襲擊的當然不僅是櫻社（也就是斯庫
社小社西巴烏方面的收容處）而已，對另一個羅多夫收容處也約
於同時加以襲擊[15]。

　　當局演出第二次霧社事件的具體目的究竟是什麼？用我自己
的想法歸納起來，該係如下：

　　第一，最先可以推想的是為了防止山地勤務警察及相關聯者
的士氣低落起見，讓他們發洩心底深藏的報復願望[16]。

　　第二，霧社蜂起事件終極性鎮壓，該係把蜂起部落「再活性
化」的截芽拔根。「截芽拔根」當然首須剝奪以少、青年為首的
蜂起關係者的生命，其次是著重把他們趕出祖傳的土地（在此，
土地不只是農耕所需用且具有宗教的、心理的，也就是精神上的
意義。事實上，在第二次霧社事件後，於白巴拉社（**Baibara**）附

14　參照江川博通，《霧社の血桜》，頁285～286。

15　參照前引書，頁288～289。

16　著者江川在前引書寫道：「就我個人來說，在霧社事件中，對許多部下，以及他們的
　　家屬包括嬰兒都遭到慘殺這椿悲憤，已經恨入骨髓。因此，才會在搜索隊本部的保護
　　蕃處置會議上，強調了報復主義。」（頁281）。這種心情不限於江川一個人自不用
　　說，從遇難者的家屬尤其是倖免於一死的人們的談話，例如在〈遭難悲話〉（古川哲
　　編，《霧社事件の真相》，嘉義：新高新報嘉義支局發行，1931年5月2日）所錄之中
　　也可以看出。

近新設川中島社，讓倖存的「保護蕃」移居過去，以便和霧社隔離。）

第三，需要設法更便宜取得對協助鎮壓的「友蕃」論功行賞的「本錢」。蜂起部落的原占地最是適當。其中，在第二霧社事件後，先將「保護蕃」巧妙地移到川中島（1931年5月6日），後把馬赫坡、波阿隆兩蜂起部落的土地贈與「友蕃」托洛庫社的關係者；把荷戈蜂起部落的土地給陶茲阿社，同樣地，把塔羅灣、斯庫蜂起部落的土地給巴蘭社（Paran）、萬大社的一部分關係人[17]。

第四，當局將蜂起關係部落的倖存者巧妙地移到川中島，並把「友蕃」（素為世仇又特因當局火上加油的挑撥離間，最近跟霧社的泰雅族的敵對關係更升級）──托洛庫、陶茲阿、萬大社等的人引進霧社並贈與土地，藉此打進新楔子，也對沒有參加蜂起的霧社分管區內五部落（因與蜂起的六部落是鄰居，並且有親戚關係等等，所以傳統上有親密的感情）加以牽制的跡象很明顯。事件後的分割控制的新構圖，可說到此已臻極點，真夠稱為一石四鳥的巧妙策略。

當局對事件的「戰後處理」，經人事更調帶動。當局調動人事時，據傳當時的台灣總督府警察局長井上英對總督府的直接負責人森田俊介理蕃課長說：「（前略）一直到最後的最後，辛苦你了！川中島移居已經順利結束，霧社事件也可說完全收拾了。

---

17 前引書，頁288，以及森田俊介，《台湾の霧社事件──真相と背景》（東京：伸共社，1976年3月20日），頁318。

你在收拾上盡了真大的功能啊。」[18]（旁點為引用者所加）這句話真是意味深長。

在本次事件受「保護」監視之倖存者514名中，遭受襲擊而死亡者210名、失蹤6名，合計犧牲了216名。生存者有男153名（據說15歲以上的青壯年幾乎全部無法倖存）、女145名，合計298名，竟有將近半數的人暗中遭到屠殺[19]。

事件的真相還不只這一點。到了戰後陸續公開事實，白骨屍體在施工現場被發現，根據當時目擊者的證詞是與第二次霧社事件不相關，而是在蜂起遭到鎮壓後不久，有參與蜂起策劃嫌疑者十多名被關在霧社分室的一個房屋，邊拷打邊訊問後，以鐵絲綁住雙手，為免發出聲音，不用步槍而用日本刀殺盡了[20]。另外，據說在第二次霧社事件僥倖活下來的15歲以上的男子，在被迫移居川中島後，遭受逮捕而再也沒有回到部落[21]。

根據警方對於遷移到川中島倖存者大約一年半後的調查統計（1933年底止），川中島社的總戶數為86戶，人口總數244人，

---

18 森田俊介，《台湾の霧社事件——真相と背景》，頁315。

19 台灣總督府編，《蕃社襲擊事件概要》，頁18～19，由「保護蕃災情調查」所列的表算出。

20 大田君枝、中川静子，《霧社をたずねて》，頁21。

21 參照前引書，頁22。同樣的證詞，也從坂口裸子女士直接取得。順便說明，坂口女士擁有在第二次大戰末期，疏散到川中島社的鄰社中原，與倖存者的關係者過了共同生活的寶貴經驗。另外，台灣總督府警務局理蕃課編，《高砂族調查書第一編戶口・內台人ト／接触・衛生》（1936年12月10日刊）的「配偶關係別人口」（1933年底止）那一欄（頁70～71）列出：成年男子實數，15歲以上14名：25歲以上15名；40歲以上13名，計42名。至於這些男子究竟是倖存者，還是從別處招贅進來的，至今尚未調查出來，特此闡明。

表2　蜂起部落、家庭、人口數的演變

社名 （部落）	蜂起前		蜂起後至第二霧社事件前				第二霧社事件剛過後			
	戶數	人口	戶數	人口	男	女	戶數	人口	男	女
洛多夫	57	285	35	145(2)	66(1)	79(1)	29	96(2)	47	49(1)
荷戈	58	269	21	63(2)	34(1)	29(1)	14	39(2)	19(1)	20(1)
斯庫	55	231	40	120	56	64	7	25	10	15
波阿隆	48	192	39(2)	137(42)	71(17)	66(26)	18(2)	54(42)	34(17)	20(25)
塔羅灣	8	28	5	21	9	12	10	21	8	13
馬赫坡	54	231	27	75(1)	43	32(1)	22	63(1)	35	28(1)
小計	280	1,236	167(2)	561(47)	279(19)	282(28)	100(2)	298(47)	153(29)	145(28)

資料來源：台灣總督府，《霧社事件の始末》及《蕃社襲擊事件概要》。又括弧中的數字是指因親戚關係而被收容在「友蕃」陶茲阿、托洛庫二社的人，這些人既免受襲擊，也沒有被強制移居到川中島去。

男117人，女127人，每戶平均住民竟少到只有2.8人[22]。

　　將蜂起部落六社的家庭、人口數變動分為蜂起前、蜂起後至第二次霧社事件前與第二次霧社事件剛過後三個階段來表示的就是上列表2。該表暗默裡直指蜂起何等激烈、鎮壓何等嚴厲、迫害何等殘酷的綜合結果。

　　1931年5月6日，被遷移到在遭充公的漢族系台灣人土地上硬設成的川中島社裡倖存者為100戶、278名（所剩20名是病人及其看護陪伴者）[23]，一年半後更減至先前提示的數字（戶數減少14戶，人數總計減少54人，男36人，女18人）。可猜想到的理由是自然死亡、社會性減少（移居他處，事實上除開例外一概不准

22　台灣總督府警務局理蕃課編，《高砂族調查書第一編戶口・內台人ト／接觸・衛生》，頁21。
23　台灣總督府編，《蕃社襲擊事件概要》，頁13。

許），但男子減少36人之多，很可能是移居後逮捕鎮壓仍然繼續
進行，以致引發自殺。

　　無論如何，自從霧社蜂起事件的開端，經一系列抗爭、鎮
壓、殘害等，蜂起者六部落減成一個部落，所有的土地全被充
公。至於家庭數，除開被編進「友蕃」受保護的兩戶，竟有三分
之二以上消失掉了；總人口來說，除了藉以「友蕃」接受保護
的47名以外，在1,236名中，竟有將近1,000名死去。只能用「恐
怖」兩字來形容。

　　茲不贅述日本當局當時的戰傷者和被害者。然而，請留意日
方回憶錄那些書裡，多半不提的被害者中，尚有被徵用作為鎮壓
行動的「官派工人」的漢族系台灣人及高山族的人們。

　　受蜂起事件的牽累而戰死的「官派工人」，經官方發表的有
漢族系台灣人3名、高山族14名[24]，但是關於有無補償，就不詳。

第二節　戰後日本關於本事件的主要論述

　　坦白說，統括戰前戰後，無論在日本內外，有關霧社蜂起事
件的夠水準研究，除了住在台灣的劉枝萬（台灣回歸中國後，從
早稻田大學退學，返回故鄉埔里〔管轄霧社的能高郡役所所在
地〕一面擔任中學教師，一面活用地利之便，蒐集資料並加以社
會科學性分析）的著作以外，竟找不到，這點誠屬遺憾。

24　佐藤政藏編，《第一、第二霧社事件誌》（1931年9月6日），頁94。

　　劉氏的力作，原先以台灣史話第一輯《台灣日月潭史話附霧社事件》的限定線裝本（未註明刊行日期，但編後記列明民國40年8月6日的紀錄）的方式刊行，後來收編於南投縣文獻委員會發行的南投文獻叢輯《南投縣革命志稿》中，於1959年6月30日公開出版。

　　此外，關於劉氏的研究，希望能另找機會試加詳細介紹，在這裡為方便參考只暫且指出附在該書（《霧社蜂起事件——資料與研究》）末的資料、文獻目錄，堪稱在1960年代時最為完備。

　　閒話休提，茲按發表年次，提示戰後日本發表的涉及霧社蜂起事件的主要論述：

1. 宮本延人外八名談論〈以高砂族的統制為主題的座談會〉〔〈高砂族の統制をめぐる座談会〉〕，《民族學研究》的第18卷，第1、2合併號：1954年3月刊載。

2. 坂口䙡子，《蕃社》，新潮社，1954年3月15日出版。

3. 野口昂，〈台灣霧社蠻人的蜂起〉〔〈台湾霧社蛮人の蜂起〉〕，《人物往來》，第5卷第3號，1956年3月刊載。

4. 山上北雷，〈霧社事件〉，《半世紀的台灣》〔《半世紀の台湾》〕，自費出版，1958年4月28日收錄。

5. 楊杏庭，〈台灣的民族運動——霧社蕃的叛亂〉，《歷史教育》，第7卷第2號，1959年2月刊載。

6. 坂口䙡子，《蕃婦羅波烏的故事》〔《蕃婦ロポウの話》〕，大和出版株式會社，1961年4月5日。

7. 山邊健太郎，〈台灣議會設置運動與霧社事件〉〔〈台湾議会設置運動と霧社事件〉〕，《岩波講座日本歷史19現代2》

〔《岩波講座日本歷史19現代2》〕所載論文〈日本帝國主義
與殖民地〉〔〈日本帝国主義と植民地〉〕，1963年3月28日
收錄。

8. 坂口䙞子，〈作家所看的霧社事件與高砂族〉〔〈作家のみた
霧社事件と高砂族〉〕，東京大學中國同學會編，《暖流》，
第6號，1964年11月所載。但講演會係於同年9月3日，假東大
校區內舉行，講演要旨則由當時東大中國同學會學術擔任幹事
陳仁端整理。此外，由筆者撰寫，做為該要旨的附錄〈霧社事
件關係文獻目錄〉也一並刊載。

9. 五味川純平，〈命運的序曲——第三部〉〔〈運命の序曲——
第三部〉〕，《戰爭與人3》〔《戦争と人間3》〕，三一書
房，1965年7月30日收錄。

10. 宮村堅彌，《馬赫坡社日誌——台灣霧社事件秘錄》〔《マ
ヘボ社日誌——台湾霧社事件秘録》〕，洋洋社，1965年10
月8日。

11. 東京12頻道，1965年11月4日廣播，參加者小島源治、小島義
夫（源治之子）。宮村堅彌，〈證言・我的昭和史，台灣霧社
事件——運動會的早晨的慘劇〉〔〈証言・私の昭和史，台湾
霧社事件——運動会の朝の慘劇〉〕，《證言・我的昭和史》
〔《証言・私の昭和史》〕，東京第12頻道報導部編，學藝書
林，1969年6月23日收錄。

12. 小西四郎，〈史料紹介——霧社事件史料〉，《日本近代史
研究》，第9號，法政大學近代史研究會，1968年10月2日刊
載。

13. 〈特集——台灣高山族的叛亂「霧社事件」〉〔〈特集——
台湾高山族の反乱「霧社事件」〉〕，《中國》，通卷第69
號，1969年8月刊載。本特集除了收錄下述的14與15論文以
外，尚以資料介紹〈擁護武裝暴動！——台灣共產主義者的
霧社事件評估〉〔〈武裝暴動を擁護せよ！——台湾共產主
義者の霧社事件評価〉〕方式重錄並介紹：(1)〈擁護蕃人的
暴動！——台灣××青年的檄文〉〔〈蕃人の暴動を擁護せ
よ！——台湾××青年の檄〉〕，《國際》，第4卷第16號，
產業勞動調查所刊，1930年12月8日所載論文。(2)台灣・蘇
慕紅，〈論台灣的民族革命〉〔〈台湾における民族革命に
ついて〉〕，《無產階級科學》第3年第1號，無產階級科學
研究所刊，1931年1月1日所載論文），及(3)雪嶺，〈霧社蕃
人蜂起的意義〉，當時的台灣共產黨系統的文化團體「台灣
文化協會」在東京刊行的中文機關報《新台灣大眾時報》，
1931年3月號，1931年3月15日所載論文等。

14. 大田君枝、中川靜子，〈探訪霧社〉（前舉《中國》特集號
刊載）。

15. 坂口襑子，〈一九四五年的他們——霧社回憶〉〔〈一九四
五年の彼ら——霧社の思い出〉〕（同上特集號）。

16. 戴國煇，〈台灣（戰後日本的台灣研究）〉，《日本的開發
中國家研究——「亞洲經濟」一百號紀念特集》，亞洲經濟
研究所，1969年9月16日收錄。

17. 尾崎秀樹，〈霧社事件與文學——續・殖民地文學的傷痕〉
〔〈霧社事件と文学——続・植民地文学の傷痕〉〕，《思

想》，通卷第548號，1970年2月刊載。又，該論文後來再收錄於同氏另著《殖民地文學的研究》〔《植民地文学の研究》〕，勁草書房，1971年6月30日；中譯本：台北・人間出版社，2004年11月。

18. ねずまさし，〈台灣霧社的蜂起〉〔〈台湾霧社の蜂起〉〕，《日本現代史7》，三一書房，1970年6月15日收錄。

19. 江川博通，《霧社的血櫻》，自費出版，1970年7月20日。

20. 中川靜子，《日本帝國主義下的台灣──霧社事件》〔《日本帝国主義下の台湾──霧社事件》〕，日中友好協會【正統】永福支部編輯發行小冊《日中講座第八集》，1970年10月27日收錄。

21. 佃實夫，〈馬赫坡岩窟──昭和史之謎・其一〉〔〈マヘボの岩窟──昭和史のなぞ・その一〉〕，《失去的歷史》〔《失われた歷史》〕，筑摩書房，1971年1月30日收錄。

22. 加藤祐三，〈未開化的叛亂〉〔〈未開の反乱〉〕，《岩波講座世界歷史27現代4》〔《岩波講座世界歷史27現代4》〕，1971年4月19日收錄。

23. 朴慶植，〈霧社事件〉，歷史學研究會編，《太平洋戰爭史I滿洲事變》〔《太平洋戦争史I満州事変》〕，青木書店，1971年11月20日收錄。

24. 河原功，〈霧社事件所要談的〉〔〈霧社事件の語るもの〉〕，《亞洲》，1971年12月號刊載。

25. 山邊健太郎編纂解題，〈霧社事件〉，《現代史資料22台灣

（2）》〔《現代史資料22台湾（2）》〕，みすず書房，
1971年12月20日收錄。

26. 吳濁流，《黎明前的台灣——來自殖民地的告發》〔《夜明
け前の台湾——植民地からの告発》〕，社會思想社，1972
年6月15日。

　　以上是我所蒐集的有關霧社蜂起的主要論述與資料的目錄。

　　關於資料，將在書末提到，這裡把範圍限定於論述並加上我
自己的評論。此外，為了評論的方便起見，除非有其需要，將略
去論文名稱，而改用筆者在編列目錄時所加的號碼。

　　經約略觀察所列舉論述，可以提出以下特徵：

　　第一，可視為有關霧社蜂起的社會科學性研究的專題論文，
完全沒有。

　　第二，執筆者中，除了楊杏庭、山邊健太郎、小西四郎、ね
ずまさし、加藤祐三、朴慶植等六位以外，都是不以社會科學為
專長的作家（坂口、五味川、吳三位），文學研究家（中川、尾
崎、河原功三位）、圖書管理員（大田、佃二位）或台灣的舊殖
民地官吏公務員（野口、山上、宮村、江川四位）等，不以研究
為職業的人們。再者，就以楊為首的上列社會科學研究者六位而
言，除了小西氏（他的論文是資料介紹）和加藤氏之外，可以
說是民間一般研究者。我的意思並不是要說「非社會科學研究
者」、民間一般研究者不宜從事霧社事件的研究，或是說他們的
研究品質較低。

　　我切身當成問題的是產生這個特徵的日本的台灣研究現狀是

何等偏離常態，從事專業研究的中國史、日本史研究者幾乎沒有盡到應負責任這樁嚴肅的事實（當然這項提問對象包括我自己，也算是自我批判）。

第三，日本人當中以高山族為研究對象的民俗學、民族學以及人類學研究者不少，根據管見，除了第1篇的座談會以外，找不出有關霧社蜂起事件的論文。

就像我在別的論文[25]拋出疑問一樣，以故岡田謙為首的，把高山族當作研究對象的日籍人類學家，不知何故，竟不談論這個震撼了世界的霧社蜂起事件。假如是在戰前瘋狂的「軍國主義」時代，那還可以諒解，但在戰後的情況下，仍舊幾乎不曾聽過他們提出觸動「少數民族靈魂」的發言，這究竟是為了什麼？

說不定為了要堅持客觀的而且又純粹的研究，刻意迴避「政治」性發言。再不然，或許我們所敬畏的這些大師們，只把高山族當作「活的東西」來「研究觀察」，只要能夠把他們「研究觀察」的成果整理成論文，就感到滿足也未可知。

然而，情勢已經一刻刻逼近著。說不定被利用為研究的材料，自己也一直在提供材料的高山族，不久會對最了解自己的人們而一直認為是少數民族的真正朋友的人類學各大師感到幻滅，然後扔出絕交書的日子或許很快就會來臨。覺醒的高山族有志之士，恐怕會把學者大師們所撰寫的論文，經他們或他們的前輩的協助，並將台灣總督府當局製作發行的龐大如山的資料，例如

---

25 拙著，〈岡田謙博士與台湾〉，アジア經濟研究所發行，《アジア經濟資料月報》，第12卷第10號（1970年10月），頁50。

《理蕃誌稿》[26]、《臨時台灣舊慣調查會第一部：蕃族調查報告書全八冊》〔《臨時台湾旧慣調查会第一部：蕃族調查報告書全八冊》〕、《台灣蕃族圖譜第一卷、第二卷》〔《台湾蕃族図譜第一卷、第二卷》〕、《台灣蕃族慣習研究》〔《台湾蕃族慣習研究》〕[27]、《高砂族調查書》〔《高砂族調查書》〕[28]等，完全不當作「理蕃」誌稿或用來「理蕃」的資料，卻當作他們的反抗史資料，當作重建被剝奪的歷史、被破壞的歷史，自己固有的文化與傳統所需用的補充材料。那時候，他們可能會對那些偉大的，只把他們當作「東西」而為了研究把他們「玩弄於手掌上」，當作「剝削的工具」而編製資料的大師們，連一句道謝的話也不說吧。

　　不過，儘管如此，也並不是不會從另外方向傳來「那樣也好，本來『研究』也不過是一種遊戲」這一類回響。

---

26 就筆者所知，各州別以外的涵蓋全島的《理蕃誌稿》有：（一）《理蕃誌稿壹編》台灣總督府民政部蕃政本署，1911年，頁432）；（二）《理蕃誌稿第一・二編》（府警察本署，1918年，頁914）；（三）《理蕃誌稿第三編》（府警務局，1921年，頁1142）；（四）《理蕃誌稿第四編》（府警務局，1932年，頁676）；（五）《理蕃誌稿第五編》（府警務局，1938年，頁1160）。從殖民地重歸祖國前夕的1942年底為止的高山族人口只有將近十六萬人而已。這樣的人口數，不用說，正是滅種大屠殺和生活被寸斷得稀爛粉碎結果的數字表現，縱然如此，何等龐大的預算和人力被用來投入於少數民族高山族的鎮壓啊！反過來說，高山族爭戰的何等英勇，前舉五大冊厚厚的《理蕃誌稿》足以綽綽有餘地證明箇中情況。

27 《台湾番族慣習研究》有第1卷到第8卷，合計8冊，32開本。3,933頁（目次不計）的龐大的調查報告書。至於發行所是台灣總督府番族調查会。於1921年刊行。順便一提，拿掉蕃的草字頭，改寫為番，這一點很有意思。

28 《高砂族調查書》有第1編到第6編，計6冊，32開，3,052頁（目次、附表不計）的龐大的調查報告書。

　　閒話休提，接下來請從第1篇的座談會看看我們的人類學家各大師戰後唯一比較有系統且珍貴的「政治」性發言。

　　本座談會可以說是日本民族學協會編修、發行的雜誌《季刊民族學研究》〔《季刊民族学研究》〕費了兩期193頁篇幅（其實，雜誌採用合併號形式）編輯的戰後日本雜誌界頭一次「台灣研究特集」號的小附錄。我說它只是附錄並不是指其內容，而是指它儘管擁有平澤龜一郎（1932年以降任職台灣總督府〔以下簡稱府〕理蕃課技師）、井上伊之助（基督徒、醫師，1911年抵台直至戰後返日為止從事山地傳教。著作《台灣山地傳道記》〔《台湾山地伝道記》〕，1960年）、佐山融吉（從1912年前後起，以調查官身分從事山地調查，1920年任蕃族調查會輔導委員，為「蕃地」調查老手。與大西吉壽合著《生蕃傳說集》〔《生蕃伝説集》〕，1923年）、瀨川孝吉（1931年任職府理蕃課，後轉任府農務課，與稻葉直通合著《日本南端的紅頭嶼》〔《日本の南端紅頭嶼》〕，1931年）、鈴木秀夫（1933至1937年，府理蕃課長）、橫尾廣輔（1932年以後至1939年前後為止，任理蕃課視學官）、馬淵東一（在台北帝大，受教於日本人類學界開創人移川子之藏教授，戰後任都立大學教授、琉球大學教授）、宮本延人（原台北帝大講師，與馬淵氏同出移川門下，戰後任日本東海大學教授）等堅強陣容（參加人名單中有故石田英一郎的芳名，但只記錄一次簡短的發問，並未積極發言，或許是以協會關係人身分參加）。來頭那麼大，但最後刊載的頁數居然只有令人吃驚的11頁。不是小附錄又是什麼！座談會由宮本氏主持。我雖然有過小附錄的發言，但假如詳細檢討內容，讀者諸賢

可能會發現還有幾項珍貴的證詞。

例如，回顧1910年以後的「理蕃事業」時，井上氏指出：

> 起初對於蕃地的事情採取不干涉主義，不太干涉而盡量放任自
> 由。所以，對方不太對日本人加害，並一直保持和平，可是，
> 後來開始製造樟腦，製造木材，各種事業也進來，引來利害關
> 係的發生，惹起衝突，不得不發動第二期的理蕃討伐，演變成
> 懲罰壞人，而不服從者以武器訓誡，這種方針的時期，所以巡
> 查也都佩帶槍械，蕃人也加以反抗而盛行獵頭。我進入山地的
> 第二天（1911年12月21日），鄰接的部落也發生了獵頭。

順便交代，井上氏所說的初期是指1890年代，但是，只要稍
微翻開日本在台灣的殖民地統治史，就可以發現初期統治的實態
絕不是井上所說那套不干涉主義，應屬當局因平地漢族系游擊隊
的武力反抗而忙於「奔命」，弄得沒有閒工夫來鎮壓高山族。然
而，井上發言不期然地言外闡明高山族的獵頭乃屬因對付殖民者
的闖入，為了解除生活上擾亂而不得不發動的反抗，這點很值得
珍視。

另一位參加座談會的橫尾氏是因霧社蜂起事件而依據原先
「理蕃政策」被迫修正後，制定的《理蕃政策大綱》[29]所設的首

---

29 接替對霧社蜂起事件引咎辭職的石塚英藏總督，於1931年1月就任的太田政弘總督匆
匆忙忙在同年12月制定並實施「理蕃政策大綱」，該大綱由下列八項所成：
一、理蕃以教化蕃人，著眼其生活之安定，使其享受一視同仁之聖德為目的。

任視學官（雖受理蕃課管轄，卻是教育專家）。他在1950年12月
10日（座談會舉辦日）把那段期間的真相低調表明說：

> 我雖不才卻在被任命為首任視學官後，一直幹了九年。如同一
> 般人，我也認為蕃人的確不容易管，怎麼被安插擔任這種工
> 作，說來很丟臉，連自己也感到困擾不知所措。可是，上任一
> 看，又感到非常驚訝。高砂族並不是只要看到別的民族就要獵
> 頭那樣野蠻粗鄙的人，他們確有清楚的道德規範。按照他們的
> 說法，無論如何台灣這塊地是我們的祖宗一開始就居住的地
> 方，平地當然也是。為什麼不和任何人商量就把我們的土地變
> 成中國的東西或日本的東西呢？他們當然不懂現在的國際關
> 係，不過，我認為還是有道理（註：橫尾先生，不只是有道理
> 而已，那才是真情！）。本來，高砂族裡沒有人會偷東西，扒

二、理蕃應以正確理解蕃人之實際生活為基礎，來建制方策。

三、對蕃人應待以信義並懇切指導之。

四、蕃人之教化應注意矯正彼等弊習，培養善良習慣，致意於國民思想之涵養，著重
於實科教養，且授以適應日常生活之簡單知識。

五、蕃人們經濟生活現況雖以農耕為主，大都屬輪耕而其方法亦極為幼稚，應需要獎
勵密集式定地集耕，或者經集體移居來改善彼等生活狀態，同時應力促成其追
求經濟上的自主獨立；另者，對有關蕃人之土地問題必須予以最慎重之考慮並切
勿有壓迫其生活條件等情節。

六、理蕃關係人，尤其現地之警察，應採用沉著厚道精神人物，力予優待之，不得隨
意調動，以人物為中心來力求永久確保理蕃效果。

七、應致力於修築蕃界道路以圖交通便利，以期撫育教化之普及徹底。

八、應推廣講解醫藥治療之方法，減輕蕃人生活之苦患，據以裨益充足理蕃之實。

關於「大綱」所含的意義分析，容於其他機會，此處只點出：連對蕃人的賤稱尚且無
法捨棄的這部大綱，不用說當然只屬搬弄小技巧的表面文章性改良政策。（又，資料
來源是鈴木秀夫，〈理蕃政策の変遷と蕃人の生活〉，東洋協会，《東洋──始政四
十周年台湾特輯号》，第38卷第9號，1935年9月1日，頁135～136。

手之類根本就沒有。他們的言詞中，連「鑰匙」、「鬥鬥」之類也沒有。即使在河裡漂流的木材，只要放一塊石頭在上面就表示別人所撿到的絕不會去動。又，儘管沒有文字，但已經有繪畫文字等生活上最低限度所需，他們老早就造好並具備著。紡織品也好，陶器也好，或者是雕刻也好，幾乎可以說反倒因漢族文化的輸入而墮落（註：漢族固然如此，那日本人強迫灌輸的「文明」又如何呢？）。甚至可以說擁有相當卓越的文化。因此，自從改變教育方針、理蕃方針以來（中略）……僅僅經過了幾年就完全廢除了砍頭這種惡習，甚至在如同國際情勢那般彼此間仇恨非常深刻的時候，也不曾有過獵頭之類的事情。我們從事教育的人，本來就徹底體認日本的理蕃方針，所以來面對他們的時候，就是因為高砂族擁有絕對不輸給一向誇耀文化的所謂文明人的形而下、形而上各種文化（中略），實績已步步提高。

對於橫尾氏的善意，而他屬於少數的殖民地開明官僚這一點，我們都加以肯定好了。不過，從我們所共有的世界史上體驗和史實來說，只要是採用殖民地體制，我們知道，如果沒有先行實施絕種滅族式的理蕃事業，所講教育方針也不可能出現。縱然不說教育是萬能的，但教育若是像橫尾氏所認定那麼有效，就必定不會在教育水準比其他部落超出一大截的霧社發生那次壯烈的蜂起吧？那麼，對於在《理蕃政策大綱》制定前後，仍然發生

「比斯丹」駐在所襲擊事件（1931年11月7日）[30]、「大岡山事件」（1932年9月19日）、「逢坂事件」（1933年11月15日）[31]等又如何說明呢？

的確不錯，1934年以後類似的蜂起減少了。然而，可以認定為理由的，與其說是教育的效果，還不如說原住民領袖階層多半被殺，並在霧社蜂起事件期間受到近代兵器幾近殺光滅盡的大鎮壓這場教訓，高山族用他們的方式銘記心田裡為第一項。第二個理由，剛才已經提過了，「滿洲事變」以後，在更加朝向軍國主義傾斜的日本極權制度架構中，當局對高山族也與對付漢族系台灣人一樣，一直加強飴鞭並施的政策，強力推行所謂的皇民化運動（懷柔、籠絡）。太平洋戰爭一旦爆發，當局還把喪失了「民族自尊心」的年輕一代，巧妙地逆向操作他們已遭扭曲的心理，繼而塑造成號稱高砂族義勇隊的侵略尖兵來活用。我們可以了解，依靠這種心理上的操作與虛構的榮耀，另替原被壓迫者高山族製造新的被壓迫者，最後把高山族的能量轉嫁出去了，有關於此請回想，在中日戰爭期間內幹了正牌日本人以上的惡行的，正是二等日本人（指殖民地時代的朝鮮人與台灣人）的朝鮮人和台灣人這樁先例。

繼續進行話題，高山族調查老手佐山氏替我們提出足以證實日本人殖民者，在台灣也施展如同白人對北美洲印地安人所採詐欺與瞞騙等孽業，該證詞如下：

---

30 詳情參照前舉《台湾治績誌》，頁833。

31 兩事件均參照《台湾治績誌》，頁894。

像我這樣的人出去調查就老是聽到他們訴苦。日本人時常欺騙蕃人而隨後殺掉，那作風簡直就像古代日本人和武尊太子灌醉八頭目的戰術，現在如法炮製，讓蕃人的頭目喝喝酒而親熱一番後，忽然突襲幹掉。

也有過這樣的例子：像泰雅的女子所說，她的丈夫到台北去而就這樣失蹤了。向巡查打聽，好像趁他喝酒的時候，忽然把他幹掉了的樣子。

接著，鈴木原理蕃課長坦白地回答：「對付有可能妨害我們的領導教化的人……」，可是他在座談會的其他階段，卻又說：「我國所採理蕃方策，確實拿到世界上任何角落也不會丟臉，並且也相信確實照樣實行。」這種使盡一切謀略來達成自己目的的霸術，在戰前猶有可說，居然在擁有廣島、長崎遭受轟炸同胞的1950年代的日本，還毫不反省地說：「拿去世界上哪裡也不會丟臉」這種邏輯，到底應當如何解釋呢？

無意識中沉溺在權力的力之邏輯的，並不止於殖民地菁英官僚鈴木氏一人。這裡重錄擔任主持人要角的人類學家宮本教授的發言，試著予以推敲：

據聞日本的理蕃採用所謂保護政策（註：美國的白人也把印地安人圍在圈內而一直說加以保護），既不課稅，也在其撫育上花費龐大的國家費用……。

宮本先生似乎忘記了，日本人從台灣搬走的檜木變成靖國神

社為首的大神社的牌坊、茶室型日本住家與豪邸的一部分，以及用山上砍伐的樟樹，加以蒸製而成的樟腦獨占世界市場等事實。

　　不必提從高山族沒收的土地和其他各種財富，只要把木材、樟腦合計就好了，而其回報卻是大屠殺這筆帳也就無法算清楚了吧！漢族系台灣人、日本人這些自稱「文明人」的我們，給他們的到底是什麼？驕傲的闖入者把他們幼兒的高死亡率與平均壽命較短的理由，一概歸因於他們不合衛生的生活而不加懷疑。真的是這樣嗎？破壞他們男女人口的均衡，帶進性病的，難道不是自稱「文明人」的人嗎？使他們的營養狀態惡化的，難道與由於闖入者太怕他們的報復而沒收他們獲取蛋白質來源絕不可缺的東西——武器——無關嗎？此外，為了謀求闖入者開發方便而把他們生活的場地圈圍破壞以致其生活支離破碎的，難道不就是自稱「文明人」的人們嗎？說他們不聽話，就殺掉能幹的中堅分子的又是什麼地方的什麼人呢？為了方便詐欺而帶「壞的液體」入山的難道不也是「文明人」嗎？讓他們喪失原有的自尊心，使他們變成無氣力且懶惰的，只不過是由上述種種因素複合後繼續引發相乘作用招致的綜合性結果——人性破壞——而已。高山族的平均壽命短也罷，嬰兒死亡率過高也罷，與「文明人」骯髒的手絕非無關。這才是真實。那麼宮本先生的資產負債表，究竟哪一方是負的，哪一方是正的呢？真希望傾聽一下高見。

　　我們也不能贊成馬淵教授的發言：

　　　要向不知道貨幣的蠻民課徵人頭稅，是在非洲和南洋的殖民地普遍實行的事，在設計上要逼迫他們不得不到歐洲人經營的礦

山或農園去工作。就這一點說，日本的理蕃政策可以說是保護高砂族，免得他們被捲入近代經濟的怒濤中。

與其說日本當局從近代經濟怒濤保護高山族，倒不如說當時的日本資本主義因其本身的落後性，以繼續把高山族的勞動力封鎖在山裡來榨取對自己更有利。且當時尚屬發展階段，還不需要把高山族當作「近代」式的勞動力，讓它全面登上舞台。我們應當認為除了勤勞奉獻的義務勞動以外，在政權體制內部需求直接把高山族動員的要求仍屬很低。總資本在日本國內農村還擁有充沛的過剩人口，那又何苦把總資本中自己都認為品質不太好的「未開化人」的勞動力拉進去呢？

　　果真像馬淵教授所說的加以保護，那就不應當把高山族動員出去參加作戰，高砂義勇隊的「壯舉」只怕要成為鬧劇了。殖民地體制永遠是破壞人性的體制，絕對不可能是真正保護發展人類人性的體制，這是被壓迫者刻骨銘心感受的。

　　筆者所以要說第1篇的座談會是小附錄，本來很想請我們「理蕃」老手與具備代表性的諸位人類學專家大師大發議論，這麼一來，我們就有辦法從這場座談會引出更多問題，這就是筆者願望的另一種表明。差不多也該就這場座談會的評論做個結論的時候了。開明官僚橫尾氏繼續說：

台灣的蕃害事件，以電影為例，第一卷已經省略掉了。某月某日襲擊警察署，殺死了警察的妻兒。對這件事必須放映第一卷。警察配有步槍或手槍，但是我無論到蕃地的哪個地方去，

　　身上不帶寸鐵。如果加以危害，連雞也會向貓跳過去呢！對這
類事情應該多加反省的。

飄揚著人生晚年的香氣（我稱它為晚香）。「晚香」因為是「晚
香」，所以無濟於事，已太晚了，不過，如果一想到即使是這種
「晚香」，在日本人裡與台灣有關係者中，也很難找到，那麼，
我還是更願珍惜，如果允許讓我以一個旅日中國籍研究者，而且
擁有殖民地被統治經驗的台灣出身的一個知識分子，來表明小小
的願望的話，我認為橫尾先生的反省假使更進一步發展而成為
「根據由這場歷史性教訓得來的反省，該知道想要完全統治他民
族是不可能的，也不應該加以統治壓迫。因此，絕對不可以設立
殖民地體制，也不可以實行殖民地統治。」那麼「晚香」的香氣
就會持續普遍飄揚永遠不朽。

　　可惜，我的願望和日本人，尤其被稱為與台灣有關係者的人
們的意識，似乎有相當的差距。

　　台灣關係者所寫或者所講的內容中，第3、10、11、19篇大
致可視為同質不會錯。著者野口、宮村兩位，小島、江川諸位都
是舊殖民地官僚，而且除了小島（義夫）、宮村氏以外，都直接
幹過「理蕃」的事務，也從事過蜂起的鎮壓行動。他們的共同的
特徵是直至現在依舊固執「天皇」賜給他們的價值體系，仍然認
為高山族只是「野蠻人」，未開化的人而已。從這個意義來說，
較之於橫尾氏尚肯承認並容忍異質文明，也就是能夠發現高山族
的人性，他者性的1950年代階段，他們的著作儘管都屬後出，卻
沒有進步，且處處可見他們縱然經過戰敗的教訓，青年時代切身

體驗的價值體系仍未崩潰。我們不能不說，對他們而言，「殖民地體制」在意識層面依舊繼續活在腦裡。

　　他們到現在仍然只能把蜂起當作「蕃害」來了解，蜂起者畢竟是妨礙他們所認定的殖民地開發的野蠻人，故而該懲罰，只要不參加蜂起，哪怕是表面上的也好，只要是順從，就是應該予以「保護」的可愛的「未開化人」。

　　依據這種邏輯的結果，江川氏把自己的著作託第三者送到台灣，交給第二次霧社事件中勉強倖存的高永清（皮和‧瓦利斯，日本名中山清），或在裝貼自己著作扉頁的個人照，也記著使用高氏送來的霧社櫻花佩附胸前的照片。正因為筆者知道他已年滿83歲，而完成自己的著作所帶來喜悅與深深懷抱對霧社的鄉愁，越發對江川氏的「老好人」引發複雜的感慨。這且擱下不提，江川氏把直到今日一直被隱瞞下來的第二次霧社事件的真相，經由當事人小島源治引導出來的功勞確實很大。單憑這一點，這本書應會傳承下去。

　　我們以研究者之一的立場，寧可盼望出版更多這一類書，也不該有拒絕反應。

　　關於宮村著作，也就是第10篇的單行本，真希望他註明為小說。宮村的著作既掛名日誌，且以台灣霧社事件祕錄為副題，卻沒有預先提示為小說，而他是曾經擔任過高等學校校長的人，顯然可能讓讀者留下更不光明正大的印象。在對教育家抱有強烈的尊敬之念的日本，認為這本書會引起不少「誤解」的人，又豈僅是我一個人。

　　如前文所舉出的橫尾氏的反省之類在宮村氏身上也別想找

到，他連電影的第一卷的存在都無法感覺，而只顧把自己的幻想一心一意假託給死人無嘴的花岡一郎，這種寫法是他的事。不過，創作彷彿自己當時在蜂起現場的假「祕錄」的作法太不厚道了，希望能加以改正。

還有雖然是台灣關係者之一，但稍微獨特的，恐怕是坂口女士。女士以戰前的〈時計草〉[32]為起點，然後根據戰爭末期在中原（第二次霧社事件倖存者的移居地川中島社的隔鄰）疏散生活（為躲避美軍的空襲）體驗與當時所聽取的資料，日後於返鄉後發表第2、6、8、15篇一連串的所謂霧社作品（第2與第6篇之間有重複作品，茲不贅述）。作為讀者之一，筆者固然尊重她經由文學活動一直把霧社的火點燃下來的功勞，但是也期望如果坂口氏能夠更明確地掌握殖民地體制，殖民地統治關係裡面的統治與被統治的實情加以批判，那麼地平面會更加擴大，很可能產生更優良作品。筆者願藉著這個篇幅預先表明這份得隴望蜀的期望。

就以台灣關係者而論，第17篇的尾崎氏與第18篇的ねず氏清清楚楚把「理蕃事業」中的「電影的第一卷」的認識作為前提，並以日本人身分批鬥自己。關於ねず氏的著作已在拙著，也就是第16篇中提起過了，所以不在此重提。

如大家所熟識，尾崎氏在近十年以來從文學活動的視角整理殖民地的傷痕，是位意圖與傷痕對決而一直孤軍奮鬥到現在的奇特的台灣關係者。

---

32 當初發表在《台湾文學》（1942年2月號），但只保留開頭與結尾各一頁而被刪除。後來經過改寫（？）被收錄在坂口䙌子最早的創作集《鄭一家》（台北：清水書店，1943年9月7日）。

　　位於極右的台灣關係者不但在他們的意識中，殖民主義也好，殖民地問題也好，不斷地將其觀念持續至今，還顯現將經濟大國化的日本與台日經濟緊密化和頻繁的人際的交往等與鄉愁微妙交錯並有擴大的預兆。

　　位於極左的中國近代史、日本近代史的專家，說不定以為日本的殖民主義、殖民地問題既以法律方式了結了，就已經不成問題，把殖民史研究仍然聽任其缺落。

　　稱尾崎氏為奇特之士，是指他在這樣的情況下，毫不懈怠地敲響警鐘這個意思。

　　縱然如此，也不能認定情勢全盤的悲觀。用論文的方式替我們證明這一點的，正是第14、20、24篇的著作。一讀瞭然，這三篇論文（嚴格地說是兩篇。第14篇是第20篇的摘要）的作者，都不是台灣關係者，而且是屬於截然與殖民地經驗隔絕的一代的新進之士，又實際調查過戰後的霧社・川中島這一點值得信賴。

　　第14篇與第20篇的著作中，夠格贏得我們稱讚的貢獻在於：他們不僅往訪霧社蜂起當時的倖存者高永清和高愛德＊二氏，並且還把珍貴的證詞都為我們引導出來。

　　論文第14篇所達成的任務，是透過《中國》的主辦人竹內好和當時實際上的執行編輯飯倉照平兩位睿智果斷，而發行了日本最早的霧社蜂起特集號，其結果催生第21篇和第24篇的著作，這一點的確應該值得記憶。

＊　阿威赫拔哈，1962年春擔任南投客運公司社長，並任南投縣議員，有其口述的《阿威赫拔哈的霧社事件證言》一書。

　　此外，經第14篇的另一作者中川氏的努力，第20篇小冊子刊行了，引起了一向與《中國》的讀者階層不相同的階層——尤其是年輕一代，對霧社蜂起事件深刻的關心，這一點很值得留意。即使在我所認識的窄小範圍內，也有五名以上的大學生、研究生受到鼓舞，因而開始從事霧社蜂起的研究與台灣的研究，真令人感到鼓舞。

　　儘管如此，自事件發生以來，已歷經了40年以上，從第59期帝國國會以來一直爭論不休的鎮壓時曾否使用過毒氣的查詢，到現在依舊不明確，遺憾至極。

　　第20篇所傳達的高愛德的發言與河原功在第24篇頭一次向日本讀者介紹的連溫卿（已故，是戰前屬於山川主義派的社會主義運動家，世界語推動者）論文中，還有近來享譽的吳濁流的著作，也就是第26篇（該書第90頁）中，均明指毒氣的使用。

　　就是在戰後的日本，第4篇的著者山上氏（舊台灣總督府遞信部官僚）的回憶中，也可散見像「即使莫那・魯道（霧社蜂起事件的領袖，馬赫坡社頭目）的一族也打不過細菌戰術等，最後還是自殺了。」（該書第251頁）之類的記述。

　　又、對我來說，是初次閱讀的山部歌津子著《蕃人賴沙》（《蕃人ライサ》，東京：銀座書房，1931年1月20日）中（經判定係屬於蜂起剛過後所寫的，所以值得重視）描寫到：

　　　　也有人說什麼為了討伐只有五百人不到的生蕃，而出兵兩個聯隊，甚至於說什麼有三架屏東機場的陸軍航空隊飛機，不分晝夜地投下最近完成的陸軍科學研究所自傲的毒氣彈，顏色像白

　　木蓮花的毒煙化成細細的霧擴散，一碰到它，樹木和草都縮小
　　成黑黑的一塊，只要有生命的，連一隻螞蟻都會死掉。把這些
　　話，就像自己親眼看見一般，活靈活現地講給別人聽。

簡直讓人感到奇怪，為什麼這種情節沒有遭受到檢閱禁刊。這並
不是說我願意聽信傳言，而是我認為如果傳言不是真實，應該加
以更正，因此希望追根究柢求其真相。

　　縱然如此，台灣方面人士一致認定日方使用過毒氣，或相信
使用了毒氣，這項事實對素來不斷自勉要成為良好的國際人的各
位日本人，該不能擱著忽略吧！

　　關於其他論述的講評，決定留待他日，最後先簡單地介紹新
發現的資料。

　　戰後對於霧社蜂起相關聯事件的資料之發現，盡了最大的功
勞的是第25篇裡呈現的山邊健太郎。站在研究者之一的立場，也
想向第12篇的著者小西教授表達謝忱。不過，山邊氏在第25篇中
試圖研判牧野伸顯文件出於生駒局長之手，這又怎麼一回事呢？
一如筆者在本書所引用，生駒文件是另外存在的。（請參照第5
篇，因沒有餘力將牧野文件和生駒文件做比對檢討，所以在這裡
只指出他的結構互不相同這一點。）

　　此外，以前一直沒有見到的資料終於取得的有：台灣總督
府發表的《蕃社襲擊事件概要》，台灣總督府警務局《霧社事
件誌》，台中州能高郡警察課《關於霧社事件的概況說明書》
〔《霧社事件ニ関スル概況說明書》〕，服部兵次郎（台灣軍參
謀，陸軍步兵上校）著〈關於霧社事件〉（〔〈霧社事件に就

て〉〕，《偕行社記事》第679號【1931年4月】刊載）。《蕃社
襲擊事件概要》除了附表（一、事件前「陶茲阿」蕃及保護蕃的
人口；二、保護蕃災情調查；三、存活保護蕃調查；四、槍枝彈
藥收回調查；五、襲擊當時的警備員部署）之外，已經在《台灣
日日新報》（1931年5月23日）發表過，後來還轉載於《南方土
俗》（第一卷第二號，1931年7月23日）。因此本書內未刊載。
又，另三件都登在本書〔指《霧社蜂起事件——資料與研究》〕
資料編請參照。此外，劉枝萬所使用的文獻中，有一件是台灣軍
司令部《昭和五年台灣蕃地霧社事件史》〔《昭和五年台湾蕃地
霧社事件史》〕（1933年）。

　　在吳濁流的著作《黎明前的台灣》（頁90）上讀到「昭和初
期發生了霧社事件。我當時在五湖。據當地的本島人（指漢族系
台灣人）巡查被動員參加鎮壓時所說的話，討伐隊的第一線是高
山族，第二線是本島人，第三線是日本人。」這段情節的時候，
覺得多麼像越戰啊！起草本稿的同時得到的最大的收穫，是充分
確認霧社蜂起事件，不但一直延續到今天並且還牽涉到全世界這
一點。

　　大田、中川兩位在〈探訪霧社〉（筆者所提示的戰後文獻第
14篇）中，從第二次霧社事件驚險逃難而倖存的高愛德（阿威
赫拔哈）所引出的「霧社事件是一場有計畫的，有思想背景的
革命。了解霧社事件，既是日本人的義務，也對日本人有益的
事。」（頁29）對這項珍貴的發言，筆者不僅感到共鳴，並肯定
高氏的發言，相信正確了解霧社蜂起事件不但是日本人的義務，
而且是全中國人的義務；不僅對日本人有益，還對全中國人、全

人類都有益處。又，事件本身的的確確是珍貴的歷史性教訓，尤其對新的中國人，可以說涵蓋著對於該有的少數民族政策的追求與制定上幾乎有取之不盡的教訓。關於現代中國人對世界史的新挑戰，我認為不要妨礙國內少數民族的自立性發展確屬重要課題之一。我還相信必須使占有中華民族中多數的漢族克服揚棄自己內部所抱持的大漢民族意識，以資作為推行這個課題的前提。也就是說，高山族問題是住在台灣的漢族系住民的最切身的問題，我力倡我們必須對高山族的長期抗爭史表示正確理解。

　　研究霧社蜂起事件，並不是研究昨天的事情，是研究今天的問題，關鍵不在於同情高山族而是考究如何「救」他們，應該著眼於拯救自己更為迫切。研究是為了要如何擋住自己心靈的荒廢與自我腐蝕作用，要如何尋求保持自己人性的途徑而做的。我寫本稿深深地體會到這一點。

　　補記：公開刊行本文後，受到友人的指點：在戰後日本發表的霧社蜂起事件關係論述的收錄有遺漏，這裡加以補記。

　　1.遠山茂樹、今井清一、藤原彰，〈動搖的殖民地統治〉〔〈ゆうぐ植民地支配〉〕，東京：岩波新書，《昭和史》，新版），1959年8月31日收錄。不用說這是那著名的昭和史研究團體的業績的一部分。但新版書上只有六行的記述，非常可惜，也很遺憾。

　　2.中兼和津次，〈霧社的血櫻〉，《週刊東洋經濟緊急增刊：中國經濟的全貌》〔《週刊東洋経済緊急増刊：中國経済の全貌》〕，1971年10月22日收錄。中兼氏是到台灣留學，專攻中

國經濟曾於1969年元旦探訪霧社，以前舉《霧社的血櫻》為對象而寫的隨感方式的書評。

3.菅孝行：〈在魍魅的秋天 ── 霧社的叛亂與「神的暴力」〉〈魍魅の秋に ── 霧社の反乱と「神の暴力」〉，《創》，1972年12月號收錄。本文著者菅氏為戲劇作家，據說因影片《亞洲是一體》〔《アジアはひとつ》〕的創作準備與取材，三度來台並探訪高山族（參照《中國》1972年11月號刊載的座談會製作影片《亞洲是一體》）。在本文的結尾中，著者寫到：「10月27日（1972年）正好是霧社武裝蜂起42周年。在霧茫茫的山地徘徊的秋天的魍魅，一直到現在還沒有被安魂過。然而，我們所能奉獻給無數的莫那‧魯道的安魂歌，思索起來，不外是把「天意的暴力」向自己的現存拉近，加以表現並傳達，靠自己的寫作和實地考察組成天意的暴力而已。」從此大致可明白菅氏在本文的目標何在吧。閒話少說，茲附記本論文也是被該雜誌《中國》的〈特集‧台灣高山族的叛亂「霧社事件」〉所觸發而寫的，更是第一次介紹並引用前舉〈關於霧社事件〉〔《偕行社記事》第679號，1931年4月刊載）的論文（於拙著《日本人與亞洲》，新人物往來社，1973年10月，再錄時補記）。

再補記：1975年以後有關事件的專書單行本出了兩本。一本是稻垣真美氏所寫的小說《賽達卡‧達雅的叛亂》（《セイダッカ‧ダヤの叛乱》，講談社，1975年3月4日），的確是對實地採訪和文獻涉獵花費相當多精力的良心作品，不過總覺得有點矯柔，缺乏魄力的讀後感，切實期望像立原正秋的《劍之崎》

〔《劍ヶ崎》〕那種鬼氣逼人的《小說霧社事件——報復的美學》〔《小說霧社事件——報復の美学》〕的作品出現。

　　第二本是森田俊介：《台灣的霧社事件——真相與背景》〔《台湾の霧社事件——真相と背景》〕（伸共社，1976年3月20日）是一種回憶錄。著者不用說，是從霧社蜂起事件以前到第二次霧社事件這段期間的台灣總督府理蕃課長。可以說是該事件的直接最高負責人。自從獲悉將寫回憶錄以來，一直抱著很大的期待，但是還是失望。不但在重要的層面上幾乎沒有原創性，而且竟讓森田的老朋友日本人某氏納悶：「森田究竟從什麼時候開始變成佛陀森田呢？」這種結果的書，總是太令人惋惜。森田到底是最了解很多真相的人，那麼又為什麼不肯拿出真正的「佛心」為我們記下來呢？何必到現在才來自我推銷人道主義者森田俊介呢，道出這樣慨歎的是熟識森田為人的S氏。應該說日本殖民地官僚的老兵依然健在嗎？不過，對我們研究者來說，比起不寫出來總還是為我們留下他本身的見解仍值得感謝，因為，不問「內容」如何，記述本身即會成為資料。（1980年8月20日定稿，定稿時曾對全文加筆補正，特此聲明）

本文原刊於《思想》第584號，東京：岩波書店，1973年2月，頁120～139，原副標「台湾少數民族が問いかけるもの」。收錄於本《全集》時，係根據《戴國輝文集10・台灣霧社蜂起事件（上）》同篇內容錄入（國史館提供中文翻譯版權）

《境界人的獨白》：東京，龍溪書舍，1976年8月15日初版。

對歷史哭泣
──「花岡一郎」是革命烈士？抑或走狗？

◎ 林彩美譯

　　8月27日（1973年）是霧社蜂起的43周年。霧社蜂起即日本帝國主義的台灣統治，尤其震撼了為追求獲得最大限度的殖民地利潤，把觸手伸入台灣的高山地域而展開的「理蕃事業」＝高山族壓制事業，使之改變的「理蕃」史上最大的武力抵抗事件。

霧社蜂起事件的梗概

　　1930年（昭和5年）10月27日凌晨，一直以來由日本當局保證為「蕃界」中最「開化」，富裕而教育水平最高的，當時台中州能高群霧社分室管區（現在南投縣仁愛鄉）的高山族部落11部落中6部落動員壯丁300多人一起蜂起。

　　蜂起先從離霧社遠而近的順序，襲擊警察駐在所，為切斷霧社與外部的聯絡把所有電話線切斷，可見蜂起是如此的慎重、有組織、有計畫的。

　　在襲擊的最終目標霧社小・公學校蕃童教育聯合運動會場叫

喊著「內地人（日本人）連小孩都不許放過，本島人（漢族系住民）不要殺」而撲殺過去。

蜂起的高山族不只在運動場上，連霧社郵局、各職員宿舍、日本人民家及附近的駐在所都加以襲擊放火。但是霧社商店街有漢族系住民的商店與房屋，為了避免延燒而未放火。

死亡結果是日本人134人，漢族系住民大人、小孩各一（大人是中了流彈，小孩因穿和服被誤殺）。

受一齊蜂起的震撼而驚愕的日本當局，首先施行報導管制，另一方面不只警察，連軍隊、飛行隊都加以動員，進行五十多天的種族滅絕大鎮壓。大鎮壓兼新武器的實驗（請想起「滿洲事變」在其翌年爆發），併用山砲、機關槍等近代大量殺人武器的猛烈攻擊，又從天上以飛機加以波狀攻擊（炸彈、催淚瓦斯、毒瓦斯據說都有使用）。

由於長年遭當局的壓制，及殖民官吏一再的欺瞞、侮辱、暴行而憤怒極深的蜂起高山族，使用鎮壓不容易奏效之故，日本當局為了動搖與分裂其心理，玩弄著從天上撒下多達6,000張的勸降傳單、並令子女持酒與食物勸誘投降之計策。

然而，以決死、玉碎覺悟的起義，除了被捕擄者外，寧願全家選擇「與其屈從毋寧死」而壯烈了斷生命者為多。更可泣的，明知必敗卻果敢抵抗，連當時顯著有國粹傾向的雜誌《日本及日本人》也登載「向霧社蕃族學什麼」為題的短文：

逃進溪谷，躲在叢林，奮戰到最後一個人為止，而且沒有出過任何叛徒，既到最後關頭就從容以領袖花岡一郎為首，率領妻

兒，與全同族，面對太陽一起殉難，如斯最後一幕使人如見往昔戰國時代武士持重節義，既極其英勇，也令人哀傷。（中略）以一夫抵萬夫，刀斷箭盡而不求降，視死如歸，舉家共赴，並在死路上撒花，豈非一首哀詩！再說，蕃人中的婦女們，鼓勵男子出征，先自盡上吊者，多達一百餘人，這項報導痛打我們的肝膽。

蜂起被鎮壓後，生存者以「保護蕃」為名，被沒收所有武器，受當局收容與監視。事件不以此為終結，翌年4月25日，受當局之授意，所謂「友蕃」襲擊前述「保護蕃」，包含男女將近半數（15歲以上男子全部被殺）乘暗夜被屠殺（當時的當局稱此為第二次霧社事件）。

關於花岡一郎

前面引用的《日本及日本人》把主謀者誤傳為花岡一郎，而蜂起的真正領導者是馬赫坡社的酋長莫那·魯道。誤會始於蜂起太過於有計畫有組織之故，高山族是「未開無知之蕃人」，因此如此的蜂起沒有霧社數一數二的菁英花岡一郎的指導是不可能發生，這是基於如上偏見的誤解。

那暫且不說，花岡一郎真名叫達吉士·諾賓，他在部落的出身不屬於上流，但有出眾的資質，所以特別從蕃童公學校被提拔送進日本人就學的小學校當共學生，後來又全部以官費在台中師範學校講習科接受培養，順利的話可當「理蕃」成果的象徵，更

可當潤滑油的媒介體。

理蕃當局的苦心不止於此，給諾賓取日本名字，並安排新娘（名為花子），供予和服以及官辦結婚儀式。

不止達吉士‧諾賓（一郎），雖未送上級學校，但與一郎同樣在小學校共學，結婚儀式也一樣以官辦扶育的達吉士‧那武義（與一郎並無血緣關係但當局將之命名為花岡二郎、新娘取名為初子），都是現職的警察官（一郎為乙種巡查，二郎為警手）而沒做事前的通報，自己更參加蜂起，並且拒絕投降勸告。一郎是全家自盡，二郎讓懷孕中的妻子回娘家，自己上吊了斷。此舉給當局很大的衝擊。但是一郎的壽衣是和服又以切腹自盡之舉，引來日後的議論。

有人主張穿和服切腹的一郎參加蜂起並非真心，而是被捲入的。又有人主張其新衣只有和服，又是家族全體自盡，所以就只能穿結婚時的和服。一郎是由當局一手栽培出來的半日本人，所以對日本殖民者在表面談武士道、大和魂、一視同仁，在背後卻藉「和解式」、「歸順式」誘殺，且利用高山族的樸實率直使盡其權謀術數、欺瞞之極；又如想努力融入日本人，便被呼叫為蕃人遭受歧視侮辱（一郎是師範學校的出身，但不被允許當教員），因而對殖民者的卑鄙行止懷抱怨念更深。切腹正是對日本人最大的抗議方式。

議論在台灣最近又以「花岡抑忠抑奸（？）」的命題回鍋重炒，諸說紛紜。

蜂起的資料蒐集、研究不但未被認真做，由日本人在事後所蒐集、被當作人類學素材使用的關係者的遺骨，尤其莫那‧魯道

的遺骸未給埋葬而放置在台灣大學的標本室，台灣關係者徒然炒作枝葉末節的忠乎、奸乎，那紛紛議論的姿態，除了說是「醜」而胡鬧之外無他。

　　莫那‧魯道、達吉士‧諾賓、達吉士‧那武義的靈魂們，可說現今猶對歷史哭泣著。

　　　　　　　　本文原刊於《東京新聞》夕刊，1973年8月24日

霧社蜂起與中國革命
──漢族系中國人內部的少數民族問題

◎ **魏廷朝譯**

前言

　　1930年10月27日黎明突然發生的台灣霧社蜂起事件，以四個意義來說，對日本當局是震撼性的。

　　所謂震撼性的理由，第一是首先蜂起的負責人無他，竟是當局自認為「蕃界」中最「開化」、「歸順」、「富裕」，教育水準也高出其他，也是統治當局打包票的霧社高山族！第二，當作「理蕃」（抑壓、馴化高山族的政策）成長的象徵，進而當作「理蕃」的潤滑油而一直盡力培養的達吉士・諾賓（花岡一郎）和達吉士・那武義（花岡二郎）兩人既係現職警察，不但未通報，反而親自參加蜂起，甚至於拒絕投降勸告而自殺斃命（一郎是全家，二郎為了救妻子初子腹中的孩子而讓她逃到叔母家，獨自吊死）一事。第三，蜂起經過長期準備，極富計畫性與組織性，襲擊對象亦與從前不同，不分婦女老幼，而日本人被害者也達到「理蕃」史上規模最大的134人之多。然而增大當局的震撼

且使之感到驚慌的，乃是蜂起的民族性。當蜂起的高山族到了襲擊的最後目標——霧社小學校、公學校、蕃童教育所聯合運動會會場時，異口同聲地一面叫喊「內地人（日本人）連小孩都不許放過，本島人（漢族系住民）不要殺」一面衝過去襲擊，進一步對郵局之類與日本人相關的官公舍也全部加以放火襲擊。可是，對漢族系住民的商店、房屋，不但不放火，而且據說顯然設法避免失火延燒他們，在此類行動上細心顧慮。事實上，被殺掉的漢族系住民，只有大人、小孩各一名，大人中流彈，小孩由於身穿和服而遭誤殺。

時機恰逢世界恐慌當中，日本資本主義也從根基受到恐慌的震撼，都市、農村都頻頻發生紛爭。當然，大恐慌的打擊也波及殖民地統治體制，階級鬥爭、民族解放運動節節升高。在這個時機爆發高山族的蜂起，在本質上顯然具備「殖民地統治下民族問題與勞力榨取的問題」這種性格，可能有刺激台灣島內其他高山族部落及漢族，甚至於朝鮮的民族解放運動、階級鬥爭，造成星火延燒的危險，因此，日本當局極為驚慌狼狽，斷然動員包括近代兵器在內的軍隊，進行鎮壓。

可是，遭受震撼的，絕對不只是日本當局者而已。對高喊民族解放運動、階級鬥爭，在激烈的鎮壓之下一直進行實踐活動的漢族系運動家、知識分子，霧社蜂起也帶給他們強大震撼、無限教訓，還留下更光輝的啟示——革命的活力也潛存性地暗藏於「落後的」（他們被這麼灌輸，自己也一直這麼想）少數民族。

本稿對這個震撼、教訓、啟示，漢族系知識分子和反體制運動家在具體上歷經何等過程，採取何等形式加以接納，並逐漸加

深認識等等問題，試著追溯報紙、雜誌的報導加以探索。

一、抗日右派、民族派的反響與行動

我們的作業，也為了有利於研究上的同好之士起見，採取把有關蜂起的報導、評論按時間先後提列，一面加以講評，一面加以整理的方式。

作業首先從漢族系台灣人主辦的唯一的報紙，在台灣的抗日右派、民族派所據守的《台灣新民報》的報導之介紹、整理開始。

《台灣新民報》[1]的報導和評論：

（一）第337號（1930年11月1日）：

本號是在霧社蜂起後，最早刊行的。然而本號的日文欄，除遭到刪除的空欄留著明顯痕跡以外，沒有刊登有關霧社的報導。

相形之下，漢文欄的新聞欄，花了半頁的篇幅，登出「空前的大兇變，治蕃政策的危機？霧社蕃人突然蜂起，各蕃聯絡慘殺百餘人，軍警和飛機總出討伐」的大標題，首先報導。

儘管說是新聞的報導，卻使用與日本人主持的御用報紙幾乎相同的「兇變」、「兇蕃」的措詞，讓我們感到無限的失望。不過，別的專欄，如「小言」〔譯註：牢騷之意〕和「中洲噴

---

1 《台灣新民報》的前身為《台灣青年》（1920年7月16日創刊），後經改名為《台灣》、《台灣民報》，於1930年3月29日以後稱為「台灣新民報」（1941年2月11日再改為《興南新報》為止），台北發行。又本稿的引用，均依據台灣東方文化書局的復刻本（1973年）。

水」，與前舉的報導比起來，文章的語氣也令人覺得多少有神韻上的些微差異。在「小言」中，不使用兇變，先設問：「因何突發這樣向來未聞的大慘事呢？」然後指出：「聽說該蕃人並非臨時衝動發作的，而於前夜切斷話線、襲來時分為兩隊並攻警察分室及運動會場，可見是於事前有慎密的聯絡計畫了。」並且委婉地質問：

> 細想對該地蕃人統治多年，表面上他們也在安居樂業，若不是有極其深刻的原因而　已忍無可忍的動機，絕沒有突然反面而出此宛然窮咬貓的暴舉，所以對於這番的暴動已出軍隊飛機，不日必可鎮壓平靜了。但是對於今後的治蕃方針，必不可沒有誠意地幡然反省的地方呀。

此外，在「中洲噴水」欄，則很簡單地用傳統式措詞法訴說「霧社蕃人大規模的出草（獵首）」的慘狀，並預測：「這回生蕃的出了反抗態度，是表示台灣理蕃政策的失敗，恐怕台灣理蕃政策又將再起了一大變革了。」值得注意的是，關於蜂起的高山族，該專欄作者評估：「這回生蕃的計畫頗有順序。第一，斷絕了通網（具體上是電話線），而後占領了銃器等法，蕃人亦不可輕視了。」進一步評價說：

> 雖是二十七日的運動會著手慘殺，但在二十六日已經占領了霧社以北的駐在所了，然而這種這麼大的變動之前，五千的蕃人沒有一個露出消息，亦可窺見蕃人之有訓練了。

（二）其次試拿該報次週號（第338號，11月8日）來看：

該號的社論及「中洲噴水」全文和「小言」的一部分被刪除。理由當然是由於提到蜂起。

檢閱的剪刀伸到以「蕃變的經過，討伐軍用新式戰術進攻，蕃人出死力頑強抵抗，各蕃社已經被軍警占領，蕃人生路只靠天然山險」為標題報導的新聞欄，以及設有「討伐」隊本部的埔里發的〈埔里訪問記〉。關於這種嚴厲的報導管制和言論鎮壓，該報的其他專欄──「島都瑣聞」說：

> 台灣言論的不自由，非由於今日始，乃自領台以來三十餘年都是沒有改變的。如關於這回霧社蕃變的報導，雖在御用新聞紙上也天天都可以發見擦黑的記事，至於御不用的報紙那就無事可報了。可見在紙面上能夠明示於讀者之前者只是表面的好看材料而已，故請讀報須要讀破紙背的記事才不失真。

以如上文字發出以採取「敬告」形式的申訴。這且按下不提，在這種情況下，也有可以從剪除過後的該報極少的報導中撿到的新聞。

在新聞欄中，緊接在「討伐」軍不但燒光蜂起部落，還使用新式兵器的後面，是「現在，軍警以化學的戰術云云」，又，在〈本報記者埔里訪問記〉中，報導：「對付僅僅三、四百個蕃人，出動兩千多人的軍警大隊，把飛機、炸彈、山砲、機關槍、照明彈、×××等，新式武器、科學戰、化學戰一起使出，進行大規模的總攻擊云云」。化學的戰術、化學戰、再加上三個缺

字，也都是在暗示「毒瓦斯」，這是不待明指的。

　　該報也許由於是右派、民族派的反體制報紙的緣故吧，專欄多的不得了。其中之一──「冷語」──把蜂起的原因歸咎於對徵調重勞動的不滿、男女關係的糾紛，此外，還說：「是否有更深刻的潛意識嗎？」、「受過師範教育的蕃人巡查花岡一郎，或許比其他無知的蕃人抱著更多的不滿也說不定」、「跟蕃婦發生性關係的那些人（暗指日本人警察）究竟是基於真正的愛情呢？還是政策性的呢？或者只是出於一時方便的行為呢？非追究不可」、「異族間的通婚，有認為能促進並實現同化政策這種想法，按照這次蕃情來看它的立論，在正確性有缺陷被證明了」、「聽說，為了鼓勵丈夫的奮鬥，108個蕃婦自殺了。好大的大和魂的氣概啊！豈可用兇蕃兩字終結問題呢？」「以原始人抵抗擁有最尖端文明利器的正式軍隊，無異於『螳臂擋車』，他們的愚蠢太可憐，但他們的勇氣是我們比不上的」等短評。

　　與前一號的日文欄不同，本號把刊登在《大阪朝日新聞》（11月2日）的台灣總督致拓務大臣的電文、花岡的遺書及《台灣日日新聞》11月4日的報導等整理成專輯報導〈霧社騷動的真相（上）〉〔〈霧社騷動の真相（上）〉〕，以部分刪除和缺字刊載。很有意思的應該是附加在此專輯的副題──「理蕃政策對生蕃做了何事？騷動的社會意義何在？」

　　試想，這種版面設計，一定是為了應付言論彈壓而想出來的苦肉計。副題的標法，看起來好像要擋住當局意圖迴避責任，全把蜂起的原因推給「蕃人」的兇暴性、獵首的復活，或死去的警察們私情作孽所引起的偶發事故，欲輕易地打發問題的動向。並

且，應該研判為把堅決追究總督府的失政與官憲藉「理蕃」而做的不法行為，希望把蜂起所具有的重大社會意義加以正確定位的態度假託在副題上。不過，專輯中，在當時那個階段，對花岡一郎和花岡二郎不但不是兄弟，連一點血緣關係也沒有，完全是政策取向的日本式命名的事實毫無所知，而照加花岡兄弟云云的標題，可以說簡直太疏忽了[2]。

日文欄的專欄「硬嘴皮」也真是有夠「硬嘴皮」，嘲諷：

川村前總督借霧社問題痛罵理蕃政策。大概以為鎮壓還不夠。老爺！並不是這麼一回事哪。

在霧社事變中，本島人（漢族系住民）只因為身穿和服，竟丟掉了兩三（其實只有一人，另一人是由於中了流彈）條命。從兇蕃不殺台灣人一事來看，就不該說只是突發性的感情的發作。

以往例推算，每征伐一個生蕃，據說就要十條命。這次的兇蕃有325人，照說就要有3,200人的生命。科學的威力能照亮到哪裡？

---

2 在戰後的日本，也有把花岡一郎和花岡二郎看成兄弟的著作（ねづ・まさし即為一例，該氏著《日本近代史7》，三一書房，1970年，頁74），但願能夠更正。

（三）第339號（11月15日）：

就以本號來看，檢閱的剪刀威力不但沒有衰退，而且還令人覺得似乎更為強化。社論的全文，「小言」的四分之三，承接前號的〈霧社騷動的真相（下）〉（以《朝日新聞》政治部長關口泰的〈霧社蕃害記〉[3]的重錄為中心）的將近一半被刪除掉了。

關於報導管制的嚴格，「小言」欄說：自從霧社的蕃變以來，本島內的報紙，除了當局分發的資料以外，可以說實況報導幾乎全部被刪除」，又「地方通信」欄的台北項下，傳述：

台灣民眾黨本部及台北支部，對於霧社蕃人蜂起事件，自發生以來的一切消息，每日皆翻譯漢文，揭載於該黨事務所前，豈料至七日午後五時半，忽由台北州傳達北署對該黨主幹說：「凡是關於霧社事件一切的報導，不得揭載於黑板」云云。
本月四日蔣渭水氏的車夫林寶財氏，也因為時常揭寫黑板並對民眾說明揭載中的文字，致被北署檢束了五天方才釋放。

從這些報導也可以約略看出箇中的大致情形。

免於刪除的新聞欄，傳報：儘管軍警大動員，蜂起的高山族依然繼續做頑強抵抗，由於「討伐」戰停滯難行，當局找新途徑，也對「友蕃」（與蜂起的高山族部落反目的其他高山族）下動員令的情形。另一方面，「中洲噴水」執筆人暗示前一號該欄被全部刪除的理由，在申訴無法寫出大膽果敢報導的苦衷時，又

3　《大阪朝日新聞》1930年11月7日號所刊報導。

一併露出「憐憫正要被近代兵器殺光滅絕的蕃人」這類委婉的表現。

　　引起我們注意的，不是以上的報導，而是在介紹花岡一郎的報導中，首次作「花岡一郎在普通的凡眼裡看作是一個疑問的魁首，若由台灣的高砂族的××（抵抗）史上看，的確是一個不可無的人物了」的評論這一點吧。不使用蕃人這種賤稱，而改用高砂族這一點，還有，第一次意圖把蜂起定位於高砂族抵抗史上的態度，該報導是值得評價的。

　　（四）第340號（11月22日）：

　　本號也被刪除一部分，幾乎沒有值得注目的報導，不過饒有趣味的是，為了調查事件的真相而赴當地，正在返北途中的生駒拓務省管理局長[4]，在集集線的火車上向記者談及：

　　……關於這次兇變的動機和結果，等今後政府的發表再說……不過，像內地（日本）等在謠傳的與鄰國的中國共產黨有什麼什麼關係、聯絡，或者說蕃人反對日月潭工事復工而發起暴動，這些事實上完全沒有根據云云。

　　這件事。這項發言，出乎意外地讓我們推測：日本當局發現這次的蜂起是有計畫、有組織的，更在本質上具有民族的性格與榨取勞力的問題，而被搞得極為神經質。

　　（五）第341號（11月29日）：

4　生駒於調查旅行後，製成《霧社蕃騷擾事件調查復命書》（1930年11月28日。收錄於《戴國煇文集11・台灣霧社蜂起事件（下）》），當然並未公開。

　　或許是被刪除嚇怕了，漢文欄沒有刊登相關的報導，日文欄
反倒取代它，除了轉載《朝日新聞》11月11日的社論〈台灣的問
題——霧社事件的善後及其他〉〔〈台湾の問題——霧社事件の
善後その他〉〕之外，又用假借報導在東京的台灣抗日運動右派
領袖楊肇嘉到拓務省抗議的新聞方式，劈頭就介紹島內日本人及
日本國內有關霧社事件責任問題的議論之後，提到：

> 我們的看法是，現在的當局，尤其是駐在霧社附近者的責任重
> 大，自然不必說，但生蕃的反抗既然是對佐久間總督以來理蕃
> 政策的綜合性的爆發，那我們認爲責任應該歸×××××（台
> 灣總督府）承擔。

　　嘗試在事件發生以來連一篇社論也不能刊登的嚴厲言論鎮壓
下作小小的抵抗。「掛羊頭賣狗肉」的巧妙的逆向應用，就是指
這件事，不過，充當招牌的抗議活動新聞，在報導最後幾行附
上：

> 在東京的楊肇嘉向拓務省就×××（毒瓦斯）的使用，對無知
> 蕃人××××（使用軍隊）的不當，過去理蕃政策的過錯提出
> 嚴厲的抗議，要求追究責任，和××××（台灣總督）的××
> （辭職）。

在抗議的項目劈頭，便舉出毒氣的使用，著實令人印象深刻。
　　自從第341號（11月29日）以後，到同年年底，《台灣新民

報》一共刊行三號，部分由於軍警對蜂起實施大鎮壓發生效果而失去新聞價值，當局害怕蜂起的延燒作用而用盡一切手段進行言論鎮壓，該三號除了利用專欄零星地加以嘲笑、諷刺之外，好像幾乎無法寫成報導。

既然已經到了無法寫進於社論的地步，要用評論加以宣傳當然是更不可能的了。

當時該報的經營權姑且不提，編輯權仍然掌握在台灣唯一的合法政黨──台灣民眾黨──中間偏左派青年幹部的手中。雖然如此，不，正因如此，言論的鎮壓越發嚴厲，或許，才只能留下上述的版面吧。

日後，特高警察編纂的《台灣社會運動史》[5]，就〈民眾黨對霧社事件的策動〉〔〈霧社事件に対する民衆党の策動〉〕替我們留下以下的記述：

昭和5年（1930）12月8日，在台北市建成町謝春木家，蔣渭水、謝春木、許胡、廖進平等集會，就霧社事件責任者的處置、理蕃政策的改革進行協議，決定向拓務大臣拍發下述電報，同日發信如下：

霧社事件應認爲係因向來之榨取與生活上之迫害，或管區警察之不正、貪婪殘忍之處置而發生者。請速將總督、警務局長、台中州知事以下免職，立即保護蕃人之生活，承認其自由，改

---

5 台灣總督府警務局編，《台湾社会運動史》（龍溪書舍，1973年復刻刊行。又，此書為1939年7月28日發行的該警務局編《台灣總督府警察沿革誌第二編領台以後の治安状況中卷──台湾社会運動史》的完全復刻版），頁502。

革阻礙民族發展之政策。茲要求藉此機會徹底改革素來爲保持官威而放任其爲非施暴的警察萬能之弊害。

台灣民眾黨

致
拓務大臣
貴族院議長
內閣總理大臣[6]

台灣民眾黨除了上舉電文[7]之外，也在同一天向日本國內的友黨——全國大眾黨、勞農黨拍發電文[8]：「霧社事件之真相調查，乃本黨所大大歡迎之事。盼速派遣。」

關於台灣民眾黨的動靜，擬在後文述及，現在回到《台灣新民報》的報導加以考察。

想來，該編輯部也許是從蜂起以來的言論鎮壓料定將來吧，自340號開始刊出「歡迎新年號特別投稿」的廣告，徵求「一、〈農村哀話〉徵稿」，「二、〈霧社事變的感想〉」的稿件。

把「霧社事變的感想」列爲第二，也許可以看成苦心的策略，但徵稿要旨說：

霧社生蕃突然的出草，殺死了許多官民。總之，這是1930年台

---

6 前舉《台湾社会運動史》，頁502～503。
7 該黨在稍後，另外致電內閣總理大臣、拓務大臣、陸軍大臣「此次對蕃人暴動，以國際間禁止使用之毒氣攻擊，非人道之行為也」，但據說遞信部以有害公安而扣發。參照山辺健太郎編：《現代史資料22台湾(2)》（みすず書房，1971年），頁603。
8 前舉《台湾社会運動史》，頁503。

灣最大事件。究竟什麼原因使他們這麼做呢？他們敢拋棄生命，打一場毫無勝算的仗，是由於什麼道理呢？各位對這件事的感想如何？而這個事件對社會各方面所帶來的影響如何？各位讀者啊！盼望能聽取各位坦率的意見。

應值得玩味吧。

該報把1931年新年號，也就是345號的第23頁日文欄全頁挪給〈霧社事變與各家的見解〉〔〈霧社事変と諸家の見解〉〕，編成特輯。

以實際上刊登的特輯報導編輯部註解的範圍來看，與其說該報在徵詢「讀者的見解」，還不如說向讀者或有識之士發出下列三項的問卷，徵求他們的回答，似乎比較接近實情：第一，霧社事件為什麼發生；第二，過去的理蕃政策最不好的地方在哪裡；第三，生蕃的將來如何？

該編輯部加註開頭明講：「霧社事變無論如何不失為1930年台灣政治史上的一大事件。這個問題，對同樣站在被統治民族地位的我們，是應該充分思考的事件……」（旁點係引用者所加），與對同樣是被統治民族的高山族表明連帶關係，可能還有一大段距離，不過不把它當作蜂起而當作事變，意圖接納為自己本身的問題之一部分這個態度，倒可以充分判讀。

按送達的次序刊登的總共19名的回答中，有一名是日本人，明顯地使用筆名的有一名，其餘的大半是台灣民眾黨的幹部或活動

家，少數是台灣地方自治聯盟[9]，大都是與該報關係較深的人們。

因此，說各家的見解（日本人除外）反映當時被定位於中間偏左派的抗日本地資產階級，尤其是活動家的看法，似乎不致有大錯。

首先，最能引起我們注意的是，署名為「台南高島鐵關生」的在台日本人的見解。高島的見解不僅是當時的在台日本人的普遍看法，而且成為戰敗後撤回的日本人舊（台灣）關係者意識的最大公約數，令人覺得迄今仍然綿延不息，所以，把全文引介如下：

一、霧社事件的發生，是否在太習慣於太平無事之際，被頑冥無知的他們乘虛而攻呢？

二、如果是恩威並施的話，這次的事件哪裡會發生呢？因為只施恩，撤掉守備的威嚴，豈不等於讓他們有錯誤的看法，輕視我皇國的分量呢？

三、必須施以精神上的感化，實施教化，讓他們能夠歸順一視同仁的皇恩，以便自內心服從，不過，一方面仍須派守備兵駐防，否則真正的根本教育的主旨何在？誠惶誠恐地說，要把陛下的皇恩，天無私照、地無偏載的聖旨，灌輸到他們的頭腦中才對。

---

9 具體的說只有該聯盟評議員兼《台灣新民報》經濟記者陳逢源參加，找不出該聯盟主要領袖林獻堂、蔡培火等人的發言。

　　高島毫無反省地把蜂起的原因，推給頑冥無知的原住民，趁日本當局太習慣於太平無事而疏忽的機會發動。跟他比起來，可以看成台灣方面中間派、持穩健的看法的約有五人，其中有一人回答「應該由於不堪驅使和排他主義」，有一人含含糊糊地回答「我認為起於待遇不平等」，另外三名判斷是因為駐在地官憲的橫暴惡劣行為的結果所引起。然而，除了以上五人之外，其餘的13名幾乎都認為：駐在地官憲的橫暴自不必說，還要追根究源，日本帝國主義（但前四字為缺字）與當局長期民族性、政治性的壓迫和經濟剝削，加上人權蹂躪等，由積憤而爆發，「更由於具有勇氣，相信死樂於生等原因，才發動事件」。

　　對第二個質問——「過去的理蕃政策，最不好的地方在哪裡？」高島生已如前文所提的，應該「恩威並施」才對的，卻「只施恩，撤掉守備的威嚴」，因此認為疏忽。這裡所說的「撤掉守備的威嚴云云」，不用說，是指第五任佐久間台灣總督從1910年（明治43年）5月，總共以1,500萬日圓（以當時的1日圓估成現在的6,000日圓來換算，約值900億日圓）的龐大預算，動員軍隊警察，毅然實施對北部高山族的大「討伐」，然後當局自誇大鎮壓的成果而逐漸縮小警備的事實。

　　瀏覽之下，台灣人方面的意見居然意外地「溫和」這點，令我們感到困惑。比方說，理蕃政策最不好的地方，指出「差別待遇」、「與平地的人們隔離，防止接近」、「把理蕃政策完全交給警察」、「駐在地官憲的非人道行為、竊取勞力、（警察與）蕃婦間的醜事」、「放任給一個分室主任及駐在所，總督府的理蕃課不了解民情」、「威壓政策與授產教化不徹底」、「束縛蕃

人的自由,警察萬能,所以不好」等,只是一般常識的,對體制方面「無毒」的見解占一半以上。

作為抗日運動的活動家與領袖(不包括台灣共產黨等的左派)而只有這種程度的認識,我們希望先記住這一點。

當然,也有大約八名,可認為(因有缺字)超脫「常識」地指出,經濟上的剝削政策與同化政策的強制或暴力統治等為最不好的地方。可是不要忘記,上舉八名同化政策否定論者中,又可見到「雖然是劣等的生蕃民族,只要具有遺傳的信仰、特殊語言、習慣風俗,要打破該民族精神,使他們變成與母國人同一的同化政策,已證明必將以無結果收場」之類的發言,不站在高山族,即任何少數民族都保有民族固有的價值且應該加以承認作為前提這個立場,卻以劣等民族的同化尚且會像這樣弄得毫無結果,所以有「日本當局啊,對我們文明民族漢民族的同化,還是死心吧」的這種口氣。可以說,受自己有局限的立場所拘束,而做極為狹義的假託式發言的「民族主義者」也不少,這才是史實。不,具有這種感覺的人比較多,而像台灣民眾黨的左派幹部蔣渭水、謝春木(後來易名南光)他們那樣說「立即保護蕃人之生活,承認其自由,改革阻礙民族發展之政策」(前舉電文),明確地把高山族的民族發展,納入視角的本地資產階級,反倒是少數。

我們往前趕。對第三個質問──「生蕃的將來如何?」各家的壓倒性見解,可以歸一為「滅種」、「亡族」,其中應該注意的是表明「可能會像愛奴人那樣逐漸滅亡吧」的見解的,居然有三人。

　　此外，蔣渭水直系的青年幹部中，像白成枝、盧丙丁那樣，
對高山族參加解放運動，可能與「台灣人」（本來台灣人應該是
高山族才對，但占多數的閩南系出身者，以「驕傲的」多數的常
情而自稱台灣人，並把自己使用的語言僭稱為台灣話。如求比較
客觀而正確，似乎應該自稱閩南系台灣人或漢族系台灣人）進行
聯繫表示樂觀。從靠參加運動就能夠同時促進解放的自力解放
說，到廖進平那種「如果不仰賴日本無產黨的××（領導），會
越發陷入××（滅亡）的悲慘境地」的他力救亡說，都可以從台
灣民眾黨左派的個人見解中找到，這倒頗有意思。

　　當時，對同一個質問的回答，也有像前面所舉的高島一樣，
認為縱然對「陛下的大旨意」的信仰有差距，「如果是一視同仁
的政策」、「生蕃們畢竟是人類的夥伴，所以只要對他們實施善
政，好好教化，相信將來必定能夠成為傑出的國民」、「得其道
則生，不得其道則亡」等類似「隱士」口氣的，或者從無限度的
「老好人」的見解，到以「純醫學立場」認為「體質有降低傾向
的種族，相當不容易繁殖，必將走向生物學、生理學的意義上身
心衰退的悲慘命運」這類找不到絲毫社會科學認識的「有識之
士」的見解，這一點如果不記錄下來，恐怕有欠公平。

　　話說當年，在合法抗日左派中，以對民眾的影響力、領導力
超群，就理論、實踐兩方面都具備卓越的實績而言，不管怎麼
說，都應該推蔣渭水、謝春木兩人。他們對蜂起的見解，可從哪
裡找到呢？

　　依據《台灣社會運動史》，到1931年1月18日這階段為止，

蔣渭水似乎也是台灣新民報社的股東[10]，然而，也許是由於顧慮
自從政治結社組織運動抬頭（台灣文化協會[11]被社會主義青年集
團、連溫卿一派爭奪主導權的1927年1月3日以後），以過激的民
族主義為藉口，不斷地遭受日本當局嫌惡的緣故，在台灣新民報
社1931年的恭賀新年廣告上，不要說是職員，連客員的名單上也
沒有他的名字。可是，謝春木是蔣的幕後智囊，或許以文章練達
的政治謀略家的關係，在1931年1月1日的階段，還能夠兼任該報
的和文部主任[12]。附帶說明一下，謝後來經歷台灣民眾黨的結社
遭受禁止（1931年2月18日），然後由當局核准《台灣新民報》
的日刊時（1932年1月9日），附帶條件之一就是把謝逐出該社，
他就採取擔任該報通信員的形式赴大陸就職，但實質上等於被驅
逐離台。

　　由於謝春木擔任和文部主任，上述「各家的見解」，是他苦
心策劃，企圖假借它來推行一場宣傳運動，應該是不難想像的。
新年號的該特輯，把不大出名的左派等人的見解，將日本人和著
名的右派穩健派如陳逢源安排在一起，以便適度地調整版面結
構，這種編輯手法堪稱精采。可能是由於這種巧妙的編輯技術發
生功效，而能避開了刪除，僅一點點的缺字混矇過去。

---

10 參照前舉《台湾社会運動史》，頁513。

11 剛改組後的文化協會新幹部，忙於鞏固組織與應付官憲的鎮壓，又對階級意識、理論
　的把握也不成熟等，因此幹部間的對立並未表面化。後來隨日本及中國大陸左翼運動
　的進展而發生的左翼內部的分裂對立，也敏銳地反映在島內，到了蜂起的前後，協會
　內當權的台灣共產黨系領袖，把連溫卿、楊貴這一派當作山川均系的社會民主主義者
　而加以排斥。

12 《台灣新民報》，第345號（1931年1月1日），依據「懸賞論文當選發表」預告列舉
　的該評審員的頭銜。

　　謝的嘗試還繼續下去。從新年號的次週號（第346號，1月10日）起，到349號（同月31日）合計四號。挪出半頁強至三分之一頁的篇幅，只有標題被稍微修改成〈如何看霧社事件？〉〔〈霧社事件を何と見る？〉〕而得以刊登。又，最後，特輯（第349號）〈編輯的聲明〉的一部分——「有尚未刊登的部分，也有觸犯禁止事項的部分云云」——由此推測，可能也有擊中要害的激進見解。

　　刊登在下面的第346號上的蔣渭水的見解（但二和三被刪除），正因為是合法左派領袖的見解，所以值得參考。

　　第一，台灣35年（日本開始統治台灣的第35年，發生霧社蜂起）如一日，一直施行警察政治。為了保持警察的威信，縱然警察有橫暴非為，也不處分。因此，警察就隨便濫用旁若無人的絕對權力。尤其是在蕃界，由於上司的監督更加寬大，他們的橫暴非為也最嚴重。所以霧社事件是忍受不了以強行榨取和不平壓制為職責的台灣警察政治之重壓而發生的。

　　那麼，謝春木的見解如何？該新年號的未署名報導（頁27）〈去年與今年——十年的努力，所獲為何？〉〔〈昨年と今年——十年間の努力，獲た物は何か？〉〕中有關霧社蜂起的那一段總結道：「台灣1930年的許多小社會運動，因霧社事件而有如群星被太陽的光輝照射一般。社會運動家非藉此更加猛省，並清算過去散漫的運動不可。」

　　該報導的全文脈絡固不待言，因謝是和文部主任且兼任台灣

民眾黨中央委員會的勞農委員會主席，而在1930年下半年的《台灣新民報》上連載（後來轉載於自著《台灣人的要求》〔《台湾人の要求》〕[13]）〈台灣社會運動十年史概要〉〔〈台湾社会運動十年史概要〉〕和〈台灣社會運動年代記〉〔〈台湾社会運動年代記〉〕的實績，以及他後來走上的政治軌跡等加以綜合斟酌，我推測該報導的執筆人只有謝，不可能是別人。

　　如果筆者的推斷正確，那麼，謝從蜂起所受的震撼應說甚大。又，就算執筆人是謝以外的人物，能夠把蜂起如前述那樣做總結的台灣民族資產階級左派，他們認識的深度似乎值得大書特書。

　　大概可以說承接前述的總結，從蜂起發生以來第346號的社論〈霧社事件的總結──目前的損失與今後的教訓〉〔〈霧社事件の総括──目前の損失と今後の教訓〉〕未刪除，無缺字）始能呈現。社論先聲明：遺憾的是不能夠自由地詳論，然後斷定蜂起的發生「是十幾年來治蕃政策的失敗」，「這又是日本民族的異族統治失敗的一個實例」。從它的「真正原因」來推測，追問道：「追究責任當然不止於與該地直接有關的警察及其上級監督高官，應該及於所有抱持高壓政策與征服觀念的在台內地人（日本人），他們都非分擔若干責任不可。因為，該地的蕃人服從日本的統治已經有十幾年（從佐久間總督的所謂五年繼續討蕃事業結束的1914年起算的年數），如果實施恰如其分相當的仁政，就算他們不感恩，相信也不至於那樣不惜拋棄生命採取報復的行動

---

13 該書由龍溪書舍復刻（1974年2月25日）。請參照。

吧？何況從全然不殺害（漢族系）台灣人，專心敵視內地人（日本人）這一點也可以明白：這不是往昔出草亂殺之類，不外是有意識的對內地人的報復。如果內地人不反省這一點，追根究柢，等於是自己喪失統治異族的雅量，縱然能夠一時誇耀武力，誰又能保證永遠不會出現第二、第三個霧社呢？」

此外，又以「總之，『前人失敗，後人之師』，這次霧社蕃人所付出的莫大的犧牲，留給文明人不少教訓，如果能夠轉禍為福，豈非不幸中的大幸？」作為教訓當作結尾。還有，這裡所說的教訓，徹頭徹尾是當局應該記取的教訓，並沒有提到對漢族系台灣人及知識分子自身的教訓。或許以「驕傲的」文明人自居吧。

該報在此後（第362號，1931年5月2日）針對有關第二次霧社事件的報導中所傳的事件發生原因說與當局的發表提出疑念，但這裡不打算陳述。

再往下說。台灣民眾黨向日本的友黨——全國大眾黨和勞農黨——拍發歡迎派遣調查員的電報一事，前面已經提過了。

勞農黨姑且不談，全國大眾黨依據該黨大會的決議，派遣河野密與河上丈太郎。兩人搭乘扶桑號於1931年1月6日下午一時前後抵達基隆港。台灣民眾黨和該黨系的工友總聯盟，在碼頭布置歡迎隊伍，然而，警察當局對該黨黨員，除了施以預行拘留的先制攻擊之外，還部署了制服和便服巡查、憲兵等達一百多名的嚴密警戒陣容。

又看準兩派遣員的通關時間，把在碼頭飄揚的兩面「歡迎全國大眾黨霧社調查特派員河野、河上兩氏」大旗的關係人，立即

加以扣留，也沒收了旗幟。

　　加上，擬擔任兩人進入霧社之嚮導而隨行的該黨幹部陳其昌和蔡添丁，均遭受禁止入山處分（順便說明：據說事件以來，漢族系台灣人以調查為目的的入山行為都被禁止）[14]。

　　該黨邀請完成霧社實地調查的河野、河上，於1月11日在台南市、13日在台北市舉辦演講會，然而，都在談到殖民地問題的階段，遭受臨場監督的警察下達中止命令。而妨害兩人演講的，不只是當局而已，連後述的文化協會、農民組合系左派，也從別的立場嘲諷並喝倒采。

　　台灣民眾黨在河野、河上訪台約略同時，除了向國際聯盟拍發「請立即禁止在鎮壓中使用毒氣」的電報[15]以外，在為提出於該黨第四次大會（1931年2月18日）而準備的綱領、政策修正案，立即在其中的政治政策第19條規定「反對阻礙生蕃之民族的自由發展之一切」[16]，明確地提出高山族解放的課題。這恐怕是在以漢族系台灣人為中心而展開的抗日運動史上之創舉。

　　此外，該黨在第四次大會召開期間，由於向左轉向的結果，很快就在「妨害安寧秩序的團體」等理由之下，遭受禁止結社而不得不解散。在幹部之間，出現了與其重建該黨不如應該加強勞農組織為優先的意見，加上該黨代表性人物蔣渭水突然去世（1931年8月5日），謝春木前往大陸，急速進展的「滿洲」情

---

14 參照《台灣新民報》，第346號（1931年1月10日）日文欄〈霧社事件的真想（原文如此，應為「相」）調查〉。

15 參照白成枝編《蔣渭水遺集》（據序文推測為1950年刊，台北：文化出版社發行），頁100。又，1932年蔣氏遺集刊行會刊行的《蔣渭水全集》，該部分全部被刪除。

16 前舉《台灣社会運動史》，頁510。

勢，鎮壓越發加強等因素，就這樣潰散了。

　　當局的「台灣民眾黨禁止理由」中，有「或於此次就霧社事件，發『使用違反國際條約之毒瓦斯殺戮弱小民族』等激進之電報」[17]云云的幾行，無意間由當局的資料證明前述的該黨向日內瓦的國際聯盟拍發電報的事實。

　　以上就是抗日右派、民族派對霧社蜂起的反響與行動的概況。其次對包括共產黨在內的抗日左翼和中國大陸以及蘇聯，對蜂起所引起的種種反響，試加追索。

二、抗日左翼的反應與自我批判

　　前文筆者以《台灣新民報》為中心，試圖追究台灣抗日右派、民族派對霧社蜂起的反應。《台灣新民報》固然有刪除、缺字的苦難，不過，大致來說，蜂起前後的該報全部可以閱覽。然而，屬於抗日左翼的文化協會、農民組合系的《新台灣大眾時報》[18]，或許也因為遇到三一五、四一六鎮壓剛過後的情況吧，好像一發行即幾乎全部遭受禁止發行出售的扣押處分。筆者目前所知道的，只有三冊（第一冊為第二卷一號，1931年3月；第二冊為第二卷三號，同年6月；第三冊為第二卷四號，同年7月），警視廳禁止發行販賣的戳記，都留得清清楚楚。

17　同前書，頁515。

18　《新台灣大眾時報》，前身為《週刊台灣大眾時報》（簡稱《大眾時報》，1928年5月7日創刊，東京發行，刊行到10號〔1928年7月9日〕，一度停刊）1930年12月仍在東京以《新台灣大眾時報》（月刊）復刊。附帶說明：本刊為中文雜誌，在台灣島內，全號均遭查禁。

其次，來試追該刊對霧社蜂起的反應。

（一）該刊在1931年3月號，刊登署名雪嶺的〈霧社蕃人蜂起的真相與我們左翼團體的態度〉的論文。在該時期的有關論文中，可以說是最有條理的論文之一，而與該篇的主題相關聯，我們最矚目的，在文中的(7)霧社蕃人蜂起的意義，和(8)左翼團體的態度。

關於蜂起的意義，雪嶺做如下的定位：

受××（日本）帝國主義最殘酷的××（榨取）和××（凌辱）的霧社蕃族，果然決死的對著××（日本）帝國主義激烈的反抗了。總督府的公表，說是突發的擾騷事件，但我們並不以為然！在這資本階級兩大政黨的醜紛爭，動一動就會影響到濱口內閣的生命的現在，總督府的方針，不消說是在隱蔽其事實、曲解其意義呵，這是官場打官話的常套！

霧社蜂起，稍查一查照前後的情形，勿論何人都能斷定，是計畫的、是內亂、是民族××（革命）！

前幾節我們已經說過，××（日本）帝國主義在蕃地的倒行逆施，在這環球裡，實難找出其二了。而且霧社蕃人平日所受的痛苦當然是達極點。祖先遺下的土地，于今何在？獨立的主權，一旦消失，自給自足的經濟組織，被破壞、被封鎖，甚至待做牛馬勞役，大人對于蕃婦蕃女要淫就淫。這幾件，便是霧社蕃人的痛心事，便是霧社蜂起的原動力，陷在那樣淒慘地步還有這樣事實的霧社蕃，哪裡不××（革命）呢？

在這階級分化很模糊，頭目的政權被剝奪的情形下，蕃人反抗

的唯一對象，便是××（日本）帝國主義。……然而由這霧社的蜂起，給我們台灣人解放運動得著莫大的教訓。就是向來我們對于蕃人的××（運動）很疏忽，蕃人與台灣人的××（運動），若沒有（以下全文缺字）。

　　從以上的引文就可知道，雪嶺的措詞，例如蕃人、台灣人之類，跟前文所介紹的《台灣新民報》並沒有差別。大有差別的是：雪嶺不但不使用兇變、出草的表現方式，而且把事件一貫地當作蜂起、民族革命來掌握。

　　此外，蜂起的震撼使他們了解，一直輕視高山族的解放運動是自己的無知，教訓也不像《台灣新民報》那樣，看成對當局的教訓來敷衍了事，而表現出希望活用在與自己的解放鬥爭加強聯合的前進態度。當然，輕率叫喊革命的缺點，與後述的該派系各論文同一路徑，那也不只是他們的問題，而應該當作該時期的世界恐慌和國際共產主義的全盤情況，與圍繞包括共產黨在內的台灣左翼的中國、日本左翼運動的整體氣氛，讓他們做這樣的表現來思考吧。

　　接著，(8)左翼團體的態度為：

蕃人和台灣人，同是弱小民族，同是××（日本）帝國主義下的被××（榨取）被××（壓迫）地位的人們！（以下缺字很多，不易判讀，故省略一段）。

在霧社蕃人蜂起的當中，我們左翼團體，雖有散慢的向工農無產市民去宣傳，或個人的××（行動）「反對霧社出兵」但其

態度很消極，這分明是左翼團體最大的錯誤！

民眾黨對于霧社事件，始終保持著沉默，到了日本大眾黨的河野密來台，才以電報歡迎，草草了事。然而自治聯盟的狗東西，爲著霧社事件，說要做忌憚，向官憲說明要中止講演，甚至有幾個地方的黨員，假裝街民的代表，親到戰地慰問討伐軍。這是民眾的背叛者的該黨，顯露×××××（走狗的本性），我們可不必贅述。

霧社蕃人蜂起後，××××（日本帝國）主義者爲××（屠殺）反叛的蕃人，對手各地徵發人夫，嚴扣人夫費，在這個時候，我們左翼團體應要開始反對這種徵發人夫和扣人夫費的鬥爭，使其一般大眾認識××（革命）事件的意義和台灣人與蕃人的地位，同時展開到××××（武力鬥爭），以作我們對霧社蕃人××××××（的支援的活動）。但當時我們左翼團體，都以謂主觀力量薄弱，未能勇敢的移入鬥爭，又是我們左翼團體，犯了機會主義的錯誤了。

在議論雪嶺就左翼團體應採取態度所做的自我批判之前，似乎有必要辨認清楚該時期台灣抗日運動各派大致的定位[19]：

第一次大戰後，隨著新思潮的衝擊與殖民地統治的進展，留學日本和中國大陸的台灣青年的民族意識顯著地高漲了。他們充分利用人在島外的有利性，組織包括讀書會等的革命團體，利用

---

19 以下的嘗試，主要是參照《台湾社会運動史》與蕭友山（來福）著《台灣解放運動的回顧》（1946年9月15日，台北：三民書局刊行，又該書後來收錄於龍溪書舍復刻編輯：《台湾問題重要文献資料集》，第3卷，1971年9月20日，東京）。

休假回台舉行演講會，盡力於啟蒙運動。這促使島內知識分子民族意識的高漲，後來與本地資產階級的民族主義派及不滿民族歧視的大資產家和地主階層，就是抗日右派，也取得聯繫，而組成台灣文化協會（1921年10月17日）。

起初，上自以租地業為主業的、像林獻堂那樣的大地主，下至勞工階級都能包容的該協會，也由於當局戒懼協會隨殖民地開發的進展而發展所採的分斷政策，加上蘇聯革命、中國革命、大正民主主義等的影響之下，台灣青年中，除了民族自決思想以外，也開始出現被三民主義、社會主義、共產主義強烈地吸引的人。

文化協會因激進派青年集團的參與而加深分化，以1927年11月17日舉行的第一次全島大會為終局而決裂。協會於是由連溫卿、王敏川等無產青年掌握主導權，林獻堂等資產家及以中、上層地主與崇拜孫文的民族主義派、屬於小資產階級的蔣渭水、謝春木等，都退出協會，另外創立台灣民眾黨（1927年7月11日）。

然而，該黨也從創立當時就有兩個對立的集團。一方是以蔡培火為主要領袖的，暫時肯定日本統治，然後慢慢依合法手段爭取台灣議會的設立或地方自治，也就是自己地位的改善，尋求伸張台灣資產階級的資產階級性發展，和資產階級性各權利的資產家、地主階層集團；另一方是蔣渭水、謝春木等所代表的，以小資產階級為中心的民族主義者的集團。後來高舉「全民」解放運動的實行，以組織「全台灣人」（起初當然不包括「蕃人」），民族運動和階級運動並行，有條件地與世界上的弱小民族及無產

階級相提攜，以爭取民族自決為目標。

　　在1928年7月15日舉行的該黨第二屆大會上，黨主流──蔣渭水一派，受到各國無產階級的抬頭與殖民地內的反帝國主義鬥爭，還有中國革命高漲的刺激，終於在該大會中提案與世界上弱小民族、國際無產階級共同奮鬥。翌年（1929）由於世界恐慌，頻繁發生的工農糾紛，發自已經呈現左傾化的台灣文化協會的批判打倒運動等，該黨顯得更加左傾化。順便說明，台灣文化協會此時已經在1928年4月13日組黨的台灣共產黨的影響之下。可是由於第三國際的混亂與日本及中國左翼運動的分裂和混亂，連台灣內部也受到了深刻的影響，前此為了從抗日右派奪取該協會主導權而拚鬥的連溫卿一派，竟落得被看成山川均系而受排擠。

　　且說，跟不上黨主流的左傾化的蔡培火一派，終於在1930年8月17日，決定創設同年2月以來繼續籌備的「以地方自治改革為目的的結社」──台灣地方自治聯盟。

　　霧社蜂起發生在這分裂對抗正劇烈的時候，蜂起的前後，文化協會在各地舉行打倒台灣民眾黨和台灣自治聯盟的大講演會，也可以作為象徵[20]。

　　雪嶺的〈左翼團體的態度〉中，在自我批判以前，把自治聯盟形容為「狗輩」，譴責民眾黨的沉默，道理可以依據上述的抗日各派的分裂對抗，文化協會年輕的激進派被迫面臨的情況等來推測。自治聯盟除了當時正在日本的楊肇嘉進行抗議活動（見前文）之外，並沒有明顯的抗議行動。反倒像雪嶺所批判的那樣，

20　參照《台灣新民報》，第342號（1930年12月6日）頁4，「中洲噴水」欄。

居然有人對慰問「討伐軍」、募集慰問金等加以協助。這是連
《台灣新民報》上也報導的事實。縱然協助並不是出於他們的本
意，而只是明哲保身的一種表現，對他們自治聯盟系的資產家、
大地主、地方巨紳而言，高山族本來就是蕃人，是毫無關係的存
在，或者頂多只是憐憫的對象而已，這才是當時的實情。

　　關於台灣民眾黨的動靜，已經詳細追蹤過了，因此不再多
說，不過，雪嶺對民眾黨的譴責不僅未必完全正確，反而有因恨
和尚及於袈裟式發言之嫌。還有，如前文所提，文化協會的會
員，於河野、河上在台灣的講演會上從事妨害。其實不只是妨害
而已，該協會本部更與同系的台灣農民組合本部聯署，向河野、
河上兩人，強硬提出要求離開台灣的決議書[21]。

　　當然，該協會對河野、河上來台調查的反對，對講演會的反
對，不過是當時日本國內左翼運動的分裂對抗在台灣的反映而
已。這樣還不夠，台灣的青年激進派們，如今已在國際共產主義
運動的影響之下，被官憲強烈的鎮壓窮追猛打，正逐漸孤立，他
們也不例外，開始具有派系性極左主義的傾向，喪失了通融性與
在運動中有原則、有彈性的適應能力。

　　此外，即使在最需要共同奮鬥，而在合乎這條件的情況中，
卻由於以前的摩擦事故，不但不能夠組成統一戰線，而且在霧社
蜂起時，事實上只能夠採取幾乎足以抵消中間左派解放運動的活
力的對策。

　　再者，文化協會派的自我批判，也可以從勞謙的〈1931年劈

---

21 參照《新台灣大眾時報》，第2卷1號（1931年3月15日），頁119。

頭第一聲〉[22]看出。他把當局的「討伐」，當作對「霧社生蕃兄弟」的鎮壓與對勤勞大眾和無辜良民的威脅行為來掌握，對這次的蜂起，除了把它定位為：

> 聳動世界耳目的××（革命）的民眾暴動，使我們更加認識，給我們的教訓是什麼？從來我們的運動還缺少與他們（生蕃兄弟）連絡，還不曾把他們組織起來，引入戰鬥的列寧主義旗幟之下共同做徹底的為無產階級的鬥爭，為我們陣營的猛勇的先鋒隊，對于這種組織上的缺陷輕忽，致使霧社這回不能××××××（做有效的戰鬥），一敗塗地。雖然我們經過了這回的教訓，更進一步認識了我們此後要做的工作。

之外，在同一號的該刊的編後記中，也以暴君的署名提起：

> 「霧社事件」一發生起來，個個都大驚小怪、推東測西，這是因為過去我們把蕃人的問題置之顧後，所以一旦事件爆發我們都茫茫渺渺。此後希望大家對這時餘萬的弱少民族多少關心一點。

（二）《新台灣大眾時報》，第二卷第三號（1931年6月27日）：

本號有署名一波的〈借刀殺人的理蕃政策〉，兼作第二次霧

---

22 同前刊，頁91～92。

社事件的報導，追究當局的責任，並斷定：本事件不僅是由於當局採取放任政策而已，還利用分割統治的老套手段，動員「友蕃」（一波稱為倒戈蕃）讓他們去屠殺恨入骨髓的××（霧社）蕃人。

　　饒有趣味的是，一波的論文和前面的雪嶺論文不同，而評價蜂起：「雖說還脫不出於一揆主義，但對世界一切的被××（壓迫）民族和無產階級，其影響之力，實非常的利銳，且於世界××（革命），或有多大的幫助。」這點。如果不搬弄革命式的言詞，試作冷靜的觀察，當然，應該認為霧社蜂起距離革命還相當遠，可能比較正確。

　　關於《新台灣大眾時報》的報導、論文，打算就此打住。文化協會派還有台灣共產黨系的人們，一面在該刊發表論文，同時在蜂起剛過後，以11月7日（十月革命紀念日）的日期在產業勞動調查所刊行的《國際》第4卷第16號（1930年12月8日）發表〈擁護蕃人的暴動──台灣××（革命）青年的檄文〉，又以在台灣的製糖公司工作的陣（陳）元名義，在當時上海發行的日文雜誌《太平洋勞動者》〔《太平洋労働者》〕（泛太平洋勞動者組合機關誌）第1卷第11號（1930年12月）投稿〈台灣霧社的暴動〉〔〈台湾霧社に於ける暴動〉〕，更在《無產階級科學》第3卷第1號（1931年1月1日）蘇慕紅投稿〈論台灣的民族革命〉，留下展開活潑的宣傳活動紀錄。

　　其中，第一篇〈台灣革命青年的檄文〉先認定「蕃人的暴動是反帝國主義的××（解放）運動。並且也是台灣××（解放）運動高漲的第一聲，是第三期特徵的台灣最明確的表現。這個鬥

爭能夠相當地打擊○○（日本）帝國主義的統治力。因此這次的
鬥爭，要削弱世界性反動階級──○○（日本）帝國主義的統治
力。並且在客觀上，給世界××（革命）的前進帶來相當的助
力」，然後向中國、朝鮮、日本及各國革命性的工人、農民及被
壓迫大眾、被壓迫民族呼籲對暴動的擁護與支持。

　　其次，〈論台灣的民族革命〉研判「正在遭受日本帝國主義
的鐵蹄蹂躪的殖民地台灣的民族解放革命，現在已發動它的前哨
戰！13萬的蕃人兄姊已開始憑武裝暴動，打倒日本帝國主義者的
統治的殊死鬥爭」，認為：

> 日本帝國主義者拿蕃地的兄弟，簡直當作沒有人性，殺害不同
> 的人種，把文明人殺來吃，砍下頭來吃等，到處散放過分誇大
> 的謠言。兄姊絕不是像他們帝國義者的謠言所說的那樣，這可
> 以從這次的暴動得到清楚的證明。為什麼不殺同樣是異族的台
> 灣民族（？）……他們說蕃人由於感情之類（？），由於蕃婦
> 對日本人的問題什麼的。可是，兄姊絕不是因為這樣的謠言問
> 題而搞暴動的，絕不是他們所說為偶發的突發事件。

當面針對當局所放的「兇蕃泰雅」血沖上頭原因說、男女糾紛
說，或連偶發性事件論也一併加以駁斥和否認。蘇慕紅更加報
導：

> 他們帝國主義者當暴動一發生，立即用警務局的名義發表……
> 「騷擾蕃人及欲加入之者，應徹底鎮壓之」……他們擔心革命

蕃人兄弟也同樣與台灣民族或做兄姊間的握手，所以向台灣民族做上述的恐嚇。

再說到因為只襲擊日本人，使當局懷疑背後有漢族系台灣人在煽動，而報導「趕緊派檢察官到埔里，忙著檢舉台灣人。」其實，當時的台中州知事水越幸一，已在向警務局長、高等法院檢察官長、台中地方法院檢察官長呈遞的祕密通報〈霧社蕃騷擾之際有關本島人行動案〉（〈霧社蕃騷擾に際し本島人の行動に関する件〉）（「中警祕第1526號」，昭和5年〔1930〕11月7日）中，就陳述：

> 關於這次的霧社蕃騷擾，幾乎只有內地人被殺傷，本島人並沒有受到危害，由此可見他們蕃人說不定有跟本島人串通才從事兇行的嫌疑。特別是在霧社的內地人，兇行後都被搶劫，經營雜貨商的下列巫金墩、田財兩名卻毫無損害，從外面釘封該店，悠哉遊哉地下山到埔里去，因此加以調查（以下簡略）云云。[23]

足以證明前述的報導是事實。雖然是傳聞，據說被捕的巫金墩等人遭到相當嚴厲的刑訊。無論如何，有必要追蹤這時候被捕的漢族系台灣人後來的情況。但願把它當作留給我們的研究課題之一，先加記於此。

---

23 前舉《現代史資料22台湾(2)》，頁634～635。

　　此外，關於蜂起的意義與今後的展望，則呼籲「這次的暴動比較有組織、有計畫地完成，比向來的暴動更加進步，可是，這次的暴動顯然不能說是成功。這不只是台灣蕃人的問題而已。兄姊既然是一個弱小民族，那就非與國際無產階級取得聯繫不可。蕃人問題也是國際無產階級的問題。沒有殖民地無產階級的援助，就沒有無產階級的解放。沒有台灣無產階級的解放，也就沒有蕃人的解放。我們必須把台灣革命性的蕃人的暴動，看成被壓迫弱小民族對帝國主義的鬥爭。無產階級和殖民地、半殖民地無產階級的聯絡，必須把將來帝國主義者們的殖民地再分配和反蘇維埃同盟戰爭轉化為無產階級革命。印度、安南、朝鮮的兄弟的鬥爭，必須與台灣蕃人兄弟的鬥爭結合起來作戰」云云，最後以「並且不斷地呼喊擁護無產階級的祖國」結尾。

　　蘇慕紅上述的展望，雖然沒有超出當時國際共產主義一般公式的架構，但能把高山族這樣明確地當解放運動的兄姊看待，在共產主義運動的陣營中也是劃時代的，值得特別記一筆。

　　據說，陳元是製糖公司的工人。以前我們一直尋求的台灣左翼的評論，通常也多照舊沿用對蕃人的賤稱。可是只有陳元到底不同，除了稱為土著民族或高砂民族之外，還對生蕃加上引號，以「生蕃」使用。在措詞上的這種正確和慎重，恐怕與他的主張──以蜂起為契機的對台灣勞工運動、民族運動的反省和教訓──的新鮮息息相關。

　　陳元說：

　　回顧這次的暴動……（一）可能痛感目前台灣左翼勢力的薄

弱。因爲遺憾得很，目前台灣的左翼，不僅微弱到無法站在大
眾日常鬥爭前頭的程度，而且沒有領導大眾自然發生的鬥爭，
使它擴大的堅強的組織體，此外，可能對這次的暴動連一隻手
都沒有伸出，眼看著那個民族悲慘地滅亡下去的失敗。（二）
在台灣的同志們，其實必須指出，一直到今天，在民族運動上
過於低估「生蕃」，完全沒有伸出過援手。暴動失敗的原因，
可以說台灣的本島人（漢族系的台灣人）革命家也有一半的責
任。在將來的階級戰爭中，還有在日常與日本帝國主義的鬥爭
中，資產階級所說的「生蕃」——最衰弱的民族，也將扮演重
大的角色，因此，我們台灣的勞工運動者，必須早日對組織採
用由下而上的統一戰線戰爭，不問種族加以統一並鞏固化，同
時改正直到今天爲止所犯的錯誤（註：過於低估高砂族這一
點）……對分散在台灣全島的「二十萬」左右的高砂民族，我
們純眞的同胞應伸出援手才行。

而從著者自己說的「一大衝動」引出教訓，並且以「光輝的暗
示」論定：「遺憾的是，霧社暴動慘敗。可是，不要忽略了，霧
社事件與世界上弱小民族的抬頭一脈相通，它暗示無法否定全世
界被壓迫民族解放運動更加發展起來的型態這個事實」。

　　陳元的自我批判，比前面整理的任何左翼言論還要嚴於自律
且客觀地、毫無高喊尖銳口號的架勢。不過，儘管提起必須把高
山族由下而上地組織起來的問題，卻沒有明言如何打破當局「封
鎖蕃界」、「入山許可證」的管制，豈不能不說是遺憾？以上對
台灣左翼的議論，試做冗長的整理和評論。只要透過這些來看，

台灣左翼遭受的衝擊比中間左派的蔣渭水、謝春木一派還要大。對蜂起的評估，雖然暗含些微的差異在內，但對高山族的認識逐漸加深，倒可以明確地追溯。然而，這些議論，不僅在日本，而且在台灣也差不多篇篇都被查禁，相信對一般大眾沒有發生直接的影響。

三、在中國大陸的宣傳活動

眾所周知，1920年代後半期中國境內的排日運動，由山東出兵（1927年5月28日）和濟南事件（1928年5月3日）直接點燃。

如今日本帝國主義向「滿蒙」、山東的進攻，以具體的相貌出現在已開始覺醒的中國民眾之前。

之前，中國知識分子們可能因中國國內國事的多難而奔忙。對被充當甲午戰爭犧牲的台灣人的近況毫不關心，對它的住民最多不過說一說，「啊！淪為亡國奴的可憐人們」，然後好像想起來似地表示混雜著「歎息」的關心，就算是頂好的了。

可是經歷迫在眉睫的日本帝國主義的大陸新侵略與對北伐的干涉，使台灣、朝鮮的處境，對中國大陸的民眾也逐漸成為非局外事了。

大陸系革命家、知識分子逐漸從台灣、朝鮮尋求排日的素材，另一方面，流亡大陸的台灣、朝鮮系知識分子、革命家認定捨此之外，就沒有向中國的同志和大眾申訴他們出身地被壓迫、被剝削慘狀的良機，因此拚命進行啟蒙運動。

把範圍限定在台灣，在上述的新情況下，台灣開始出現在中

國國內的教科書排日素材的一部分，山川均的《殖民政策下的台灣》（《殖民政策下の台湾》，1926年，普雷布斯〔プレブス〕出版社初版）被改為「日本帝國主義鐵蹄下的台灣」（後來以「台灣民眾的悲哀」為書名，由北平新亞洲書局刊行〔1930年9月1日〕）被翻譯出來[24]。在約略同時，矢內原忠雄的《日本帝國主義下之台灣》，也被以書評、抄譯再構成，然後又以全譯方式介紹[25]。

　　霧社蜂起可以說是在這種排日運動的全盛期中發生了。

　　中國本土的大報《申報》和《時報》（可惜無法追查《大公報》）在蜂起兩天後，從10月29日起，到鎮壓的大局已定的11月17日為止，每日譯載外電（主要利用路特、日本的《新聞連合》、《電通》）加以報導。這些都是翻譯的，現在不用審查它的內容。倒不如說報社所加的「番族準備決死戰，婦女自殺絕後憂」（《申報》11月1日）、「番人展示用兵之妙」（同，11月10日）、「台灣番人寧死不屈」（同，11月11日）等標題，如何驅使讀者排日，鼓舞抗日，似乎值得關注。中國國內的報紙把台灣，尤其是把高山族如此大幅報導，當然是從來沒有過的。

24　譯者為蕉農（疑係宋文瑞〔斐如〕）。初載雜誌為《新東方》，第1卷3號（1930年3月1日）。初載時就附有出身台灣的作家華生，亦即許地山所寫的序文。

25　書評出於沉（疑係《台灣民眾的悲哀》的校閱者並寫長篇〈書後〉〔跋文〕的沉底）在《新東方》，第1卷10號（1930年10月10日）。又，抄譯重編為君山的著作〈日本帝國主義下的台灣農民〉，刊於《新東方》，第1卷12號（1930年12月1日）。又，全譯本有楊開渠譯《日本帝國主義下的台灣》，1931年，上海神州國光社刊行。

　　其次，先把刊登在主要雜誌上有關蜂起報導的目錄開列如下：

（一）《生活週刊》（上海：生活週刊社）：

1. 綺芳，〈台灣的番人〉，「日本通訊」，第6卷1號（1930年12月13日）

2. 綺芳，〈台番抗日〉，「日本通訊」，第6卷2號（1930年12月20日）

（二）《東方雜誌》（上海：商務印書館）：

3. 幼雄，〈台灣番變〉，第27卷23號（1930年12月10日）

4. 〈時事日誌〉（10月28日條），同卷24號（1930年12月25日）

（三）《國聞週報》（上海：國聞週報社）：

5. 〈台灣突發生亂事〉，「一週間國內外大事述評」，第7卷43期（1930年11月3日）

6. 〈台番亂事仍未平〉，「同述評」，同卷44期（1930年11月10日）

7. 〈台灣事件〉，「同述評」，同卷45期（1930年11月17日）

8. 白華譯，〈暴動前夕之台灣番民生活視察記〉（同第7項。當時統一社駐上海遠東特派員埃德加·斯諾刊在美國報紙上的台灣遊記的翻譯）[26]。

9. 〈台督更易〉，「同述評」，第8卷4期（1931年1月19日）

10. 〈霧社事件〉，「同述評」，同卷7期（1931年2月9日）

---

26 參照斯諾（Edgar Snow）著、松岡洋子譯，《目覚めへの旅》（紀伊國屋書店，1963年），頁27～32。附帶說明：斯諾於霧社蜂起前夕，即九月底到十月中旬來台灣旅行，探訪日月潭，視察平地高山族。

11. 〈台灣生蕃暴動〉，「同述評」，17期（1931年5月4日）

（四）《新東方》（北平：東方問題研究會，新亞洲書局）：

12. 蕉，〈「德化政策」下的台番暴動〉，「時事述評」，第1卷11號（1930年11月1日）

13. 牛山譯：〈台番暴動的真因〉，「週年紀念特刊」，（1931年6月），附帶說明：本論文即河野密、河上丈太郎的霧社事件現地視察報告〈霧社事件的真相〉〔〈霧社事件の真相〉〕（《改造》，1931年3月號）的譯文。

（五）《新亞細亞》（上海：新亞細亞月刊社）：

14. 〈台番與日軍血戰〉，「東方民族消息」，第1卷4號（1931年1月1日）

15. 寧墨公，〈台灣霧社番族之研究〉，同卷5號（1931年2月1日）

16. 陳表，〈台灣番族的研究〉，同卷6號（1931年3月1日）

17. 魏崇陽：〈台灣土人及其反日經過〉，第2卷2號（1931年5月1日）

　　在此處列舉的各刊物中，只有《新東方》、《新亞細亞》是專門雜誌，前三刊物儘管編輯有略微的差異，以當時的中國而言，是具有代表性的綜合雜誌。

　　這些雜誌與前述的報紙相同，用從來沒有過的形式，把蜂起當新聞，連續加以報導，大舉刊登有關高山族的介紹性報導、啟蒙性論文，它的影響或許不容忽視。

　　然而，儘管如此，晚清以來，被統治階級當作「生番之地」、「化外之地」流傳，固定下來的形象，以及仍然不能夠脫

離中華思想束縛的漢族知識分子，就算將表現方式從蕃人改成
「番」人，所抱的偏見並不是可以這麼輕易克服改正的，這可能
也是事實。

　　那麼，他們對蜂起所下的評論如何？姑且挑出其中具有代表
性的評論，試加審查。又為了避免引用的麻煩，容筆者活用提示
時所加的統一編號。首先在評論中呈現的共同點或最大公約數式
的見解，第一是對蜂起的高山族同情。這份同情，不用說，可以
當作與高漲的排日思潮同屬於被壓迫民族的共同意識，更有孫文
民族主義所帶來思想上的影響複合的結果來加以掌握。第二，判
斷蜂起是由於日本帝國主義對高山族乃至對台灣殖民地統治壓迫
必然引起的。這大概也可看成當時排日情況的具體表現。

　　這姑且不提，在《申報》的「時評」（1930年11月2日）刊
登的〈台番暴動〉首先指出：在這倡導民族解放、民族平等的時
代，即使用武力鎮壓極小民族的暴動，還是不能夠根本解決問
題，並且判斷：在知識階級（指花岡一郎）的領導下，以拚死的
決心打仗，而且婦女為了激勵戰爭，斷絕後憂而自殺等，由此
推想，暴動絕不能說是野蠻人的盲動。時評作者更接著附言：
「縱然番族的力量微弱，亦當知民族自決的潮流之澎湃而莫之能
禦！」

　　《東方雜誌》唯一的評論（第三篇論文），幼雄寫道：

　　他們（高山族）與住在同島的我國人（漢族系台灣人）同受日
　　人帝國主義者的統治，飽嘗著政治壓迫，經濟侵略的苦痛，無
　　可申訴。他們的知識程度較淺，也自知沒有反抗的能力，但是

他們當忍受不住日人壓迫的時候，雖明知必然失敗，也會孤注一擲的起來做最後的反抗。以前已經有過一次了，最近又發生了最激烈最慘痛而又最可憐的一次暴動。

對于此次番亂事件，我們沒有什麼話可說，但覺得這是民族將要絕滅時的最悲慘而又最值得同情的苦鬥。

然而慨歎這種境遇，不只是高山族的，也常見於美洲、澳洲、非洲等的殖民地統治，而任何該統治都附帶著對土著民族殘酷的對待。同樣慨歎，前面所介紹的《台灣新民報》的論客和讀者，只把愛奴放進視野（其中只有一人提起美國的黑人），老是欠缺普遍性的視角。島國台灣知識分子的這麼窄小的視角，一直延續到今天。

當時最受到青年學生廣泛閱讀的《生活週刊》，不用說是日後以「抗日七君子」之一，而膾炙人口的鄒韜奮所主編的雜誌。綺芳在該刊說：

自從這件大慘劇發生後，日人固然一致的批評番人的野蠻，但考其事實的起因，則大有研究者在。……處處以帝國主義壓迫人家，不平之氣，誰肯低頭？

接著，也許對當年中國人的無氣力與虛脫感（請回想上海政變、武漢政府崩潰、第一次國共合作剛瓦解後的情況）抱激勵的用心吧，又說：「我以為番人的不屈不撓，不倖存以受辱，實較世上的偷生怕死甘作奴隸者，有霄壤之別，安得不悲其遇而壯其行，

為世界弱小民族發一長歎耶？」（第2篇論文），從憐憫之情跨出一步，表示向共同奮鬥前進。

　　綜合雜誌的代表性評論，已如前述，然則當時的國民黨主流派究竟作如何反應呢？眾所周知，發生蜂起的1930年秋，以蔣介石為首的國民黨右派，在上海政變後，接著南京政府成立、強化，繼續進行北伐（遇濟南事件），與汪兆銘、閻錫山、馮玉祥等組成的反蔣北方政府對抗，第一次圍勦江西的中共根據地，繁忙已極，根本無暇過問台灣問題。並且從當時的情況來說，他們極力自行抑制政策上可能刺激日本當局的公開言論，對一般言論界也這樣要求，並且加以管制。然而，並非所有國民黨系都如此。周佛海、陶希聖等所主持的《新生命》雜誌（1928年1月創刊）中，雖然很少，也可以零星地看到有關台灣的論文（但沒有與霧社相關）。其次要談的《新亞細亞》是偶爾用胡漢民、戴季陶的論文點綴卷首的、研究亞洲及中國邊疆的專門雜誌（1930年10月1日創刊）。

　　該雜誌創刊號上的〈《新亞細亞》的使命〉呼籲：

　　願為建設全中國而研究中國邊疆問題，為實現民族主義而研究民族解放問題。建設中國必須開發中國的邊疆，解放中華民族必須東方民族一律獲得解放。願同志為創建三民主義中國，為創建三民主義的新亞細亞而一致努力。

可見該雜誌遵奉孫文的三民主義，以其實現作為努力的目標。

　　該雜誌的宗旨固然如此，或許因為在蜂起前夕10月1日創刊

吧，除了上述的第14、15、16、17篇這些有關霧社的論文外，還刊登陸樹楠〈日帝國統治下之台灣〉，第一卷二期（1930年11月1日）、郭士珍〈日本資本勢力下之台灣產業概觀〉，第二卷一期（1931年4月1日）等有關台灣的一些論文。

有趣的是在篇後附記「於國立勞動大學」的陳表〈台灣番族的研究〉（第16篇論文）結論的主旨。陳以高格調作結道：

> 番族雖然據在崇山峻嶺，其地位於全島的中樞。人口雖少於本島人，但本性兇猛，民族性也強，所以在台灣革命的戰列中，為強有力的一個新部隊。台灣在亞洲所占的地位極低。固然可能以民智薄弱且文化衰落為最大原因，但由於我國昏庸、懦弱，不懂得運用統一戰線，而交給日本的結果，他們現在輾轉於帝國主義的鐵蹄下，忍受水深火熱的痛苦。若追問其禍根，中國應該負責。因為試想台灣是中國本部的同胞，將他們趕到帝國主義的踐躪下，當時若割讓遼東，這些地方也可能遭受日本人同樣的壓迫和虐待以及非人的處遇[27]。因此，我們要正確認識，台灣是中國的領土，台灣被奪去，是中國史上的一大污點，對台灣的民族的解放、番人的開化，我們也應該承認有很大的責任。本黨（國民黨）素以解放支援弱小民族為職志。（中略）縱然是愚頑的番族，聽說也不能忍受日本人的壓迫，而屢次組隊發起暴動。我們應該在清楚地觀察台灣人民和番族之後，領導台灣革命團體，喚起台灣人民的民族意識，擴大台

---

27 與字下圓點部分同樣的說法，也見於《台灣民眾的悲哀》的許地山序。從前後關係推測，可能由陳表把許的論旨擴大發揮。

灣民族革命的勢力，讓昏迷的東亞覺醒。並且更啟蒙領導番
人，在「兄弟們呀，拔起刀來，為民族而戰吧！」的口號下，
加以合理的統率，參加台灣革命的戰線，共同為民族而奮鬥，
非達成解放的目的不可。然後，才可能建設自由平等的新台
灣。

上述陳表的見解和主張，與對台灣不關心的狀態相比，的確
可以說是一大前進，可是一方面稱讚高山族的勇敢，卻仍舊把高
山族視為愚昧、野蠻、兇猛，認為應該加以啟蒙和領導。這樣的
認識，在某種意義上，看作國民黨開明派當時所能達到的最高階
段，應該不會有大錯。因為該雜誌的魏崇陽（第17篇論文），依
然把高山族當作愚昧而應該接受教化的對象，這還不算，在當時
的階段，竟放言日本的理蕃政策已獲致一大成果而且還斷言「這
多少值得作為我國邊疆政策負責人的參考」，夫復何言哉！

《新東方》是東方問題研究會（尚待詳查）在籌備會階段創
刊（1930年1月1日）的雜誌。依據該研究會的成立宣言（第1卷
11期，1930年10月2日刊載），該會的目的在「（東方民族的解
放，應該成為全人類解放的前提）為達成東方民族的解放，而研
究東方社會的種種問題，提供實際行動的指針」。

該雜誌的性格，從各論稿粗略來看，大致上似乎採取國民黨
左派到馬克思主義者的立場。

這裡也提一下可能是旅北京漢族系台灣知識分子蕉（宋蕉
農）的〈「德化政策」下的台番暴動〉（第12篇論文）。

蕉農將日本當局的宣傳詞句「德化政策」拿來逆向操作，把

帝國主義殖民地經營的剝削方法，分為「光明的」（公開的）和
「祕密的」（騙徒式的）剝削方向，運用於高山族的情況加以分
析，然後以鋒利的言詞逼問日本人：

> 標榜「德化」的日本統治者出動大批兵馬，勢將滅盡番人。
> 「撫順」、「德化」番人三十幾年，卻依然有暴動的發生，固
> 然是文明國家的恥辱。如此，日軍還要誇威武，謳戰勝，究竟
> 是何故？素以世界一等國、東亞文明國自誇的人們，應該如何
> 說明？

　　除此之外，哈爾濱地區的外文報和中文報上也發表有關霧
社蜂起的「社論」和「社評」。內務省警保局發行的《外事警
察報》在第101號（1930年12月號）編「台灣蕃人騷擾事件的反
響」特輯，收錄下列三項報導的譯文（中文報為節譯）（參照該
雜誌頁207～210）：
　　（一）〈台灣發生何事？〉〔〈何事が台湾に起，てゐる
か？〉〕（《哈爾濱先鋒報》，1930年11月2日社論）。
　　（二）〈台灣反日運動的善後策如何？〉〔〈台湾反日運
動の善後策如何〉〕（《哈爾濱國隊協報》，1930年11月11日社
評）。
　　（三）〈台灣今昔〉〔〈台湾の今昔〉〕，（《哈爾濱晨光
報》，1930年11月5日社評）。
　　遺憾的是無法找到原文。譯文太拙劣，因此不擬評論。在
1930年前後，在哈爾濱儘管沒有多少台灣出身者，居然出現這樣

的回響，令人覺得頗有意思。或許可以解為反映左派勢力在哈爾
濱頗強，日本正式對「滿洲」的侵略在步步進逼的情況。

最後，依據日本當局蒐集的資料，看看中國共產黨的反應。

筆者在前文，以《新台灣大眾時報》為中心，追查包括台灣
共產黨內的台灣左翼對霧社蜂起的反應。在這過程中，尋找不出
以台灣共產黨名義正式採取的行動。理由無他，想必在於黨的活
動迴避官憲的鎮壓，暗中進行，實質上是利用它所領導的合法左
翼團體、文化協會、農民組合。不過，居留大陸中的台灣共產黨
系活動家，則充分利用大陸的特殊條件而從事活動。

依據《台灣社會運動史》，以台灣共產黨（1928年4月，以
日共台灣民族支部創立於上海）的中共聯絡人身分駐留上海、領
導當地的台灣人左翼運動的翁澤生，於蜂起的消息剛傳來之後的
11月初，召集因台灣共產黨改革問題到上海來的楊春松等人，作
為蜂起擁護運動的方針，應從事：

(1)宣傳書的發行；(2)《青年戰士》霧社事件專號的發刊；(3)寫
壁報及遊行集會的實行；(4)傳單的發行分發等，提案通過，並
且向上海反帝大同盟所屬各聯誼團體及中國共產黨通告情況，
請求援助及指揮。翁澤生在上海黨刊《紅旗日報》投稿以「霧
社事變的真相雖尚未判明，但顯然是基於日本帝國主義的壓迫
而做的反抗，台灣青年有擁護它的義務」為宗旨的論文，依據
上述協議的宣言書製成兩種，一種由潘欽信起草，交給上海各
報紙，一種由翁澤生起草，交林新木謄寫印刷，製成《青年戰
士》特刊，託上海反帝大同盟聯絡員蔣文來，普遍向各友誼團

體分發，以資宣傳。又11月7日，據說參加蘇聯革命紀念日由中
國共產黨領導的示威運動的青年團員，散發很多這些宣言以及
另行印刷的「擁護台灣番人暴動」的傳單，蔣廉金和李耀星在
南洋醫科大學公告欄張貼畫在兩尺四方的白紙上的台灣警察屠
殺番人的彩色畫，並大書支援台灣番人暴動，反對日本帝國主
義屠殺番人、建立台灣蘇維埃政府、台灣工農革命成功萬歲等
標語。

　　此外，接到翁的報告的中共江蘇委員會，重視蜂起的事實，
對各大眾團體分支部，指示反帝鬥爭問題的採納方式，提案召開
以革命互濟會、江蘇互濟會（MOPR，國際赤色救援會）為主倡
團體而提案召集「上海各團體慰問台灣革命運動聯席會議」。上
海革命互濟會（革命互濟會江蘇互濟會）、上海反帝大同盟、自
由大同盟、中華全國總工會、左翼作家聯盟、社會科學聯盟、美
術家聯盟、文化總同盟貧民協會、台灣青年團（翁澤生、王溪
森、林新木）的各代表人接受這項提案，於11月15日在南京路的
先施公司內的鳳凰旅舍聚集開會。
　　在這個會議席上，上海革命互濟會代表，代表發起團體說
明：

　　台灣番人自從暴動蜂起以來，正在勇敢地與日本軍警戰鬥，我
　　們要慰問他們，同時應該為了援助孤立無援的霧社番人的反帝
　　國主義武裝暴動，讓台灣革命民眾奮起，以促進日本帝國主義
　　的台灣統治的顛覆。中國革命民眾有對他們加以極大的援助的

義務。

之後，接著聽取台灣青年團代表的報告，做出：

一、中國各革命團體應向台灣蕃人發慰問信，該慰問信中應表
明這次暴動的意義；二、各團體應製作援助暴動蕃人宣言書努
力宣傳；三、應於廣州暴動紀念日之前實行示威運動；四、與
台灣革命團體密切結合，與各種鬥爭保護聯繫，設立通訊社，
令自台灣革命團體派遣一名負責任的投稿人；五、在各種出版
物上多刊登煽動暴動的報導。

等的決議而後解散[28]。

　　在聯席會議前後，翁等以旅滬（上海）台灣青年會名義散發
〈請擁護台灣蕃人的暴動〉[29]與上海反帝大同盟名義散發〈生蕃
暴動援助宣言〉[30]的文件。又，可能是在上海出的中共黨刊《紅
旗日報》（第71期，1930年11月2日）有刊登下述〈社論〉的紀
錄：

中國工農紅軍的發展，不但影響中國，並且影響太平洋附近的
一切殖民地了。最近高麗農民在南滿洲的邊境（龍井村），發

28 前舉《台湾社会運動史》，頁830～832。
29 同前書，頁832～833。又，內務省警保局刊《外事警察報》，第101號，1930年12月
　　號也收錄該文件的譯文（頁202～203）。
30 同前《台湾社会運動史》，頁833。

動游擊戰爭，日本帝國主義命令中國國民黨（張學良）幫同鎮壓下去。現在，台灣的番人亦起來反對日本帝國主義了，番人的暴動，明白的指出資產階級是怎樣凶惡的剝削壓迫台灣的民眾，尤其是番人。這種暴動，必定要在台灣的無產階級領導之下，必定要台灣番漢日本勞動者聯合起來，反對日本資產階級（帝國主義）推翻日本天皇的統治，只有這樣的階級統一戰線，才能得到台灣「民族革命」的勝利。蘇聯以及中國的蘇維埃的民族政策，的確可以做台灣革命的先例：建立台灣的蘇維埃共和國，實行徹底的民族自決、實行台灣國內番漢、日本勞動者之間的絕對平等！

現在日本帝國主義，用飛機炸彈和大軍進攻暴動起來的番人。日本資本家，並且企圖調動「親日的」番人部落，來幫助進攻革命的番人（可是這些「親日的」部落，比中國國民黨還高明一點，已經拒絕幫助了）。這和列強帝國主義指揮中國國民黨進攻紅軍是一樣的。中國的工人階級和勞動平民呵，一致的起來援助革命的台灣、台灣的漢人勞動者。一致的起來，和革命的番人聯合奮鬥！[31]

上述三項代表性文件（均引用台灣總督府警察當局生疏的譯文）的審核，此處無暇詳述，不過只想指出一項，就是在前述的聯席會議，儘管動員左翼作家聯盟、社會科學聯盟等著名的團體，後來對包括高山族在內的台灣的研究或談論，卻很少看到進

---

31 前舉《現代史資料22台灣(2)》，頁602。《紅旗日報》為中共中央黨報。

展，這又是基於什麼理由呢？

最後，提示對當時的日本共產黨和中國共產黨具有影響力的蘇聯《真理報》（Pravda）所刊登的霧社蜂起事件相關報導，以供參考：

（一）〈台灣的蜂起〉（1930年10月30日）。本報導由塔斯社10月28日發自東京的通訊，和明示台灣位置為目的的東亞地圖，以及短評三部分所成。此處省略塔斯社的通訊和地圖，只引述短評如下：

> 台灣島是由日本帝國主義挑起的1895年的戰爭結果，日本從中國奪取的島嶼。台灣對日本資產階級來說，是向中國南部更進一步侵略的起點，又因作為剝削的對象而顯得重要。在台灣，米、樟腦、苧麻、甘蔗、菸草的培植，廣範圍發達。金、銀、銅、煤也在採掘。
>
> 所有的工業性企業，都掌握在日本資本家手中。日本資本家又擁有很多奪自因重稅而淪落的本地農民的農地。
>
> 在台灣的甘蔗和米的農場，對本地的嚴酷的剝削大行其道。一切殖民地式壓迫的型態，與日本統治階級在另一個日本的殖民地──朝鮮──一樣，此地（台灣）也起因於毫不顧四百萬土著住民的政治權利。
>
> 台灣發生過不止一次的蜂起。中國民族革命運動的影響，也波及本地的島民。去年剛由日本官憲以煽動共產主義名目引起土著的大規模逮捕。這次蜂起可能帶有特別深刻的性格，因此連依據日本陸軍省的公布，暴動有一萬五千人以上參加，也對日

本的守備隊襲擊。

台灣的革命運動是被壓迫大眾的殖民地、半殖民地各國的民族解放運動不可分割的一部分。運動將不可避免地從自然發生的蜂起和個別分散的激發，轉移到有組織的，對日本帝國主義者和日本資本勾結的本地資產階級上層部分的革命鬥爭之路。

（本報導也抄譯收錄在前舉《外事警察報》第101號，可惜譯文拙劣。）

（二）〈在殖民地的鬥爭——台灣〉（1930年11月11日）。本報導介紹在各殖民地的鬥爭，而一併提到台灣。

現在發生在台灣的蜂起的直接動機已查清楚了。以開設鋪裝和非鋪裝道路為目的的強制勞動、農產品跌價、農場工資的降低，以及為了日本人建造水力發電廠，許多村落沉入水底，就是這些。這項（建造水力發電廠）工事又牽起了把農民趕出村落卻沒有提供補償用土地和住宅。

對蜂起的原住民，投入步兵二千、警官六五〇、機關槍中隊、野砲兵及山砲兵，還有通訊部隊。悲慘的戰鬥正在展開。為了使原住民無法利用天然物，日本軍毀壞並燒燬森林和部落。

原住民正拚命地奮勇戰鬥。戰士們離別妻子，妻子們為了不要落在日本人手中，自己斷絕生命。根據來自台灣的報導，原住民的戰爭已經演變成帶有長期游擊戰性質的戰爭。

把蜂起的參加人數報為15,000名，可能是《真理報》看準宣

傳效果而做的誇張吧。饒有趣味的是：單從報導來看，《真理報》似乎弄不清楚台灣島民的住民結構。

或者是已經明白了少數民族的存在和他們是蜂起的真正主角，然後，編造只靠傳家寶刀——階級分析——的報導呢？無論如何，後來運動的展開，向《真理報》的短評家的預測無關的方向發展。

總而言之，當時的莫斯科對霧社蜂起寄予關心，作敏感的反應，日本當局又對它戒慎恐懼，畢竟是事實。上述的資料可以綽綽有餘地證明這一點吧。

代結語

蜂起的確對包括漢族系台灣人在內的全中國有志革命的人帶來一大衝擊。漢族系中國人，包括踏上革命運動的主流的活動家，究竟正確接納蜂起的意義到什麼程度，活用所獲教訓以資革命運動，並不能夠從以上所介紹評論文章判斷清楚。不過，藉此蜂起，許多革命家、知識分子獲得了輝煌的啟示，倒是可以很清楚看出。

1930年代以後，少數民族問題一次也沒有成為中國國民黨主流派的緊急課題。

然而，中國共產黨明顯地與國民黨處於不同的情況。在長征的過程中，他們和少數民族頻繁遭遇，就算為了要解決自己的問題，還有，為了要接近自己所抱持的理想，少數民族問題也成為他們的緊急課題。

　　世界恐慌暫時平息，對應所謂「資本主義的第三期一般性危機」的「第三期世界革命」的階級革命課題被束之高閣，其時，廣泛的抗日民族統一戰線的組成與對日本的救亡戰爭，反倒成為緊急的課題。在打中日戰爭以及太平洋戰爭的過程，與少數民族及殖民地本地民族組成統一戰線與聯合的強化，同時都成為中國革命的課題，自不待言。

　　可以充分相信霧社蜂起對上述課題的完成也帶來啟示，但遺憾得很，我目前並沒有餘力提供實證。不過，足以「誘惑」筆者那樣推測的資料，雖然很少，但卻存在。

　　台灣出身的共產黨幹部、而被認為唯一參加長征人物——蔡孝乾的《回憶錄》[32]中，記錄著他以少數民族的調查研究和少數民族對策負責人在長征中活躍的各種經過。「誘惑」使我猜想，也許中共當局決定蔡的人事用意，在於以起用蔡謀求加深對霧社蜂起教訓的認識，加以實地運用，更對今後的台灣工作也預作盤算，給蔡充分磨鍊的場地和機會。

　　事實上，依據國民黨當局的資料，「台灣民主自治同盟」（1947年11月12日，共產黨的外圍組織）綱領草案第15條規定：「高山族人民一律平等，得組織自治單位。」[33]此外，從1949年到1953年在台灣的獵紅（逮捕共產黨員）的過程中，在台灣的報紙上也出現高山族黨員被逮捕和槍斃的報導。這些不是可證明當時中國共產黨的組織已經延伸到高山族的內部嗎？

　　用孫文式的說法，中國革命尚未成功，霧社蜂起所帶來的教

---

32 蔡孝乾，《江西蘇區‧紅軍西竄回憶》（台北：「中共」雜誌社，1970年12月）。
33 內政部調查局印，《台共叛亂史》（台北：1955年11月），頁51。

訓、啟示，今後如果沒有依靠關係人活用，那麼，中國革命說不定沒有什麼希望。我相信為要克服大漢民族主義，亦即對外不稱霸的實踐上的保證，並對內實現少數民族的自主平等而提供有效的素材，霧社蜂起正確的定位應該受到強烈的要求。

　　聲明：本稿是對《思想》1974年2月、3月號刊載的論文加以增添補正的。關於中國大陸資料的整理和《真理報》的翻譯，有賴於若林正丈的協助，還有《外事警察報》相關資料，則獲得岡部牧夫的指教，謹附記在此，並表謝忱。

本文原刊於《思想》第596號，東京：岩波書店，1974年2月，頁66～67；第597號，1974年3月，頁93～107。收錄於本全集時，係根據《戴國煇文集10·台灣霧社蜂起事件（上）》同篇內容錄入。（國史館提供中文翻譯版權）

戰爭與殖民地統治還未終了
——「中村輝夫」先生的悲劇

◎ 林彩美譯

　　暌違31年，從印尼的摩洛泰島（Morotai）被救出的原日本皇軍補助兵中村輝夫先生，在1975年1月8日傍晚，空路抵達中國台灣省台北松山機場，翌日上午再搭飛機，終於降落在日夜思念的出生地台東縣的鄉土上。

　　終於，他要從原皇軍補助兵的中村輝夫，返回到台灣少數民族之一阿美族的一員，更以構成中國民族的一員開始復歸社會。

　　所以目前的他可說處於面對要回到本來的史尼育唔（Suni-on，阿美族本名），與作為李光輝（1946年，在他不在時，因日本的敗戰與台灣回歸祖國，家族及其關係者代之申報給當局的中文戶籍名）的新生活讓自己順應的狀況。

　　他所擁有的三個名字，本名的史尼育唔，以「高砂族陸軍特別志願兵」被無可置否地徵召去當砲灰之前，由當局強加、可說是「皇民」名字的中村輝夫，他在熱帶密林過著逃亡生活中，未受商量而新取的中國名李光輝——真是象徵性地顯示了包含他在內的台灣少數民族，向來被迫所走（絕不是依自己的意志）的命運軌跡。

中村輝夫（右一）於1975年1月8日傍晚飛抵台北松山機場，與妻子李蘭英
（中）、兒子李弘（左一）相見

　　殖民地統治與侵略戰爭最底層的犧牲者身影，在昭和50
年——正可預期是戰後日本一大轉換期的這年鮮明地浮上水面，
兩者間是否有什麼因緣？

　　有心的日本人早以中村輝夫的生還事件為契機，把帝國日本
曾經在台灣幹過什麼，作為自己的問題準備開始質詢。筆者不僅
期待其成果，並希望乘此機會，日本的友人們從自己意識的內部
去推倒帝國日本在台灣施行善政的種種神話。在殖民地體制下的
善政畢竟只是殖民者一方的幻想而已，敬請好好確認。

　　把中村輝夫先生僅以「戰爭」，又以「在無情的國際政治
下，無計可施被沖著走的少數民族的身影，衝破三十餘年的歷史
之壁，鮮明地浮出」（《朝日新聞》，1974年12月30日）等的說

詞，好像說成與日本人無關、僅止於美麗辭句而使問題「風化」掉的報導，我以為是毫無結果。這看法是冒昧嗎？

不必我來指出，奪去中村先生寶貴青春的戰爭，並不是抽象地作為一般名詞的戰爭，他被送上戰場的經過在嚴密的意義上與日本人有根本上的不同。又他被迫在熱帶密林中無可奈何所過三十餘年的逃亡生活是昭和50年的一部分，其意義是重大的。

中村先生因有內、外輿論的「日本當局的處理太過於冷酷」的批評，而從日本人手中獲得約六百萬日圓，在故鄉踏出回歸社會的第一步。

這筆金額顯然是厚生省關係者一再強調「特別待遇」所支付的「歸還補貼」、「未支付薪水」合計不到七萬日圓的將近一百倍。

他的確如《產經新聞》的報導，回到台灣立即在一夜之間變成阿美族數一數二的有錢人（1月10日）。

當然他回歸到金錢橫行的社會，必須活用這些「淨財」與援助資金在生理的層面上活下去吧。

若單單是生理意義的生命力維持，那問題已然解決。因為他在密林中孤獨奮鬥時，自己親身體驗且過得還可以。

問題是他受到很深的精神上的創痕，若要將現在可能猶如咒語般束縛著他的皇民意識與皇軍的亡靈從他腦中驅逐，前面所講的金錢我想是對此沒有用的。

那悲劇的第一個徵兆早在回家的途中，也就是踏上鄉土的第一天就出現了。

在台東市公所前舉辦完歡迎會，回山村的家（阿美族傳統是

女系繼承，中村輝夫先生是入贅到妻子正子【中國名為李蘭英】的家）的途中，他因鄰座的妻子直接告知已於20年前再婚，受此衝擊而劇怒。他沒有回家，而是到自己誕生的家過了一夜。妻子蘭英不知如何是好，站在緊閉的丈夫出生處家門外哭泣著，等著史尼育唔出來。

這個戰爭所帶來的人間悲劇有第一幕與第二幕。中村先生被送去南方戰線被強迫拆離是第一幕，第二幕是一心等著丈夫歸還幾十年，沒有心愛丈夫的任何消息，在一切不清楚之中，要養育幼小的兒子，正子也需要一位丈夫。

因中村先生的生還，20年間相隨的第二任丈夫黃金木先生（當時73歲）說：「我沒有怨歎，這是戰爭造成的。光復以來，由於政府的照顧，每一位山胞都生活得很好，苦的是李光輝，三十年來，卻一口米飯都沒有吃過，現在他回來了，從任何一個角度，都應該把這個家還給他。」（《聯合報》，1975年1月5日，3版）而準備退讓。為補救被生剝的樹的「接枝」，被至今未終了的戰爭罪惡將之一刀兩斷。

第三幕才剛剛開始。此人間戲劇就是圓滿收場，那揮不去的陰霾應是一直纏繞著李氏一家吧。我所擔心的是連這個掃興的好收場都不成立，而演成淒慘的悲劇。他，中村輝夫先生此時還逗留在時間隧道中所以無法釋懷。

本文原刊於《中日新聞》，1975年1月13日，第5頁

什麼原因使他不回答「本名」？
──原皇軍的「亡靈」

◎ 林彩美譯

　　原皇軍補助兵中村輝夫於1975年1月8日傍晚，在台北松山機場，與其妻李蘭英（阿美族名珊匹，日本名正子）和中村先生作為一名皇軍補助兵被送往南方戰線時還未出生的獨生子李弘先生，進行了戲劇性的會面。

　　與妻兒再會的照片，強烈地向我們控訴著侵略戰爭是如何的徒然，剝奪有為青年的青春，強使夫妻分離，破壞庶民的生活。

　　單單是從被奪去無可替換的青春這一點上來談，橫井〔庄一〕先生、小野田先生〔譯註：同是二次大戰從軍的南洋日本士兵，於日本敗戰後數十年才生還〕的情況是同樣的。但與橫井先生、小野先生不同的是，中村輝夫有妻子，而其妻曾獨守空閨等夫歸還達十年之久。後因杳無音信，為了孩子的養育和自己的生活，招了年長自己17歲的黃金木先生為夫婿。侵略戰爭不只強使夫妻拆散，更使彌補被拆散傷痕的「接枝」，也因中村先生的歸還而殘酷地被一刀兩斷。

　　前述照片中的獨生兒李弘先生充滿苦澀的表情，恰恰是得到不幸中之大幸的喜悅，與帶來家庭生活再破壞的悲傷與複雜交叉

的陰影交織其中，使人感到痛楚。此情景或可謂百感交集。

由日本名到中國名

但在中村輝夫先生降落於松山機場，完成入境手續的那一刻
起，他已不再是奉天皇為正統象徵的日本國「皇民」，皇軍補助
兵的地位也在法律的形式上消失。從而，他在被改造成皇軍補助
要員的過程中，由日本當局者強加的、作為皇民象徵的中村輝夫
的日本名，也在法律上被放棄了。

他重新以他不在的時候，正確來說是1945年8月15日，伴隨
日本帝國的敗戰、台灣回歸祖國的機會，由其家族與關係者向當
局所申報的新中國名字李光輝為名。

想來在雅加達佩爾尼醫院靜養中，對台灣當局透過駐在雅加
達的中華商會會長蔣貽曾發放、貼有自己照片的護照上相關欄所
記載的李光輝這個名字，中村先生即使在歸鄉的機上，抑或在回
到鄉里幾個月之間也不能理解其意義而感到困惑也說不定。不，
或許因竭盡一切在撫慰其望鄉之念而無暇顧及也有可能。

從台北的共同通信電「穿著深藍色西裝的中村先生，看來健
康的模樣，在與謝（省）主席的會見席上始終不發一言，顯出有
些緊張」（《東京新聞》，1975年1月9日）的報導中也可看出，
中村先生，不，李光輝先生還停留在時間的隧道中，還沒有從皇
軍亡靈的立場完全獲得自由，這是可以想像的。

他本來有阿美族的名字「史尼育唔」（採錄自台灣的報
紙）。

在被護送到雅加達之後與日本記者團的會見中（1974年12月29日）被問及原來的名字之時，只能以中村輝夫作答，應不是如記者諸公所說的大概忘了的「誤解」那麼簡單。又何況如某報紙記者團那樣「中文的名字是？」的詢問，那真是夫復何言了，是對日本的台灣殖民統治史何等無知的自我告白吧。

殖民地時代的高山族——順便說一下，這是中國當局與台灣當局目前對台灣少數民族的總稱。又日本當局正式的稱呼高砂族是1935年6月以降之事，對民間人的普及到敗戰之前猶未徹底，蕃人的蔑稱照樣橫溢於巷間——當然是不被允許使用漢人式姓名的。日本式姓名也只是在對「理蕃政策」（對高山族的鎮壓與懷柔的政策）上對利用價值比較高的少數人，當局者出面為之命名，但殖民地統治當局台灣總督府以「法律的許可」之名，向被統治者強加日本式改姓名政策之正式推行，是在所謂的皇紀2600年（1940）的紀元節為開端。

因高砂族之故

此時的總務長官森岡非常確切地說道：「內地人（日本人）式的變更姓名認可方針之第一理由是順應本島（台灣）統治的方針。即與本島土地為帝國完全領土同樣的本島人，也做為日本臣民，在實質上、形式上都必須與內地人無絲毫之不同，這才合乎本島統治的方針。……本島人要與內地人無絲毫之不同就必須領會皇道精神，對事物的想法必須與內地人相同。又形式上從語言開始，姓名、風俗、習慣等的外形上也變成與內地人沒有差異者

方為理想。」（《台灣日日新報》，1940年2月11日）正如其所強調的目的是在皇民的育成，在被統治者之中確保戰爭協力者的「人的資源」。

因此史尼育唔變成中村輝夫是在1940年2月以降，而以高砂族陸軍特別志願兵入營是在1943年以前的事。

如果那樣對自己入營的年月日、長官以及戰友的名字、還有在熱帶叢林中度過的年月都能大致正確地記憶著的中村先生，不可能忘記一直使用到成年的阿美族本名，這樣想未必是筆者的獨斷。只回答中村輝夫其理由無他，在「志願兵」的訓練期間被以斯巴達式打進的皇民意識與皇軍的亡靈，使中村先生不講自己的本名，應這樣想才合理。

沒有體驗過殖民地權力的恐怖政治，或者未沐浴過被囚於皇軍亡靈的「光榮」幸福，是無法解讀史尼育唔先生的深層心理的，即使要理解也難。

中村先生記憶的正確也可見於下面的回答：

——什麼時候入軍隊的。答：昭和18年10月15日入隊前往菲律賓，再去更南方。——多少人一起去的。答：入隊時高砂族500人，在印尼東北部的摩洛泰島上時有205人。（《每日新聞》）

但願再出發的他能幸福

台灣的陸軍特別志願兵制度在1942年4月1日開始施行。韓國的同一制度卻比台灣先行四年，即於1938年公布實施，將兩者做

比較是非常有趣的。

　　恐怕日本當局對正式把漢族系台灣人當作軍人投入中日戰爭中還有一定的畏懼。儘管如此，當時的日本當局已經驅使漢族系台灣人的農村青年在第一線做軍伕、當搬送彈丸與行李的苦力工作。於華中組織了農業義勇團，使他們從事農業，以給日本軍提供新鮮蔬菜。還有一部分的知識分子因熟悉閩南語、客家語和中文，所以被利用為從事翻譯、調查、宣撫、聯絡等職。

　　然而，擴大為太平洋戰爭之後，一方面由於戰線已限定於台灣人的祖國中國大陸，軍部的顧慮變小，另一方面是受人力資源絕對不足所迫，終於繼志願兵制度（翌年1943年8月1日海軍特別志願兵制度也起步）之後於1945年1月實施徵兵制度。

　　高山族系台灣青年在中日戰爭期間也有少數當軍伕或護士送赴戰場的，進入太平洋戰爭後，以「高砂義勇隊」、「高砂挺身報國隊」之名的軍伕分別投入南方作戰中。因其實效與一直擴大的戰線之強大需求而被組織起來的，就是中村先生所屬的第一期「高砂族陸軍特別志願兵」五百餘人（1943年度）。翌年1944年度又利用種種手段湊集了八百餘人。

　　中村先生從日本關係者處獲得600萬日圓，現在做為李光輝重新出發。他到底能否將此日圓化為自己的能量，穿過時光的隧道，把曾經由統治者強加於他的皇民與皇軍的亡靈從自己腦子的角落裡驅趕出去呢？他的怨憤無處發洩，今後的勞苦可想而知。但願既是史尼育唔又是李光輝的他能夠幸福。

　　　　　本文原刊於《アサヒグラフ》，東京：朝日新聞社，1975年1月24日

不能學習歷史的教訓嗎？
——一再重複的「悲劇」

◎ 林彩美譯

1975年最初的四個月，真是合乎激動的1970年代後半的開幕，呈現激烈的情勢而開展。

其中吸引世界耳目的兩個地帶，就是中南半島與中東的漩渦激流。

新年剛過，南越與柬埔寨幾乎同時開始的解放軍的攻勢，造成某種「有機的連動」，在柬埔寨使首都孤立，把龍諾（Lon Nol）趕出。

又南越從中部高原「撤退」不到20天，北部地區，舊王都順化，繼西貢為第二大都市的峴港，加上除了靠近海岸的中部一帶，西貢政府統治區的四分之三，可說在一瀉千里的總體雪崩現象之中歸於解放軍之手。

在差不多時間，於中東，美國務卿季辛吉（H. A. Kissinger）的中東和平調解活動失敗，繼之發生沙烏地阿拉伯王國的費薩爾（Faisal）國王的暗殺事件。

以不專業的眼光來看，我覺得在中東與中南半島翻滾的激流，其內容與結構雖有不同，但作為狀況的總框架似乎一樣。可

看出那不是別的，而是國際通貨體制的崩潰——戰後資本主義世界體制的動搖與不許追求霸權大國主義跋扈的「小國」的抬頭。

在攪動狀況的是，民族解放與要創出自己可參與的政府而做劇烈誕生掙扎的新時代精神。

如在中南半島可見到處於這「時代」的激流，其內部大概有兩個「力量」相矛盾而產生狀況。

有挺起胸，要把歷史一步兩步推向前以及伸手向各方「乞討」，一邊勉強試著壓服「動」的兩個典型。

被挾在此兩個相矛盾的「力量」之間，還有其他無數的「無告之民」在激流的漩渦中翻滾衝撞。

最近兩週，由電視或報紙雜誌所傳達圍繞中南半島的報導與照片，呈現出前述在急流中相矛盾的兩個「力量」與翻滾衝撞的「無告之民」所織成的各種情況。

解放軍的照片，例如「26日的解放以來，市民回歸重現活氣的順化市」，或「市民們揮手歡迎以戰車進入峴港的解放兵」暫時放一邊。

龍諾一家「淚別‧逃出國外」的場景的確傳達了鬧劇的結尾，但並不挑起特別的「感情」。

筆者或許冷酷，我認為自己不付成本，只一味伸手「乞討」，依恃「外力」，背向民眾嘗試「造國」的男人，最後只剩下這種末路。但是把末路清楚地讓我們再確認，他，龍諾作為「反面教師」的好教材，今後也存在東南亞洲史的角落而一直被活用吧。

但是，爭著搭乘要逃脫的飛機與船艦而遭美國飛行員、船員

或官吏阻止的庶民，那挨揍的男子、抱著機體力盡而墜海者、被輪子捲進變成死骸回到西貢的新山一（Tan Son Nhat）國際機場者、衝向舢板的群眾、掉落海中的嬰兒與幼兒們等，傳達慘狀的報導與照片絞痛我的心。

當然被絞痛心的不只我一人。曾經未反對越戰甚至表贊成的不少「有良識之徒」，現在以一副「道學者」般站出來呼籲「把其他事撇開，應站在人道的立場對越南難民伸出救濟的手」可為憑證。

對於「道學先生」們而言，誰在製造難民，經過何種過程而造出「難民」現在已不當作問題。不！不只現在，從來就沒有一次被當成問題過。

想起中國的國共內戰最後階段的情況，而在追蹤著當前中南半島情勢演變的讀者諸賢應不少吧。

所不同的是，龍諾與阮文紹都沒有相當於台灣的島而已。

在這意義下，可說歷史又被重複了。

儘管我們所能共有的歷史教訓已那麼多，「權力亡魂」們卻很少向歷史學習，一味受「外援」的「甜蜜」之誘惑而無止境地墮落下去，最後被民眾唾棄，也被「幕後黑手」棄如敝屣。

最後「白皮書」出版，「幕後黑手」便把責任全推給「馬前卒」，這是一直以來的習慣作法。

這暫且不管，自《巴黎和平協約》後二年餘，美國供給南越的軍事經濟援助據說已到達100億美元。

想像這次從中部高原敗退以來，南越政府軍所遺棄或破壞的武器，或軍需物質等龐大數量，實有美國真是辛苦了的感慨。

　　龍諾的「淚別」與阮文紹的困境，甚至給予龐大的「援助」反而被越南民眾討厭的醜陋美國人的寶貴事例，將變成歷史的教訓留存下來。人類會不記取教訓而重複悲劇嗎？

本文原刊於《中日新聞》，1975年4月7日，12版，第7頁

關於台灣皇民化運動的展開
——從原皇軍補助兵中村輝夫的生還談起

◎ 林彩美譯

作為原型的台灣

以往人們意識到「歲月川流不息」，是因有此意識之故而成為常用語吧。然而伴隨著「開發」，河川不再無休止地流動，澄澈的流水也變得混濁，淤塞不流的情況漸漸增多。

那麼歲月又如何？去年底在印尼的摩洛泰島被發現，於1975年1月8日傍晚，踏上相隔31年故土台灣之地的原皇軍補助兵中村輝夫的逃亡生活歲月，令我們想起很多事情。

單單是作為時間的歲月，的確是看不到它流逝的痕跡。但是熱帶叢林中的孤獨而充滿痛苦的歲月，在那裡存在著作為人而求生存的鬥爭之故，他，史尼育唔，是以麻編繩打結為歲月做「節」的吧。此麻繩節的本身可看作是史尼育唔刻意對「無常」流逝的歲月，所嘗試的小小抵抗吧。

不管這些，中村輝夫斷然不是單純的原日本兵，他在熱帶叢林中度過的30年也不是尋常的歲月。

如果過去的日本帝國不把台灣殖民地化，史尼育唔也就不會

變成中村輝夫。再者，日本帝國主義在侵略戰爭時不給他皇軍補助兵虛有其表的「榮譽」，將之趕去南方作戰，也就應該不會有史尼育唔在摩洛泰島熱帶叢林中的逃亡生活。

他把月亮的圓與缺一一計算，在麻繩上打結，節的總數可換算的30年歲月，相當於昭和50年之五分之三歷史重量的年月，這是我們不可忽略的事實。

中村輝夫的生還，恕我用很不好的詞句，可說是作為「殖民地士兵」的亡魂突如其來的現身。因為他既是殖民地統治的最底層犧牲者，另一方面也是侵略戰爭的虛擬加害者，原本就只不過是「聖戰」擋彈的存在而已。也就是說，是任何一個日本人都將忘卻的「殖民地士兵」。亡靈的現身刺痛了有良知的日本人的心。

但是，只限於從閱讀有關中村事件的新聞報導來講，就是那還擁有能感覺疼痛的溫心日本人，大部分也僅僅是把戰爭的惡夢，透過並肩作戰的「勇敢」高砂義勇隊兵士的姿態，加以回想起來而已。

請容許我冒昧的說，可看到即使是那些有良知的人，也一如既往地置身於「放諸流水，重歸於好」的「美學」之中，最好是不聲不響地讓事情完了的心情似的。

當然也有記者寫道「中村先生的出現的的確確可說是在重新追究日本的戰爭責任」（《東京新聞》，1974年12月27日），但遺憾的是想追究「殖民地統治的責任」的新聞與評論幾乎沒有，不，在我目所能及之報章雜誌上始終未曾出現。

日本人如果沒有重新追究把台灣當作殖民地進行統治的歷史

意義之問題意識和態度，對於中村輝夫＝史尼育唔＝李光輝這三個名字所含的悲劇意義是不能了解、也不會去寫任何解說的吧。更離譜的是，有以「無國籍處理」等毫無置疑便全盤接受、送外電回日的粗心而不高明的一幕。如果有將從《開羅宣言》到《雅爾達密約》，再回到《波茨坦宣言》的經過，與接受《波茨坦宣言》後，重光葵〔譯註：日本在二戰結束時的外務大臣〕以「依大日本帝國天皇陛下及日本國政府之命且於其名」署名的投降文書放在心上的話，就應該會知道，史尼育唔絕不會因日本帝國與國民黨當局的外交關係斷絕為理由變成無國籍的。

再舉一個淺顯的例子吧。筆者在1955年秋，因留學持國民黨當局發行的護照來日以來，被規定必須攜帶的外國人登錄證明書中國籍欄是中國，從未有過中華民國抑或台灣。據我所知——至少在中、日恢復邦交之前——相關欄目根據有關人員的意志，記入中國以外的寫法是不被允許的才是實情。

姑且不談此事，更讓人痛心且不了解事實的報導之一是因中村輝夫是高砂族特別志願兵，就將其當作「自己志願去」的無反省、不加分析的部分。

因為對志願兵制度也不假疑念，所以對為何冠以「特別」二字於其上，這到底是怎麼一回事等等，到底樂天派居多的記者諸公與有關人員都未能注意到吧。

請讓我敢於不怕誤會地講，僅限於從有關中村事件的新聞與評論來看，很多日本人至今還不承認台灣是中國的一部分這個嚴肅的事實。又對圍繞著殖民地統治關係的壓制者與被壓制者的關係，以及這種壓制的機制是無止境的撥弄人的「裝置」這一點，

幾乎毫無察覺。言僅於此。

　　這十年來作為構築與摸索日本與亞洲應有的親善關係的一個方法，筆者一直提案應以台灣為原點，重新追究近代日本與亞洲的關係。又藉研究的現場也做這般強調，且陸續在發表論文。

　　我主張應從台灣研究開始，這並不是以我是出身於台灣的中國人與亞洲人做根據的。

　　正如史實向我們明示的，台灣既是近代日本最初的海外派兵地（1874年的台灣出兵），也是日本帝國開始施行殖民地統治的最初土地，亦是其實驗之「場所」。在這個意義上來說，近代日本的對外膨脹、侵略的所有原型均可從台灣與日本的過去，不，到現在的關係之中可以看出。在這種思考的基礎之上，我固執於把原點放在台灣，一方面把與其相關的史實作正確的定位，另一方面重新追究近代日本的殖民統治歷史意義作為相互的歷史教訓，也將此作為「食糧」來活用是我的願望。本稿也可說是被「中村輝夫」的生還所觸發，而對前記作業所做的一小部分嘗試，希望大家能這樣解讀。

「滿洲事變」與台灣人

　　在此所講的台灣人，是指在殖民地統治末期的殖民地當局者所稱呼的「本島人」、「高砂族」，亦即包含漢族系台灣人與高山族系台灣人在內的人們。

　　昭和十五年戰爭始於「滿洲事變」，但世界史的史實通常是在演變成大事件前，有其相應的前史與小事件的累積。

從九一八事變（滿洲事變）到七七事變（盧溝橋事變），再一直擴展到「大東亞戰爭」的昭和十五年戰爭，與各階段相對應都有台灣人被捲入其中。

現在暫且讓我們來回溯九一八事變前後台灣內部的動靜。

那真是既短又長的一個世代。台灣被殖民地化最初的30年即將告終的1925、1926年時，辛亥革命、第一次大戰後的民族自決主義、俄羅斯革命、五四運動等四場暴風驟雨也波及台灣。可以看到抗日運動由以往以農民為中心的武裝起義，轉向開展近代合法邊緣的台灣議會設置請願運動與民族主義的啟蒙運動。

又，受當時新思潮的洗禮與影響更深的年輕台灣人激進主義者，開始大幅度地傾向社會主義，以鬥爭取代請願來面對當局。

不久，以張作霖炸死事件（1928年）所象徵的日本當局之意圖，與因世界恐慌所引起的社會不安而心慌的日本官憲，開始設法促進抗日運動陣營的離間與分化。首先他們給大、中地主階層的抗日右派以地方自治等甜頭，以鎮壓的鐵鎚對付左翼諸派，與受中國國民黨影響下嘗試民族解放運動的中間左派。

在此當中，爆發了世界恐慌時的少數民族基於民族自覺的組織性起義，發生了未曾有過的日本人的大量死傷，當局因使用毒瓦斯作為鎮壓手段而震撼世界的霧社蜂起事件（1930年10月27日）。

韓國一直有濃厚的不穩徵兆，日本當局恐怕霧社的烽火延燒，所以大肆動員軍警，用以飛機為首的近代武器，更以毒瓦斯對蜂起進行大鎮壓。炸死張作霖的罪魁河本大作大佐曾親自對此大鎮壓作戰做了實地調查，從一連的舉動來推論，大鎮壓作戰也

可說是在假想「滿洲事變」的基礎上，所進行的實驗戰爭。

在「滿洲事變」中，台灣的地位是從地理上不能成為兵站基地，也沒有把台灣人直接動員於「滿洲事變」的跡象。台灣人的活用與其說對事變，不如說是止於在其捏造的「滿洲國」與關聯的「國策會社」的要員中，啟用台灣人而已。

被啟用的代表性人物有就任滿洲國外交部總長、協和會事務局長、駐日大使的謝介石、滿洲國軍的幹部鄭某〔譯註：苗栗通霄人〕、滿洲電信電話會社社長祕書彭華英等人。

謝就任前的經歷是當局的翻譯，與當時對台派遣殖民地下層官僚培訓班的東京「台灣協會學校」（拓殖大學的前身）之台灣語講師，後轉而為張勳的祕書長而參與策劃清朝的復辟，說起來是對日協力者，也是辛亥革命的否定論者，因此受知情者瞧不起也就不令人覺得意外了。

對那樣「時運亨通」的人物，當局在宣傳上是不可能忽略的。因是殖民地被統治者之故，就算是從大學畢業就職之門也很窄，又受世界經濟恐慌的餘波，對謀生之道更受堵塞的台灣青年，當局彷彿是說「想要獲得『光榮』就趕快向謝學習」似地，努力大肆宣傳。乘著潮流記述「滿洲國」與台灣關係的記者、作家，可說一定都會引謝作為例證。

已經讓人感受到日本軍國主義正在逐漸修築「滿洲」、華北、華中、華南，再向南洋之路的1935年，台灣總督府有關當局，因逢上台灣始政40周年，於同年的10月10日到11月28日止舉辦了盛大的、前後長達50天的「始政四十周年記念台灣博覽會」。

　　圍繞著當時「滿洲國」問題的世界輿論，處於膠著狀態下的中、日間外交關係，還有對外賓的政治考量吧，以平塚廣義（總督府總務長官）該會會長之名發表的舉辦宗旨書，是差不多沒有火藥味、強加自我抑制的。

　　但是詳述此宗旨書的協贊會宗旨說明裡有如下的敘述：

　　（前略）素來我台灣以扼帝國之南門近接南支南洋的關係，經濟上處於極緊要的地點自不待言，伴隨帝國國威之顯揚，本島作為國防上的據點又將是國力南進之礎石，其重要性愈益加深全國各層之認識，際此官民戮力督促島民之自覺以資躍進於明日的台灣之秋，而有開設大博覽會之迫切期望。（《始政四十周年記念台灣博覽會協贊會誌》〔《始政四十周年記念台湾博覧会協賛会誌》〕，1939年）

　　不待指出，此會的真正目的是在鼓舞、要求日本人對南進基地台灣再認識的同時，向台灣島內民眾顯示在台「善政」的足跡，並讓台灣人更深一層地認識當局所主張的「內台一如」，以此為邁進「台灣的真使命」的方法，更將其信念注入。

　　為了考究對應中國大陸局勢的方策，台灣總督府的關係者已在埋頭工作是不難想像的。事實上，其措施已一個一個地陸續放出來。

　　作為給台灣本地資產階級上層的甜頭，首先對曾是長年懸案的台灣人經營日刊報紙《台灣新民報》的發刊給予許可（1932年1月9日）。條件是多方面的，將該報週刊時期的中堅記者、也是

抗日運動理論家謝春木（南光）革職便是其中之一。甜頭第二是新地方自治制的實施。「新」只是令人發笑的，將以往所有官選的州、市會議員以及街庄協議會員的半數引入選舉制度，僅止於此的改正之「新」而已。

　　真不得不說是做得太漂亮，依新地方自治制的第一屆台灣地方選舉，就在此博覽會期最後一週的第一天11月22日施行，使極力宣傳的「一視同仁」、「內台融合」的氣氛更加高漲，當局的精明強悍可見一斑。

　　此精明強悍也伸向時任「滿洲國」駐日大使的「大人物」謝介石身上。台灣總督府並沒有放過藉此獨一無二的實物，大做宣傳的好機會。

　　謝以外賓的身分受邀請在博覽會上宣讀祝賀文，在其故鄉新竹，則為其舉行了與歡迎衣錦還鄉的名士完全相稱的大規模官辦歡迎儀式。

　　然而令人感到奇怪的是，他的祝辭並未被登載在博覽會的官方紀錄，即前面提過的《台灣博覽會協贊會誌》上。理由並不清楚，或許是在台灣出身的「大人物」要與日本政府高官並排的時機尚未成熟的考量下而將之割愛。當時的狀況是徐徐地、一步一步地為今後布局才是最必要的，但正如後述一般，當局對台灣人還未放心。事實上當局者還未產生直接要求台灣人協助戰爭的緊迫感。

　　言歸正傳，前面曾提及的鄭某，在台灣就學中即對日本政治感到憤怒而赴大陸「曲線救台」（先成就中國大陸的革命，建立富強的中國之後再進行台灣解放）為目標的台灣青年之一。改名

之後，以廣東出身者身分入學日本陸軍士官學校（台灣人一直到戰爭末期為止均不被允許進入軍事相關學校）學習，據其本人說是想透過軍事參加祖國的重建。

至於彭華英，是1920年代在日台灣抗日團體的著名指導者。不僅如此，也是最早與中日兩國社會主義者有過接觸的馬克思主義小夥子的先驅者之一。不待指出，他們兩人所走的路並非他們獨自的路。後來成立的冀東政權、汪精衛政權、「蒙古聯合自治政府」中，也有和他們走幾乎同樣道路的台灣青年，數量雖不多，但有此史實是應該記住的。

當然，他們的友人或過去的同志之中，有不少人為貫徹「曲線救台」的初衷而選擇重慶、延安之路也是史實之一。

在台灣島內為侵略中國的目的而要求間接協力與收攬民心的布局正繼續著。

前面提到的博覽會還在準備中的1934年7月，被台灣民眾罵為「臭狗」、漢奸的辜顯榮被選為敕選的貴族院議員。

辜於1895年擔任日本侵台軍的先導，侵台之後立刻出任台北保良局（維持治安機構）局長，積極協助鎮壓抗日游擊隊。辜因無數的對日協助獲得勳章，又獲得巨大的特權與財富，是島內頭號的「成功者」。

對於這樣的辜，當局給以「鍍金」，計畫派遣既是台灣的有錢人與成功者、又是中國人「自己人」的他到中國，為打開障礙重重的一連串日「支」問題交涉，從旁進行說服。

從1934年12月11日到1935年1月上旬期間曾訪問大陸的辜，首先於上海訪問了國府祕書長楊永泰，接著在南京訪問了汪精衛

以及直接擔任對日交涉的外交部次長唐有壬等，並與之懇談。其結果詳盡地向有吉日本駐華公使（當時還未交換大使）報告。1935年1月1日對蔣介石軍事委員會委員長做了表敬訪問。

辜在出發之前，很明顯地是得到像松岡洋右般的日本大官授策，並接受其懇請的跡象。

依他與國府方面要人的懇談紀錄來想像，辜被授與，不，更可認為是其自告奮勇自動承擔的使命，第一是為日、中交涉通通風；第二是把在台灣的日本政治成果以同一民族出身者——事實上在懇談中，辜再三地強調自己出身於中國民族來進行對話——的「成功者」立場大肆宣傳，把經濟開發上久仰的日本人與日本政府的才幹，以台灣為實例，邊提出邊企圖使國府大官動心的模樣。他日後在《昭和十二年渡華紀錄》的緒言中有如下記述：

> 余三十而成帝國之臣民，爾後四十餘年作為新附之民蒙受過分之恩寵者，其間常盡力以示報效之一端。辜與民國要人於種種機會交際過來，前後十年乘船渡海到民國與蔣、汪及其他政府要人浙江財閥等無隔閡地交換意見。那時遊說他們的第一點是膨脹的日本並非侵略國；第二是兩國國民把滿洲問題看得過大而忘了兄弟之義，有違東洋道德，故宜放大眼界，以共產俄羅斯為共同的目標，應離開對立關係轉向同一方向；第三是促進經濟合作，共同維持東洋和平等。（辜顯榮翁傳記編纂會，《辜顯榮翁傳》）

此文大概是藉祕書之手撰成的吧。即使是對當局有所顧慮的

當然表現，道理上也正是如此，可見是符合日本要人之要求的。

　　想起來以蔣介石委員長為首的國府要人對辜盡到了禮節，並試著與其暢談，是有他們各自的意圖使然吧。

　　對於從帶使命來訪的「自己人」口中獲得日本方面的感覺當然是其目的之一，但是還有其他更為迫切的具體目的。

　　為了將由繼「滿洲事變」之後而發生的上海事變之餘波所引起的「閩變」（指1933年11月20日，標榜反日反蔣，在上海事變中激烈地打了抗日戰的第十九路軍與社會民主黨、第三黨、生產黨等在福州樹立福建人民政府的政變）完全鎮壓，就必須不刺激日本，特別是台灣的日本軍。還有鎮壓後不久的國府，做為防共、掃共的一環，想以日本的台灣治政為模型，而且如果得到機會的話，謀求引進因受壓制而停滯不前的台灣本地資本與之合辦開發福建，並與此並行試行福建新政，也是其意圖之一部分，這是可以推測的。為出席議會，辜曾一度回到東京，但於同年四月又再訪大陸，直接去福州見福建省主席陳儀。又，在同年十月前面所提的博覽會上，陳儀作為外賓被招待訪台。在這期間，閩、台間的往來曾經極其頻繁的事實，可從旁證實這一點。

　　當局把台灣出身的「大人物」粉飾成外交總長、駐日大使或是敕選的貴族院議員，誇示其一視同仁的台灣人優遇政策，可以說是以對台灣人中成人的宣傳效果為主要目的。但是作為對將要來華南、南方作戰的台灣人動員的部署，只對成人是不夠的，對青少年，以及高山族系台灣人精神面的鍊成，就成為一個重要的課題。

　　總督府的文教當局常常把上海事變中的炸彈三勇士神話拿出

來當「修身」的教材，對天真無邪、感受性很強的小學生鼓吹軍國精神，相關人士像是不將之刻進骨髓誓不罷休般地努力。

炸彈三勇士對日本人少年可能會有效。但是對於在特殊的風土中長大，內心不懷有「大和魂」與天皇制思想的台灣人少年而言，是過於血腥而不容易滲透的。文教當局是看破了這一點吧，開始嘗試在台灣本地創作美談與神話，以準備好注入軍國主義精神的基礎。

美談、神話之類似乎常常在緊急狀態下被產生、創作的。

1935年4月21日凌晨，台灣的中部（新竹、台中兩州）遭受突如其來、未曾有過的大地震襲擊，使得民間「流言蜚語」橫行，給當局製造了一個創作美談、神話的絕好機會。

神話的典型可以在「君之代〔譯註：日本國歌〕少年」與「萬歲少女」之中看到。當時是公館公學校三年級學生（12歲）的少年詹德坤被壓在因受激震而倒塌的房屋底下，受到瀕死的重傷。徬徨於生死之境的他，至死不使用台語，自始至終使用「國語」叫著恩師之名，臨終之際還謹唱〈君之代〉，宛如日本精神之花散落。

有關當局事後將其命名為「君之代少年」，在公館公學校校園建立了詹姓少年的銅像以示彰顯。

據說還不止於此，更用心將其收錄於教科書之中。忘了是在教科書或是在副讀本上，記憶不是很確切，筆者也在公學校時代（從七七事變到太平洋戰爭勃發的翌年）讀過「君之代少年」的美談，也有過受到日本人老師以此為例訓育的經歷。

說其是神話，是因光復後經相關人士的證言，這原本是一位

日本人教師邀功的創作，因符合當局的意圖而被增幅變成「美談」的事實最終被澄清了。

　　筆者友人的父親，曾於同一時期在公館公學校當過老師的台灣故老曾告訴我：「原本詹姓少年的父母是不會講日語的，為何他可以始終一貫地使用國語，也就是以日語堅持到底呢？還有年紀雖稍大，但三年級的他，國語能力的程度憑想像也是可知的。至於謹唱〈君之代〉除殊屬可疑之外，夫復何言。」

　　神話是會生枝生葉的。德坤少年：

> 在學校是不講台灣語的。偶爾朋友之間迸出台灣語的話，德坤少年一定會給予提醒，自己偶爾也有不留神溜出台灣語的時候，如果這樣他就會馬上跑到班導師那裡去賠罪。更有趣的是，還寫道「由於德坤的發起提倡，神宮大麻〔譯註：神符〕被奉祀，早上洗完手就向大麻做禮拜是他每天的習慣。他一定說早安，用餐時一定說我要吃了、吃好了等日本人的習慣他也學到了」（摘錄）。

　　如此詳述、誇張的當年文教局社會課囑託柴山武矩，更以「年僅12歲，就會以國語而活，以國民精神而活，從心底裡以日本人而活的詹德坤」（中山馨編著，《台灣善行美談》〔《台灣善行美譚》〕，1935年）加以讚揚。柴山的發言可說是在言外告訴了我們當局的目的何在。「君之代少年」在日後被當作皇民化運動最大的榜樣而活用，就是一個很好的證據。

　　因為少年死了所以被增幅而成為「神話」。與之相比「萬歲

少女」則雖然被創造了美談，但因又活過來，所以不便增幅。故事雖登載在震災紀錄裡，但並未積極地向當時的台灣少年少女宣傳。

　　這個故事的大致情節是：「卓蘭公學校四年級學生廖氏秋志小姐好像被……倒塌的土塊所埋，漸感呼吸困難，知道臨近死亡時，竭盡全力痛苦地大聲謹喊『天皇陛下萬歲』，喊完便窒息了。從土角（黏土做的磚樣建築用材）上擔心其安危而著急在挖掘的父母，憑此突如其來的聲音而繼續挖掘，終於把秋志小姐抱起，急救的結果使其恢復呼吸而得以生還。」但仔細想起來還是巧妙地埋了伏線。一個是台灣人少女瀕死之際不喊父母而喊「天皇陛下萬歲」，其次是在找少女的父母聽到她所喊的「天皇陛下萬歲」才能把她救出來。因此「美談」是對父母（即全台灣的成人）暗示天皇陛下的「靈驗」，暗地裡也主張要信仰天皇以獲得其保佑。

　　美談的記述者又以「願獲得九死一生的秋志小姐，能成為本島婦人之龜鑑，期待她能為國盡力之日的到來」（《昭和十年新竹州震災誌》，1938年）作為結語，不忘提示少女為推行皇民化運動的榜樣。雖稚拙但是很用心。

　　以上是到1935年的時候為止，當局對漢族系台灣人的各種動向與措施。

　　關於高山族系台灣人，當局可能是因為對霧社起義事件的善後處理，與看起來由於對同事件的反省而制定的《理蕃政策大綱》，以及為確立所謂的以教化善導為主的新「理蕃」體制而忙得焦頭爛額了吧。以美談為開始，對軍國精神的鼓吹還未出現，

被作為日後的課題而留下來了。

　　然而，霧社事件後被拔擢為新理蕃課長、以開明官僚出名的鈴木秀夫（內村鑑三門下的基督教徒）曾說：「以前的理蕃政策雖然以恩威並行、撫育為主，但實際在局的主事者，雖也有所為但好像對此欠缺徹底精神，各種撫育設施被作為懷柔獰猛慓悍者之手段而利用。總之，看來流於形式，欠缺真正教化善導彼等為忠良的皇國之民之熱情。」（〈理蕃政策的變遷與蕃人的生活〉〔〈理蕃政策の変遷と蕃人の生活〉〕，載於《東洋》第38卷第9號，1935年9月）從他反省的敘述中似乎也可以看出，所謂理蕃的終極目的，是「教化善導彼等成為忠良之皇國之民」，除此之外無他。當局為了達成此終極目的，在砸下鐵鎚（在霧社事件中滅絕種族的大屠殺）之後再給予甜頭，嘗試著對其加以教化善導。

　　作為甜頭的一部分，當局還發布了第34號訓令（1935年6月4日），將曾是蔑稱的生蕃、熟蕃的官方稱呼改為高砂族、平埔族，繼而在博覽會舉辦之際由理蕃課（「理蕃」的總管）主辦治政以來首次的「高砂族青年幹部座談會」（同年10月29日，於台北警察會館），在懷柔政策上下功夫。

建設南進基地與皇民化運動

　　敲鑼打鼓大肆宣傳而舉辦的博覽會共吸引了2,759,000人次（內買票入場者1,040,300人）的入場者而閉幕。1935年的台灣總人口約為531萬，集合將近300萬的入場者，無須贅言，單從量方

面來看可說是收到相當大的成果。

中日關係的展開使得軍國日本逐漸從「南守北進」回歸到「北守南進」的情況，正在漸趨顯著。

為了呼應新的侵略體制，台灣的總督也將從第八任總督田健次郎（1919年10月就任）到第16任總督中川健藏（1936年9月離任），期間持續了約十七年的文官總督制取消，再次被改換為武官總督。雖說同是武官總督制，但第二至第七任的總督是陸軍（第一任總督樺山資紀就任時是屬於海軍，但原本是從陸軍轉入的），現在為了重新強化南進政策，並確保其機動性，海軍大將小林躋造被任命為第17任總督。

1936年9月回應非常時期日本的請求就任的小林，把主要施政目標放在對台灣人的皇民化、以南進兵站基地為目的的台灣工業化與要塞化，以及以台灣為中心的南進政策之制定與推行。

有關軍事、經濟上的直接措施留待別的機會再寫，本稿姑且試做介紹關於皇民化運動與對台灣人的戰爭協助動員策略。

首先來聽聽皇民化運動的首倡者小林總督的主張。他給我們留下極祕密的謄寫本《支那事變與台灣》〔《支那事変と台湾》〕（1939年12月）。

因為是在內部講演紀錄上再加修改的極密本之故吧，他坦率地承認說：「台灣人再怎麼說也是成長於擁有四、五千年歷史的支那文化之中，所以一般大眾之間祖國支那之概念附著於心中，也有憧憬所謂中華民國的人（摘錄）。」接著他從軍人的觀點出發做出判斷：

從軍事的角度觀察台灣地位的話，其是我國防上真正重要的據
點……我感到絕對有必要使之具備與內地同樣的神經感覺，變
成所謂被同化的天地……在亞歐美殖民地的向背對其母國的政
治、經濟有相當的影響，但至少使其國防陷於危險之事尚無。
然而台灣對我國的政治、經濟自不待言，對國防也擁有重大的
關係。如果住在此地的日本人，抱有不像日本人的精神思想，
而只不過單單是客惜力量，或者又為私利私欲戴著日本人假面
具的話，那麼政治、經濟姑且不說，國防上的設施便有如坐在
噴火口上。假如台灣人如一部分論客所言無法解救，將近五百
萬大眾如何移送海外而毫不觸法將之處分也無從考慮，終究將
生存於此重要之土地上，所以其結果，除了排除萬難不斷的努
力將之教化成如同真正的一般日本人之外，別無他法。

據說他更為順應新局勢，將台灣人「嘗試著從內外表裡各方
面著手進行同化，但是對於終究無法解救者，於法律所許可之限
度內，處以嚴罰以除百年之禍根不可」，而對皇民化運動下了很
大的功夫。小林又繼續說明：皇民化運動「總之是以皇國民精神
強化運動之策略來了解就對了。具體地說是要在大大地擴充教育
教化設施上著力，而且內容要比以往更明確地證明我國體之本
意，增加足以涵養國民精神之內容與科目，一般的是普及國語，
獎勵敬神崇祖之美風、對國土有益的共同奉獻作業，另一方面將
以往的習慣中不適於作為日本人的陋習打破」等。

小林就任之後，立即把皇民化運動當作首要的重大施政方針
來推進，然而局勢的發展之快卻令人感到意外，七個月之後便爆

發了七七事變。

站在當局的立場，皇民化運動在台灣遇到了令人感到有點太晚或者是總算趕上了似的情況。

以九一八為契機，朝鮮的皇民化運動開始急遽地推進，對中國和朝鮮兩民族的挑撥離間也從「萬寶山事件」（1931年7月）以來巧妙而執拗地進行著。強行要求朝鮮人齊唱皇國臣民誓詞是從1937年10月開始的，而陸軍特別志願兵令在朝鮮的公布實施是在翌年二月（台灣是晚四年的1942年4月1日），僅從這些來看的確台灣對於當局而言可說是「出發晚了」。

但是較早從朝鮮著手，也不是日本當局特別厚遇重視朝鮮人。因朝鮮從九一八事變以前就是日本北進的兵站基地，從客觀上來說，與被作為新侵略對象而浮出檯面的中國民族，身為異民族的朝鮮民族用之做為擋彈的「人力資源」有比較容易動員的條件，更為重要的是，日本當局已被逼到不得不動員朝鮮人的緊迫情況下，有的只是以上諸原因所造成的「差別」而已。

七七事變的爆發驅使當局在台灣發出追上、超過朝鮮人的口號，更加強化了對運動的推進。

原警察官而留下現已為數不多的一本皇民化運動關係資料《台灣保甲皇民化讀本》〔《台湾保甲皇民化読本》〕（1941年6月）的鷲巢敦哉在自著中寫道：

朝鮮是在明治42年〔按：應是明治43年〕因日、韓合併而變成日本領土的，晚了台灣15年之久，不少人說其人民樂於被日本政府統治，台灣不能與之相比。昭和13年1月，聽了容許朝鮮

人服兵役的制度施行的消息的澎湖廳長林田說：「朝鮮連鄉下的角落都可通用國語，但在台灣卻不易通用……朝鮮之所以能克服自身的困難，捨棄以往的朝鮮語，盡量常用日本的國語，直率地說我認爲這可說是朝鮮人的愛國心結果。即他們是對曾經是祖國的朝鮮的壓政暴政之後產生的日本仁政表示感謝的至念，認爲正是這個國家才是自己所信賴、要終歸於一之國家。確信我們要奉獻生命的國家，除了此國之外別無其他。……若有此確信則國語常用便不再會是痛苦，反而認爲是榮譽與光榮的。……相反的，已改隸43年、與朝鮮相比年長十餘年的大哥台灣如何，不幸尚未沐浴此恩典（指特別志願兵制度未施行於台灣）。被相差十餘年的小弟領先該做如何感想。

以如此激昂的調子「鼓舞激勵」台灣人。

對朝鮮人來講完全是令人為難的無稽之談，但台灣的官員真的是很著急。是為了「至今猶以支那為祖國」的不順從之輩仍存留在台灣而感到焦躁吧。

大概即使在朝鮮「不順從之輩」也有很多，雖然我不太清楚，但在朝鮮相反地是讚許台灣而叱責朝鮮人也說不定。

不管怎樣，鷲巢曾經是警察官，他是如何地長年不把台灣人看成日本人而加以歧視、鎮壓都好像被忘得一乾二淨，還裝出一副威脅人的架式說：「（皇民化運動就是）把本島新附之民在名實、精神、外形上，都使之成為堂堂的日本人而為天皇陛下盡忠的極為嚴肅的精神運動。」（前引書）

有趣的是，他不輕易地說讓台灣青年當皇軍兵。他又裝模作

樣說教道：

> 隨著日、支事變的爆發，在比台灣晚十數年被合併的朝鮮，志
> 願兵制度已經實施了，已經奔赴戰場立功受賜金鵄勳章，或者
> 也有一億同心變成靖國神社祭神的。想到這些，我認為本島青
> 年應該好好反省。觀之這次事變中，以軍伕、軍屬等身分應召
> 出征、有輝煌表現的事例，也不是沒有聽見立即施行本島人的
> 志願兵制度的意見，但將其與純粹當軍人等同而視是一種短
> 見。……將在戰場負責日本軍輔助任務的軍伕、軍屬的任務等
> 同而視，認為若能勝任當軍伕者，就立即可成為出色的軍人，
> 我想不能簡單地下結論。當然雖是本島人也要積極服軍務，充
> 分地完成任務，這是應祝福、應抱的希望沒錯；但在是否讓其
> 當軍人的問題上必須進行更慎重的考慮是當然的。（同前引書）

正如他所說的，當局認為在中國的戰場還不能讓中國民族之
一員的台灣人也持槍。理由無他，只是抱有不知什麼時候槍口會
相反的向著自己的畏懼，所以不讓台灣人當皇軍兵而已。

皇民化運動最大的目的，是讓台灣人捨棄作為中國人的民族
意識，最終從台灣人之中製造出能成為在將要到來的南方作戰中
的作戰要員、抵擋子彈的畸形日本人。

但是從被皇民化一方的台灣人來看，在這個時候展開的又是
何等自私的邏輯。任何個人，只要是正常人，對自己民族的矜持
都是不容易捨棄的。將此主論暫時擱置一邊，讓我們來聽聽當局
的主張吧。他們的邏輯是支離破碎的。如果像日本人以前的主

張，台灣是皇國國土的一部分，台灣島民也是天皇陛下不變的關
懷對象、陛下的赤子，那麼本來就是生長於台灣、台灣人一生下
來就不能不是皇國之民。亦即說是把生下來就是皇民的台灣人統
治了40年以上，如今還要特別進行皇民化，有這樣荒唐的事嗎？
有這樣的反駁也不足為怪。

　　當局嘴裡說著要一視同仁，卻從來也未曾給過台灣人一視同
仁之事實，這是歷史的事實。讓台灣人當陛下不變的赤子，沐浴
聖朝之恩澤，只不過是好聽的漂亮話而已，以暴力相對才是家常
便飯，漢族系台灣人被當成土人、支那人、清國奴，高山族系台
灣人則被視為是生蕃、熟蕃加以蔑視。參政權暫且不說，教育、
就職、企業活動的所有門戶都加以歧視而關閉，這又是哪裡的誰
幹的呢？硬將那溫和且只能說是溫和地以改善台灣人地位為目的
的板垣退助首倡的台灣同化會（1915年2月），強加摧毀的不是
別人，正是總督府當局，不是這樣的嗎？

　　局勢現在已經到「本島人（台灣人）作為日本國民之一人，
最需要為日本帝國盡其忠誠之時機」（鷲巢前引書），所以沒有
捏造理由的閒暇吧。

　　對於軍國主義者、殖民主義者而言，邏輯的整合性等根本不
是問題。本來那樣的東西是不必要的存在。因為不得不做所以徹
底地做，僅僅是這個理由而已。他們首先透過在公共場所禁止使
用台灣語、廢止新聞雜誌的漢文欄，剝奪台灣人的語言，又透過
對「國語」常用家庭的認定和對其施行優遇政策以策動「國語」
的普及與紮根。

　　與此並行的是對台灣人的信仰，即以帶泥的髒腳踩進台灣人

的「心靈」，舉辦所謂的寺廟的整理與「升天」的儀式，將由此獲得的寺廟財產作為財源建立以郡（介於鄉鎮與縣之間的行政單位）為單位的神社，並強要台灣人參拜與對宮城〔譯註：皇宮〕遙拜。又為了要把台灣人的祖先崇拜轉換成尊皇，把台灣人祖先的牌位與傳統神的神位撤換以奉祀天照大神、北白川宮能久親王等的大麻。

說要打破台灣人傳統的生活習慣而以日本式的浴盆、廁所、榻榻米等硬塞給台灣人，試著在外觀上使之確立日本式生活型態。遂與朝鮮的創氏改名同樣，以「先有形，精神即寓之」的口號，推行以許可制為原則，實則是半強制式的「內地式改姓名」。

據我的調查，無論是寺廟的整理還是改姓名，到最後都沒有全面且徹底的強制實施。不，或許可說是做不到比較正確。大概最大的理由是日本當局比誰都懼怕「不沉的航空母艦」台灣從內部開始動搖、崩潰，這是我的想法。

皇軍補助兵的登場

前面已經稍微提到過一些，日本當局因懼怕倒戈，所以避免讓台灣人拿槍作為正規兵投入大陸。但是他們把台灣人當作非武裝要員，即搬運子彈與物資的苦力的軍伕、軍屬（從軍翻譯、調查、宣撫、聯絡等的要員），以及動員從軍護士去大陸作戰，更有以「鋤頭的戰士」之名被送往上海及南京郊外的「台灣農業義勇團」團員，在該地栽培蔬菜，負責供給戰地軍隊的任務。

　　被動員去的地點特別集中在華南一帶。蓋因華南在語言、氣候風土等方面與漢族系台灣人（其大多數人在福建、廣東擁有父祖之故鄉）有共通的關係，所以當局想加以活用。

　　當時的「南支派遣軍」司令官安藤利吉（後為台灣最後的總督及台灣軍司令官）曾說：「台灣人通福建語（正確的說法應該是閩南語）、廣東語（正確的說法應該是客家話），知道漢文，也習慣氣候風土，又勤奮。」這方面非常有價值，又強調道：「但是只有語言與氣候風土的特徵是不夠的，真正是日本人的資格才是根本的。」（竹內清，《事變與台灣人》〔《事変と台湾人》〕，1940年3月）可以看出其言外之意是他懼怕台灣人「真正」的日本精神不夠。

　　當局不只在前面所提之美談與神話之外，也在漫畫、青少年讀物上，描寫蔣介石的中國軍是如何地懦弱、卑怯、寒酸得可憐的軍隊，以嘲諷與漫罵來描寫，喧囂地煽動青少年的軍國主義與對中國人的蔑視感。

　　又似乎是對以前的皇民化運動感到不足吧，於1940年，也就是所謂的「皇紀2600年」，又設立了一連串訓練所、鍊成道場等，期以達到「皇民鍊成」之目的。

　　同機關被定義為「以皇民鍊成為目的的社會教育設施之一，收容地方中堅青年於營舍，一面使之以二、三個月的勤勞來奉獻於國家的重要事業，一面使之體會滅私奉公的日本精神，將其身心以修行方式鍊成皇民化運動的推進團體。」（朝日新聞社編，《南方的據點台灣》〔《南方の拠点台湾》〕，1944年2月）

　　事實上，直到1944年已有合計一萬多名漢族系、高山族系台

灣人經過訓練歸鄉後，被組織為「勤行報國在鄉青年隊」，使其挺身於皇民化運動。

當局以所謂一石三鳥，即以鍊成道場利用無償勞力擴充軍事設施、注入滅私奉公的日本精神育成畸形的日本人、製造出皇民化運動的旗手為目的。

1940年11月27日，於皇宮舉辦了第18任台灣總督長谷川清海軍大將的親任儀式。與上一任的退役海軍大將小林不同的是，長谷川是以現役的身分被天皇親自簽名任命，與之相搭配的是原警視總監齊藤樹被起用為總務長官。

進入1940年，3月偽汪精衛政權成立，9月，日、德、義三國同盟成立之後，隨著緊迫局勢的展開，終於以確立大東亞共榮圈為目的的南方開展進入倒數計秒的階段。此人事不待說是與此緊急狀況相對應的。

眾所周知，在日本國內於1940年10月組織了大政翼贊會，所謂舉國一致的新體制運動開始活動。與之相呼應，剛剛就任的長谷川，在1941年4月創立了「皇民奉公會」並親自兼總裁之任。加上以往的皇民化運動，「滅私奉公」也作為強加於全體台灣人的「國民運動」而展開了。

長谷川也拍拍右派抗日運動的大人物林獻堂的肩膀，與之打招呼，想將之抬出充當皇民奉公會的幹部以增加影響力，把台灣人的知識階層緊緊地束縛起來以嘗試令之協助戰爭。

林獻堂、羅萬俥等右派的大人物（左派、民族派不是在牢裡就是已逃出島外）是消息靈通而且具有洞察力吧，或是應說是通達人情世故吧，他們其中一部分人回到田園，當上一名無關緊要

的鄉里皇民奉公會的幹部，以躲避法西斯的暴風雨。但是被抓到
弱點的，或是認為當走卒爪牙可藉以顯示自己的「可憐」而「慌
張」的一部分文人，以為「最後的堡壘到底是這留在我血管裡的
鮮紅鮮血，重要的是血，外形無所謂」，從而將自己的改姓名行
為正當化，甚至也出現了少數只顧努力當走卒的幫辦。

　　子弟被接納為共學生，伴隨著「國語常用家庭」的認定而得
到砂糖、肉等特別配給、子弟的中等學校等優先入學許可等優越
待遇，作為走卒們的報償。

　　但是對於協助戰爭的象徵性最高報償，從小磯內閣敕選出的
固定員額貴族院議員中，對台灣三個名額的分配上可看出。派令
卻延遲到日本敗戰之年，即1945年的4月。與前面所提的辜同為
侵台軍合作者的另一人簡朗山（日本名綠野竹次郎）、許丙（台
灣最大的本地資本林本源家的大掌櫃）與林獻堂三人入選。前二
者姑且不論，長谷川硬舉林，而後任的安藤利吉總督與當時的內
閣不表異議而支持，當然是有其深謀遠慮之故吧。即拉攏合法的
著名抗日領袖來封所有「不安定分子」的口，而其真正的目標是
對皇民奉公運動效果的全面提升。但為時已晚，還未來得及出席
過一次議會，他們三人即作為「虛幻」的貴族院議員而在台灣迎
來了「光復」。

　　1941年12月8日，由於中日戰爭發展成為大東亞戰爭而情況
一變。終於開闢了可讓台灣人作為兵士投入戰鬥的戰場了。

　　在大東亞戰爭爆發之前，軍當局已注意到高山族的特性。所
以戰爭一爆發，先前提到的「勤行報國在鄉青年隊」與訓練中的
高山族青年被緊急召集起來組織了約五百名「南方派遣高砂族挺

身報國隊」，首先投入巴丹作戰。這就是那「著名」的高砂義勇隊的嚆矢。

分配給他們的主要任務，當初是道路建設與開拓人跡未至的熱帶叢林、在險峻的山頂迅速而巧妙地建造砲兵觀察所與戰鬥司令所等。

繼巴丹作戰之後投入克里磯多島（Corregidor）攻略作戰中的，業已不僅止於前面所謂的作為利用於「建設」的勞動力，軍事當局把高山族青年充當突擊隊推到第一線。

報紙、雜誌連日讚揚「高砂義勇隊」的「武功」，為迫使他們更加奔赴戰場而鼓吹煽動軍國主義思想內容寫道：

> 高砂青年最大至高的榮譽只有一個，就是當帝國軍人，被選拔為義勇隊，能與皇軍將兵一起站立在戰場，是他們無上的光榮、欣喜，最大的感激莫過於此。……高砂族看不出絲毫的利己與算計。是厚義理、感恩誼，為了祖國、為了恩人，任何小事都可捨命的民族，感激湧現之時，能發揮超人的偉大力量。
> （宮村堅彌，《高砂義勇隊記》，1943年9月）

他們甚至還提到：「高砂族的血液中有不遜於大和魂的高砂魂在搏動著。」（同上）。

被吹捧到如此地步，正是由於高山族青年未曾受過商品經濟的洗禮，也少受「文明」的毒害之故，心情天真而無垢、素樸而純情，因而有容易受到日本軍國主義煽動的素質。他們以志願之名而被動員。不只這樣，高砂義勇隊直接的指揮官不是別人，正

是在「蕃社」（他們的村莊）直至出陣之前都對他們握有生殺予奪絕對權限的「熟人」理蕃警察官們（宮村前引書）。他們可說處於為了表示自己的忠誠心而被迫不得不「勇敢」打仗的狀況之下。

　　陸軍特別志願兵制度的施行是在1942年4月1日之事。翌年1943年度，先是在對巴丹、克里磯多作戰中完全出人意料地嘗到「起了很大作用」的「高砂族挺身報國隊」、「高砂義勇隊」的甜頭。當局將高山族系台灣人青年也裝扮成「只有高砂族的陸軍特別志願兵」，動員他們到一直在擴大的南方戰線。本章開頭提到的「中村輝夫」，就是這第一期中的一員。

　　同年8月1日連海軍也實施特別志願兵制度。未過多久因事態緊迫之故吧，被徵募採用的人也不經過訓練所就直接送到高雄的海兵團。

　　又，在日本留學中的台灣青年，在1943年1月的所謂學徒出陣中，也強制入營。

　　翌年1944年10月23日，隨著太平洋戰爭進展的戰線擴大與接二連三的敗戰，使得兵力耗損加劇，估計僅靠志願兵制度終將不夠用，日本政府在閣議上做出從1945年度起對台灣人也施行徵兵制度的決定。

　　除正規的兵士以外，台灣人因同係中國出身，語言也可相通之故，也被動員於擔任南洋華僑的對策要員或俘虜的監督。加之台灣人醫師被認為通曉熱帶醫學，所以得獲有軍屬的待遇，也被投入南方作戰中。其中有人未到戰地之前就當了美國潛水艇的犧牲品，化作海裡的一團碎藻，此事也是應該被記憶的。

　　意外地被人遺忘的是1944年春，為了補填日本國內勞動力的不足，有相當多數的台灣少年被帶到日本當海軍少年工，從事飛機零件的製造。據說其中因原子彈等爆炸而死亡者也不少。

　　戰局趨於不利，這一點也明確地反映到台灣的1944年初夏以降。當局愈益走向瘋狂，在「全島總崛起」、「全島要塞化」的口號下，不分男女，徹底地進行勤勞動員、軍事教練。而把年齡下調到強制中學生的學徒出陣，也是同年歲末之事。

　　就這樣，在昭和十五年戰爭中，台灣人被強徵當軍伕、軍屬、軍人的到底有多少，筆者也不詳。一般的說法大約是207,000人。

　　但是「志願兵」果真是志願的嗎？或者是強制的呢？看「中村輝夫」的報導、評論，特別是針對高山族系台灣人時，把他們看成是志願的日本文人占絕對多數。

　　真是如此嗎？的確，如果閱讀當時的相關報導，有關以血書、血印表示志願之類被大肆宣傳。是因為其具稀有價值或宣傳價值所以才被拿來做宣傳的吧！但也因的確存在少數以血書、血印表志願的「畸形日本人」存在。問題應不在於志願這種形式。首先有釀成不得不「志願」的異常氛圍的「元兇」，之後有作為權力方面的體現者，具體來說是有警察官與教師的操作、促成與幫助他們「志願」的機制。更具悲劇性的事實是，自發地陷入這種機制中的「皇民化」青年。

　　迴避自己應負的責任，徹底稱讚他們是「自己志願」的「勇敢兵士」也好。那麼為何不讓如此報導、稱讚的人率先掀起為這些「勇敢兵士」做揀拾骨頭的宣傳活動呢？令人感到相當存疑。

日本人好像特別喜歡收拾遺骨與召開祭奠死者的儀式，但從未聽說要將包含台灣人、朝鮮人相關人員的遺骨也一起收拾，在舊戰場舉辦聯合祭奠儀式。這又是為什麼呢？

　　一直不停地敘說獰猛慓悍的兇蕃之統治中心（指台灣總督與殖民地的相關人等）的本人，幾乎在一夜之間又如同演出大魔術一般，也把同一「兇蕃」裝扮成優秀勇敢而且是順從的皇軍兵，大肆頌揚。如果不能成功地將這種結構親自加以解明，進行正確的定位，無論是殖民地體制或曾是「惡夢」的侵略戰爭，都不能真正地結束吧。

　　為了生存於共同的未來，筆者要凝視此重疊、殘酷而悲慘的中日關係史中的一個場面，並且留下紀錄。即使是作為與我們共同的願望──將「仇恨」昇華與未來的「光明」相連結所做的一個小小的行動也好。

　　本文原刊於《展望》第196號，東京：筑摩書房，1975年4月，頁16～33。原題「『中村輝夫』の生還」

輯二

追求自我認同

美國的民主主義復甦了嗎？
──「中南半島敗退」的另一個看法

◎ 林彩美譯

　　記得是1975年4月3日晚上的事。在一個集會裡我有機會與兩個大報的資深記者三人一起談天。

　　話題的中心是龍諾亡命後，南越的解放勢力會不會藉攻下中部高原、順化、峴港的餘勢，一瀉千里攻入西貢。

　　我毫不猶疑地斷言不會之後，並進一步提出：毋寧是應注意向西貢蜂擁而進入的「難民」群的動向。

　　僅以談話來判斷，好像資深記者諸公關於「難民」的最大關心點是何以產生出多達百萬人「難民」一事。

　　但是，我關注的是其他面向。

　　亦即對「難民」之中有多少解放勢力潛伏在內？接著是混進西貢後，他們以什麼方式與已經潛伏的夥伴聯繫，並對從中與正在展開包圍陣式的正規軍相呼應以企圖不流血開城一途有興趣。

　　以上的推理是我的邏輯「遊戲」，當然不是有特別情報而所下的判斷。

　　然而去年〔1974〕末開始的「紅色高棉」與南越臨時革命政府軍的乾季攻勢，在我外行人眼裡，好像有某種有機的連動，很

巧妙且慎重地進行著。

我覺得兩股解放勢力一面發表共同聲明（1974年12月），一面極慎重地展開連動作戰，為了不給美國有再次介入的口實，加以仔細的觀察。

我腦裡有《巴黎協定》的條文，又有與此相關聯的美國議會把戰爭權限法與中南半島軍事再介入禁止條款作為法案通過的事實與經過的相關記憶。再者是美國的行政機關，因水門案醜聞之故，權限的幅度與行動的自由度被縮小，減弱得不能與昔日相比，又受到包含美、中友好的全球規模性緊張緩和的潮流洗禮，美國社會對亞洲系「改革者」的恐懼感徐徐地在減弱等，在某程度我是知道的。

儘管如此，我直到最後的最後都不能相信美國不會再介入。

別人可能會笑我的多疑。然而受歐、日、美霸權者們的壓迫百餘年之久，因而嘗受無數辛酸之經驗並已滲透到骨髓的我們，要令人相信即將變成窮鼠的美國，最後不會把僅是一張「紙片」的協定書或法律之類當廢紙作廢，反過來嚙狸之舉，本來就辦不到。

因為比起「小偷亦有三分之理」之喻，霸者更有其理。他們在頌揚霸權的時候可拿出很多理由以正當化自己的行動而強行之。曾經是「弱者」的我們被虐待、受耍弄的例子太多了。

解放軍慎重的攻勢，可說有著不逼迫美國使之變成窮鼠的考慮在其中，是我的推測。

我的推測是否正確目前沒有確認的方法。這暫且不說，前面的邏輯「遊戲」由我自己打分數是八成對、二成錯。

　　由於此判斷的部分失敗而來的反動吧，我不能全面同意有識之士把這次的中南半島劇變看成是美國完全失敗的論點。

　　的確，美國政府浪費了1,500億美元與十年光陰，而且把56,555名自己國民趕去赴死，軍事沒得到一點好處而敗退（勉強說有成果的話，就是留下新武器的實驗結果，可這樣看）。

　　在外交面對盟友的無數公約無法履行而只拿到「不名譽的和平」，因此威信掃地。在此意義下美國當局在軍事外交面可說犯了建國以來未曾有的大失敗。

　　如果，我們的眼睛不模糊的話，不會看漏美國民眾，特別是挺身於反戰運動的人們所贏得「慘勝」之面。

　　究竟，貫通古今中外，正在侵略「小國」的「大國」這一方，會出現到達五萬人的「光榮」的「逃兵」，可說反戰派總統候選人的麥高文（G. S. McGovern）獲得四成選票的狂燒反戰運動之事例，曾經有過嗎？

　　又議會的外交委員長的位子幾乎透過全侵略期間，讓介入反對論者的傅爾布萊特（J. W. Fulbright）坐上，並接納他的領導能力，在侵略戰末期通過戰爭權限法和中南半島軍事再介入禁止條款，而把侵略的「魔手」綁起來的侵略國議會，從沒看過吧？

　　而在侵略戰的中途政府的原高官例如原印度大使J. K. 高伯瑞（J. K. Galbraith, 《夢幻的勝利》〔日文書名「まぼろしの勝利」〕，1968年）與原總統特別助理，A. M. 施勒辛格（A. M. Schlesinger, 《信賴的崩潰》〔日文書名「信頼の崩壊」〕，1969年）等堂堂批評政府之非的前例有過嗎？

　　尤其值得記憶的是，《美國防總省祕密報告書》的特訊暴露

了水門事件，結果行政機關的權限被減弱，提早美國敗退的新聞記者和輿論的大顯身手。沒有比這種記者魂令我感到美國民主主義是不可小看的東西。

　　真可說是美國政府雖敗退，反而令開始腐壞的美國民主主義之根，受了中南半島解放勢力果敢的抵抗所刺激而抓到復甦的契機，這是我的看法。美國民主主義之根的強盛，是現在猶內含稱霸可能性的各國民眾，所應學習的中南半島劇變最大的教訓吧。

本文原刊於《中日新聞》，1975年5月12日，第7頁

第三世界也有陷阱
──被侵犯方的責任

◎ 林彩美譯

　　覆蓋第三世界指望獨立、解放與民族解放鬥爭驚駭人的民族主義波動，呈現種種情況正激烈展開著。

　　僅撿拾最近一個月的外電，日夜圍繞解放與獨立的胎動與抗爭的葡萄牙領帝汶島、西班牙領撒哈拉，爭取新的造國主導而苦悶混亂的孟加拉、安哥拉、因坦尚鐵路的開通式而高興歡欣亂舞的坦尚尼亞與尚比亞的兩國民等，真是呈現百花撩亂之相貌。

　　但雖是呈現百花撩亂之相，其底部有指望爭取自己的尊嚴與獨立的烈火在燃燒是有心人士應可看透的。

　　然而在現實上，對他們所指望的歷史方向性表示同情與共鳴的人們這一方沒有「物力」，相反地，趁新興諸民族與新興獨立國圍繞民族解放運動與建國而發生的困難與經濟混亂，無忌憚地努力介入攪亂的道德上頹廢的大國指導者那方具備「物力」。遺憾的是他們虎視眈眈窺伺著可乘之機。

　　這樣的狀況的確為難，但也好像並非不能突破的難關。為了這個不管怎說緊急任務是，建構一個把民族民主革命打到底的真正民主革命主體，防止外力的干涉與介入。

　　革命的民族主體的創立與確立其主體性之際，不可忘記的要素之一是確認「被侵犯之方」也有責任這事。

　　受殖民地主義與帝國主義兩者長期「侵犯」的民眾與其領導者往往急於彈劾「看得見的敵人」，而看漏存在自己內部的方便於受「侵犯」的條件與充當引狼入室的領導階層的歷史存在事實並不少。

　　在被殖民地化以前也存在「被侵犯方」的責任，如不能以自己的眼睛去正確掌握的話，就不能事前去發現摘除新出現的「侵犯方」想乘的潛在於自己內部的主要因素。

　　就是最後能夠發現，但因此而支付的代價與時間已成龐大之物。

　　侵略者與外來的干涉都不是某日偷偷登陸於「被侵犯方」之國。特別在現在我們所到達的世界史的階段，「被侵略方」沒有被乘的條件與內部沒有引狼入室者的存在，「侵犯方」可說也沒有那麼簡單可以插手介入。

　　接著是獨立達成後的經濟建設也還是有陷阱。那是「被侵犯方」的領導者過於急著經濟再建設的結果，把「侵犯方」的「經濟援助」單純地以為是贖罪的隨手禮物，在自己的經濟主體未確立之前簡單判斷而接受可看出。

　　把「經濟援助」看成贖罪的隨手禮物的風潮，不久便侵蝕領導階層與一部分民眾的自立精神，並將之趕入墮落深淵。

　　贖罪的隨手禮物與慈善救助金一樣，與其聯繫到自己出錢出力的經濟建設，毋寧易於成為官僚及領導階層腐敗的彈簧功能在很多事例可看到。

　　坦尚鐵路建設呈現的中國援助方式的確是史上未曾見過的。其所描繪的波紋是全世界人們所注目的。

　　既使如此是否可從前述陷阱百分之百自由呢？率直地說誰也不能預言，我要說距離判定還需要一段時間。

　　資源民族主義所具有的陷阱也是我們必須注目之一。

　　特別在第三世界的民族解放、民族獨立的課題未能做為民族民主革命的階段，完全掌握的國家較多的現狀，就是有掌握資源做為武器行使的條件，其行使的主體不在民眾方的時候，已經可在石油美元的流向所見到，很難轉向民眾生活的改善才是實際情況。

　　資源民族主義未真正聯繫到民族經濟的確立與新興國經濟主權的確立的話，要預知其變成沒有結果並不怎麼困難。

　　圍繞民族獨立與建國在民族內部爭奪主導權的陷阱是很難受捲入漩渦中的當事者所發現的樣子。

　　忘了民族大同團結在民族內部以血洗血的抗爭，僅對外國的「死的商人」支付利潤以外，生不出什麼結果的。

　　中國的民族民主革命階段的軍閥割據和抗爭，國共內戰期的民族流血可以為鑑。民族的革命主體如未確立，或在那以前階段的內部抗爭的精力是促成外國製武器的消費與民族內部無謂的流血之外無他。

　　又以創造新文化為目標的苦鬥之中，也有陷阱。

　　獨立在政治上大致完成的新興諸民族以創造新文化為目標而開始種種的嘗試。

　　在此時，尋求出身原點的尋根（「祖先」），重寫被消掉的

歷史過急之故，人們容易採取經內部的自閉方向。再發掘與整理失去的歷史當然是很重要的工作，但是面向未來，再是聯繫到第三世界新歷史的重寫也必要，是不待言的。

　　日本人如果配合第三世界所指望的歷史方向，求自己的生存之道的話，不要把精力注入乘前述第三世界伴隨新的歷史胎動惹起的諸陷阱，應徹底、最低限度留意不妨礙他們自己去發現自己的陷阱，並做填補陷阱的所有嘗試才對吧。

　　　　本文原刊於《東京新聞》夕刊，1975年12月2日，第4頁。原題「犯される側の責任──第三世界にも陥穽がある」

《台灣與台灣人》：東京，研文出版，1979年11月10日初版。

一對門扉的往事

◎ 林彩美譯

送往「故國」的門扉

　　震災紀念日〔9月1日〕的這天，我為了往訪一直讓我掛意的一對門扉，而赴靖國神社。

　　穿過兩座大鳥居，再經過用台灣檜木做成的神門到達寶物遺品館。

> 這一對門扉是率領近衛師團征討台灣的北白川宮能久親王於明治28年〔1895〕7月30日，於台北西南方約四十公里之中壢所在的媽祖廟仁海宮扎營之際，用來當牀以便其病體橫臥一夜的。
> 於昭和36年春，爲搜查蒐集親王有關物品之奉還而渡台之末延渡、早田繁一兩氏之熱誠努力與當地陳長順、吳鴻麟、劉家興、陳貴邦等的熱心協力下於3月30日平安帶回故國，交給北白川家，再由北白川家奉獻至本神社。（字下黑點係引用者所加）

　　我目的的門扉附有以上的說明文，與媽祖廟仁海宮的近照豎立在通往寶物遺品館樓梯的平台上。

　　與我同行的T記者邊讀說明邊說：「嘿……居然做到這樣……」一副驚愕之狀觀覽著。

　　現在有一事還清楚地留在我的記憶中。大約十年前的某一日，與筆者同是中壢出身、共同擁有每當仁海宮廟會搭戲棚要演戲（三國演義等）時便會心跳期待的少年時代朋友H君，急急忙忙地趕到敝宅。

　　他說著：「真不可思議……」而悲憤慷慨得接不下去。

　　喝了水、把呼吸調整好之後，他接著說了因打工之故帶歐洲學者去參觀而發現一對門扉的經過。我們故鄉的權勢者真是豈有此理，把可說是自己守護神的媽祖廟門扉，以「熱心協力」送去「故國」、「征討台灣的北白川宮能久親王」家，這像什麼話，他激動地說。

　　H君知道其中協助者之一是我的親戚之後，稍微客氣地繼續說道：「做日本的買辦，而在八一五之後又一轉成為國民黨的御用紳士，現在又再去對有錢的日本人獻媚嗎？」

　　我感到慚愧，但因未確認，而只能歎氣，無言以對。當時情景至今仍歷歷在目。

　　在「大東亞戰爭」中，叔父被徵用為海軍軍醫，外甥當軍屬，均不幸逝於南方作戰中，但不知何故我對靖國神社沒有關心，即使走過九段大街也從不踏進神社境內。

　　給我製造了居留日本第21年初，訪靖國神社寶物遺品館——不是參拜——這個契機的非他，而是鈴木明的《獻給高砂族》

戴國煇攝於日本靖國神社「寶物遺品館」，
來自台灣中壢仁海宮媽祖廟的「一對門扉」
前，1976年9月（林彩美提供）

（《高砂族に捧げる》，中央公論社，1976年8月刊）。

　　鈴木氏不待說是寫《「南京大屠殺」的幻影》〔《「南京大屠殺」のまぼろし》〕、《誰也未寫過的台灣》〔《誰も書かなかった台湾》〕、《聽過莉莉・瑪蓮嗎》〔《リリー・マルレーンを聴いたことがありますか》〕等拋出話題的隨筆家，也是以美文著名的採訪記者。

　　我是鈴木氏一系列著作的購買者，但不是讀者。閱讀《獻給高砂族》是因為我恰好在編纂《霧社事件研究》〔譯註：後定名為「台灣霧社蜂起事件——研究與資料」，1981年6月30日，社

會思想社出版〕中，覺得有一讀的必要。

為什麼要「獻給」高砂族？

　　看到《獻給高砂族》的書名會聯想到什麼？我問了幾位年輕的日本人朋友。半數的人會反問「高砂族」指的是誰，剩下的友人在回答因為中村輝夫的生還事件後才開始知道「高砂族」存在的同時，又以詫異的表情問道，為什麼要「獻給」呢？

　　正如著者所說的，本書是因受中村輝夫生還事件的衝擊，又偶然在台灣人的熟人家發現杉崎英信的《高砂義勇隊》，受其觸發而寫成的採訪報導。

　　就因為是透過涉獵文獻以及用腳賺來的採訪，因而具有扣人心弦的感染力。

　　先有最古老的吳鳳傳說，再有令舊台灣關係者或是老男孩們心潮起伏的甲子園嘉義農林英雄們佳話，以及在台灣風靡一時的李香蘭（山口淑子）主演的電影《莎韻之鐘》〔《サヨンの鐘》〕的故事。再就是將有關記述高砂義勇隊形成過程，與生存者的訪談巧妙地編織在一起的寫法，令人產生彷彿是在讀「高砂族古今物語」一般的感受。

　　如限定在其華麗的詞藻與巧妙的行文來說，本書作為消遣性讀物確實是成功的。

　　然而，著者所謂的「作為生活在昭和51年的日本人之一，如要對他們說一句，又該說什麼呢？那『一句』怎麼也寫不出來……」的不安，對於我這個有「高砂族」朋友，有山地生活的

體驗，而現在把他們的歷史當作研究對象之一的人而言，反而變成「不滿」而向我逼近。

如果說只是採訪所以著者的民族歷史立場不必要的話，那就無話可說，但是著者所說的「一句」究竟是什麼使我掛心。

著者自己明明知道「人要發言的時候，一定有其相應的背景」，然而在別的地方又寫道「我不善於分析社會與心理」來逃避，其不知是如何設想的。

如果把採訪報導當成是本來的「把社會的現實，不加報告者的作為，據實敘述的東西」解釋的話，鈴木的報導在某種意義上是晚生的報導同時，在別的意義上也可說是早產的紀錄作品。

八一五之後「高砂族」所受的文化衝擊與成功的經濟高度成長的「舊主人」日本之華麗姿態，更有一夜之間變成有錢人的「中村輝夫」故事等複雜地交織在一起，「所謂的『日本』對『高砂族』究竟做了什麼」（著者採訪的基礎）的提問，是不是早已拿不出本來意義上的「回答」了呢？在此意義上我要說這是晚生的報導。

因繼續當山地的囚人而無止境地承受文化衝擊的波濤，因此他們處於不容易抓住從正面對自己深深的傷痕做檢討的內在契機窘境。早產就是在這個意思上講的。

話雖然這麼說，在此入山不容易的現況下，因受到特別待遇而變成可能的本書實可說難能可貴〔譯註：照慣例，進入高山族居住區域必須有許可證，該時期正值戒嚴時期，限制格外嚴格〕。

要「獻給」的是誰的傷口？

冥想片刻之後，在我腦海裡浮現的是兒時在野地或河邊一起遊玩的水牛，用牠長長的舌頭舔著前腳的傷口而做出詫異的可愛表情姿態。

雖然把未曾面識的鈴木氏比喻為水牛甚感失禮，雖感疼痛，但作為連到底是誰的傷口也未確切明示的書，這是在所獻給的人們身邊度過少年時代的一個讀者坦率的讀後感，敬請諒解。

我又沉浸於胡思亂想之中。水牛或許不僅僅是鈴木氏這樣的日本人吧，在戰後30年的歲月裡連舔傷口的氣力也喪失，一直當著可說是山地「宿命」生活場所的囚人，無論如何不能由內面抓住對傷痕檢討的契機而任時間流逝，我的鄰人「高山族」或許也是水牛。

他們對鈴木氏「『日本』對『高砂族』做了什麼」為基礎的各種質詢做出以下的回答：

（高砂族義勇隊）不是被抓去的，是自己去的。因為是照自己的意志去的，所以不想埋怨誰。

（頭目的話）他們不是被日本人拉去的。我作為領導者，說，去吧！大家就勇敢地去了。然而，沒有人能回來。

戰爭真是苦極了，但我自己也沒有特別埋怨日本。我們的確挨打，也曾遭遇痛苦，但是日本兵也同樣，不只是我們受苦。日本軍隊只讓我們去困苦的戰場是絕對沒有的事。日本兵到最後都是公平的，我們死的時候，日本兵也一起死。

總之，霧社事件也好，義勇隊也好，都是往事了。

翻開戰史，先前一對門扉的出處中壢一帶，曾是讓近衛師團嘗到客家游擊隊帶來苦頭的地方。

協助門扉回歸「故國」的客家出身的陳某某等，也會若無其事的說：「日本侵台軍的殺戮及抗日游擊隊的檢舉，都已成為往事了」吧。

熱心協助的協力者

將北白川宮能久親王用來當牀的門扉由來說明做了筆記之後，為了蒐集更為詳細的資料，我便走進靖國神社的寶物遺品館事務所。

我表明身分，並告知門扉送回的協力者中有我的親戚一事，該館的鈴木部長便親切地接待我，鈴木先生又告訴我，如果給北白川家的太太打電話告知此事，她一定會很高興的。內心感到疼痛而困惑的我只能回答道：「哦，是嗎？」

自問我的親戚、也是我父兄知己的協力者們，真的是站在自己的立場進行深思熟慮「征討台灣的北白川宮」的牀所擁有的歷史意義之後，對其回歸「故國」給予「熱心協力」的嗎？我至今還在輾轉揣摩。

廟在改修之前，對那古舊的一對門扉，是日本人，而且聽說是與有身分地位、被稱為宮家的皇族相關人士想要的，所以也可能是極為單純地未加思索就給了。

　　給得到門扉而欣喜的日本人寄上媽祖廟仁海宮的近影，也是
居於好客的中國庶民屬性，可謂只是常見行為的一個表現，做如
此善意的解釋，當時情形也可能是這樣。

　　協力者們至今恐怕也沒有機會閱讀前文所錄的「說明」，而
且做夢也不會想到年輕的同鄉人H君會對此感到憤慨等。

　　我在這裡絲毫沒有要為協力者辯護之意。如果把門扉當成只
是在板上漆上油漆而已的東西來看，將幾近廢棄之物讓渡給從遠
方來的客人，不過是芝麻小事而已。

　　但問題是在受讓渡之方，去觀覽的日本人一方的感受裡，有
並不單單是接受讓渡之「物」就結束的意義存在，對此我感到無
限的「恐懼」。

　　被侵犯者的兒子，年輕的也只能算是孫子輩的世代，對侵犯
者的師團長在侵略過程中任意地把我們「守護神」的門扉拆下來
當牀用，「熱心協力」將其送至──絕非送還──故國，門扉是
徹頭徹尾台灣的、我們村鎮的東西。所以，對「台灣征討」和台
灣的殖民地化，台灣人沒有怨言地接受了，甚至讓日本人覺得自
己在台灣行了善政也說不定。

　　鈴木部長「北白川家的太太一定會很高興」的善意說詞，與
鈴木明的《獻給高砂族》中的舔傷口之舉，卻對於傷口產生的結
構極少切入解剖，結果是把殖民地統治關係、侵犯者與被侵犯者
之間的民族間的歷史關係以「少數民族與文明衝突的潮流」的問
題取代，無止境地把問題沖進潮流中的筆法，也可說是善意的日
本人一種「靦腆」的表現。

　　如果不堅持民族所據而立的歷史立場看，那些表現，也可解

釋為把過去放諸流水，「恩仇置之彼方」以追求新生活的日本獨特美學意識之表現。

但是日本與亞洲的恩仇之傷口還滴著血未癒合，一起走向「彼方」還需要很長時間的沖刷，而今後日本所走的方向也可決定其可否。

亞洲這邊的有心人，知道夥伴中的「民草」有民族的歷史立場不明確，而以「獻給」之書去求自慰之人的存在感到痛心，但以「獻給」之書去尋求自救之道的，恐怕沒有吧。

可是為了日本人的名譽，在此必須提到，雖然只是少數，但也有對自己所屬民族的戰爭責任從其根源上去究明的慈善家存在。

這個國家的所有人，應該在自己的責任之下，作為「人」應專心致志的戰後處理的課題，被GNP遮住彷彿如幻影般地消失了似的。

我，討厭日本這個國家與日本人這個人種。曾經在戰時，我屬於大學劍道部的正式成員，而沒有將預備軍學生及特別甲種幹部候補生當作志願，因此有好幾個人罵我「國賊」。又因無足輕重的小事逮捕我的特務警察，給我貼上「非國民」的標籤。然而仔細想想，我的確是非日本人的日本人吧。我所看到的日本與日本人，在戰中與戰後完全沒有改變。……這個國家的戰後太過於不負責任，太過於不檢點。……說不定那十五年戰爭其實是百年戰爭，只是指導者換了，形式變了，現在還在繼續也說不定。……不是說這個國家對亞洲諸國的經濟侵略還在繼

　　續，所以戰爭還在繼續；而是國家權力的本質未變革，這個國
家的人們的意識也些許未改變之故，所以我認為戰爭是在繼續
進行著。

　　曾經出版了《戰爭文學通信》〔《戦争文学通信》〕（風媒
社），如前所述一般強烈地追究自己的責任，不僅對夥伴的文學
者、指導者、知識分子，更是對一直容許侵略實情，或者現在還
在容許的民眾與諸狀況，做無忌憚的批判與譴責的高崎隆治，即
為其中一人。

　　他最近還將他長年蒐集與保存的極祕資料以《十五年戰爭極
祕資料集第一集》〔《十五年戦争極祕資料集第一集》〕（龍溪
書舍刊）出版。

　　該書第一集所收的（I）陸軍省兵備課「伴隨大東亞戰爭我
人的國力之檢討」與（II）大本營陸軍部研究班「由海外的邦人
〔譯註：日本人〕之言動所觀國民教育資料（案）」，可說是寫
了「大東亞戰爭」時期軍方當局的真心話之書。

　　依照（I）軍方當局在很早的時候，昭和17年1月20日即已斷
言：「由兵力保持之困難與隨此（日本）民族所必須付出犧牲等
作考察時，用外地民族做兵力現已非議論之時而是燃眉之急務
也。」

　　鈴木明寫明第一回義勇隊是在昭和17年2月被動員，並下評
斷「可以說是軍部一時想起的」。但從前面的極祕資料來看，軍
方當局豈是一時隨便之想，而是在加以極為科學的統計處理之
後，企圖活用外地民族才是史實。

「高砂族」與至今還不知骨頭被埋在何處的我的叔父與外甥同樣，絕不是志願，而是被強迫志願的。

我雖不想對人的「過去」問罪，但我憎恨侵略戰爭的機制，我憐憫建構此機制，在操作的過程中自己也變成囚人而無自覺的人們，給予憐憫的難道只有我一人嗎？

本文原刊於《東京新聞》夕刊，1976年9月16、17日，後改稿並刊載於《信濃每日》，1976年9月20日。原題「鈴木明著：高砂族に捧げる——不鮮明な歷史の立場——貴重な記錄ではあるが」

【附錄】
廖惟誠致戴國煇函

戴教授大鑑：

　　經常於報章上拜讀教授的文章，覺得在日本的台灣人士中，教授對一些問題的看法、比較切乎實際，今日又見《東京新聞》夕刊大作有關鈴木明近著《獻給高砂族》之譏論，深有同感，特送上家父生前寫下日本時代受教育的片斷回想，以供教授參考。

　　台灣人的感情是複雜的：有回味日治時代治安良好、人性忠厚，不見得傾日，卻也以曾受日本教育有「日本仔精神」而自豪的是一派。有經歷過二二八對國民政府的憎恨，尤甚於「日制」的台灣獨立派，林景明是一個很典型的代表，（他的書以寫台灣人反抗日本人統治的歷史為起始，在後篇「大村收容所」裡卻充分顯示他的感情是日本人的感情）。

　　另外像家父，受日本教育、吃日本頭路、做日本生意，但年輕時卻以「被異民族統治而感到痛苦」、「仰慕北京的風景、思念江南之春」大概也算一派，我看這一派是很稀有的。還有現在年輕的一輩如我，完全在國民政府的教育下長大，也許如以我至初中為止的生活經驗而言，我這一輩的「本省人」不少由於家長，或日本歌、日本電影等的影響，對日本是相當崇拜、嚮往的，甚至土流氓都津津樂道於小林旭、石原裕次郎的「兄貴派頭」。說個笑話，連「角頭」廝殺拿的都是日本武士刀，但基本上現在都認為是中國人了。如此簡單的一分台灣人的感情都如此複雜，無怪不少人自歎，台灣人命苦，是「童養媳」，從某個

角度來看也許不錯，你說哪一個錯、哪一個對、依我看統統沒錯，這是近百年來，受盡屈辱的中國悲劇的產物，時間將會治癒一切吧！

　　素昧生平寫這麼一封信，只是拜讀大作後有感而發，望勿見怪。

　　　敬祝

　　安好

廖惟誠敬上　九、十六

　　　　本文為讀者來函，係讀戴國煇〈一對門扉的往事〉之感想，內容並涉及對日據時期之觀感等。特收錄於此，以供參照

何謂「客家」

◎ 林彩美譯

　　我很久以前便聽說有關小松左京博識的傳聞。即使如此，在讀到他有關客家的記述時，真可說是令我感到驚訝。

　　「中國裔以客家人比較乾脆、爽快。不談祖先〔譯註：不耀祖〕，一點也不隱藏自己的客家身世，也不乖僻」的小松發言，可在《本──讀書人的雜誌》中所載的〈問碩學〉〔〈碩学に聞く〉〕（1977年8月號，頁35）中看到。

　　那是在邀請東畑精一博士的座談會上，可以說是在圍繞著東畑家祖先的質疑應答之中言及的。

　　我想，即使不經心草草看過這一段的人，一瞬間會產生「客家到底是什麼樣的人？」這種疑問者應不在少數吧。

　　即使是客家出身的我，在被問到「客家是什麼」這一問題時，說實在的，很多時候感到的是困惑，因為不容易回答。

　　例如做「是否可說是操客家話的漢民族的一部族」的回答。詫異的質詢者在稍作思考的同時，大概差不多都會反問「客家話是什麼樣的語言？」

　　然而，用客家話做示範，對方也聽不懂。到底這也不算是

回答。

　　在日常會話中搬出「音韻論」也顯然深感不合時宜。想做更具體的說明便請出客家出身的名人，將其名字一一列出。

　　太平天國的洪秀全、楊秀清，辛亥革命的孫文、廖仲愷（廖承志之父），中共革命的朱德、葉挺，武漢政府的鄧演達、陳友仁──最近受讀書界好評的《文化大革命的內部（上、下）》〔《文化大革命の內側（上、下）》〕（筑摩書房刊）的原著者 Jack Chen 是陳友仁的兒子。Jack Chen 於1971年從中國大陸赴美，在美國的康乃爾大學等講授中國情勢。他不僅是著名的記者亦擅長繪畫──關於1920年代廣東政爭的主要角色陳炯明、陳濟棠、張發奎，上海事變中率領十九路軍與日本軍果敢打仗的陳銘樞等都是。以上所舉的人之中，陳銘樞在北京、張發奎在香港均健在〔譯註：時為1978年〕。

　　又已故之傑出人物有在海陸豐蘇維埃很活躍但被國民黨槍決的彭湃，以及曾參加汪精衛政權、戰後化為刑場之露的陳公博也是客家出身。

　　在台灣的現存者暫且不提，中共政權元老級的重要人物葉劍英也是其中一人。獲得再復活的鄧小平，一部分日本媒體（中邦仁〈兩封信──鄧小平論〉〔二通の手紙──鄧小平論〕，請參照《文藝春秋》，1977年11月號，頁326）傳其為客家，但我還未能確認。

　　如上所舉，近代中國的革命運動與改革，如果排除客家人好像便不能談。做如此指點的外國人中國研究者的看法，不能說未必中靶。

　　事實上，以太平天國革命為首的一連串革命運動指導者中，不僅是有客家出身者，他們的手下也有很大一部分是客家青年。

　　占太平天國官兵中大部分的是客家人，這是非常有名的史實。出乎意外地未被知曉的是，辛亥革命之前的廣州3月29日革命（1911年黃花岡事件）犧牲的72位烈士之中，有34名是客家青年。

　　再說到文人。第一位應舉出的是日本人很熟悉的郭沫若吧。郭氏在自己的傳記《少年時代》（新文藝出版社，1956年版，頁10）中曾記載道，自己本來是從福建省汀州府寧化縣移居四川的客籍人。與郭氏大約同一時期留學日本，畢業於東京大學理學部（地質學），也是創造社同人的張資平是廣東省梅縣出身的客家。他被譽為「中國的菊池寬」，擅長寫戀愛小說。1920年代末期文名曾一時響徹全中國，但因人品鄙劣，也欠缺政治節操，其作家生命不久便斷絕。

　　以《亞細亞的孤兒》[1]、《黎明前的台灣》、《泥濘》[2]等作品，而讓日本讀者感到很親切的台灣出身作家吳濁流也是客家。

　　就是偶然也令人感到奇異，客家出身的文人竟然意想不到地與日本的緣分很深。

　　聽到根據《馬關條約》「割讓」台灣後，在台灣中部招募義兵開展抗日戰的丘滄海（逢甲）是在台灣成長的清末進士。他又是嶺東三傑溫（仲和）、丘、黃之一，以詩著名。

　　另一傑是黃遵憲（公度）。黃遵憲不僅是詩人，其前歷為外

---

[1]、2 日文版書名分別是《アジアの孤児》、《泥濘に生きる ── 苦悩する台湾の民》。

交官。1877年，作為第一代駐日清朝公使何如璋之參贊（書記官），在有關琉球、朝鮮的中日紛爭中，從事外交談判的人物。他在日本居留期間，投身於日本研究，先後完成《日本雜事詩》與《日本國志》40卷。前者被翻譯，收入平凡社東洋文庫是眾所周知之事。

黃又獲得作為中國的文學革命、文字改革先驅者的榮譽。他的前述兩本著作可說是近代中國人所寫的最初日本論。

談到日本論一定會想起戴季陶（天仇）之名，他是四川廣漢縣出身。據說一部分客家文人根據其少年時代在成都的客籍學堂學習的紀錄，立下戴季陶也是客家之說。廣漢縣的確是四川著名的客家居住縣之一，客籍學堂也可能推測為客家的學校。但是其祖先被認為是從吳興（浙江省）入蜀的，所以也有持懷疑的人。

在日客家系華僑的集會時，常成為話題的同僑中名人有台灣的丘念台（滄海之子，去年〔1977〕客死於東京青山）、中國大陸的廖承志與去年在北京作古的楊春松等。念台本名琮，畢業於東大理學部，但成人以後的生涯前半是以據守廣東、照顧從殖民地台灣逃來的留學生或抗日運動家，以及抗日運動的實踐家而著名，據說被日本領事警察視如眼中釘。

楊春松在戰後的中日關係史中知名度相當高。原是台灣中壢出身的客家，做為抗日農民運動家，是日本特高＊3的好對手，台

＊3 特高警察之略稱，創設於1911年，為天皇制祕密警察之核心組織，其組織網擴展至憲兵隊、官衙、民間公司、學校以至於海外。對共產黨及一切民主、革命的傾向做間諜與挑撥，對可疑者採暴力逮捕與刑求，強要其反間諜、虐殺多數共產黨員、進步的活動家、朝鮮人等。於敗戰後的1945年10月被廢止。

丘念台（第一排中）於1965年6月19日訪日時與客家學生聚會，攝於學士會館。第一排左一戴國煇；第二排左一許介鱗（林彩美提供）

灣故老至今還懷念他。

　　在東南亞的客家系「華僑」中的話題人物非李光耀和韓素音莫屬。新加坡總理李光耀的羅馬字拼音為Lee Kuan Yew，不用說這是客家話音讀法的結果。

　　韓素音在日本叫Han Su-In，在香港叫韓素英。她本名叫周月賓（光潮），是一位女醫生，現在已成世界性著名的女作家。女士的自傳性現代史三部作（預定四部作，但第四部尚未刊出），書名為*The Crippled Tree*（日文版為《悲傷之樹》）、*A Mortal Flower*（同《轉生之華》）、*Birdless Summer*（同《無鳥之

夏》，均為春秋社刊），如有未讀的讀者，也應對電影《慕情》
（*Love Is Many Splendoured Thing*）有記憶吧，她就是原作者。

　　她的祖先也是與郭沫若的祖先一樣，因明末清初張獻忠之亂
而導致四川攻防的大死傷之後入蜀的客家。周家與郭家不同，是
廣東嘉應州即從梅縣移住的，但郭家與周家同樣都已明顯的當地
化，都在上一代就不會講客家話了。

　　韓素音在前記自傳性中國現代史之中，追溯自己的根源，對
客家歷史也有過不少敘述。大約是在蒐集資料的過程中，在北京
國立圖書館發掘到16世紀的《客家山歌集》：

　　情郎一心上四川，坐上鹽船去建安：
　　寧捨金銀千千萬，怎捨情郎離開俺？

即為其中之一首。四川似乎從16世紀起就是客家青年一處很好的
打工之地。他們從廣東的故鄉，乘鹽船經過江西省有名的鹽都建
安而入蜀。前面的山歌可解讀為唱出與情人別離之情的客家情歌
的一首。

　　香港以虎豹別墅（Tiger Balm Garden）馳名的胡文虎是出身
福建省永定的客家。馬來半島一帶的客屬總會系的會館，必定都
有掛他的照片，該是捐款的常客吧。以萬金油發了財出了名，但
興趣不怎麼雅致，是金緣好而人緣不佳吧，對其人的評價並不
高。

　　從左到右，從軍政關係到教育文化關係、到豪商等，客家真
是人才濟濟。其共同點是血氣方剛。

　　會講客家語的是當然，不會講客家語的人，其客家意識也往往很強烈。

　　客家意識，一部分人誇示其為客家精神。其具體內容，支持客家精神的是什麼，現在我還不明白。雖然不明白，我自己的內心也有強烈的客家意識。客家的根源依音韻論很容易追溯到中國的中原。或以梅江、東江菜為名的客家料理來談客家也好，也可指出客家是未渲染纏足奇習的唯一漢族族群。

　　但是解開「何謂客家」難題之鑰匙，或者從客家意識是什麼這一點追根究柢才能找出吧，我現在是這樣覺得的。

本文原刊於《本──読書人の雜誌》，東京：講談社，1978年1月

台灣與台灣人
——追求自我認同

◎ 林彩美譯

H的來信

接到稍早寄到的聖誕卡，卡片的四面密密麻麻地寫了如下內容：

> K・H兄，
>
> 　　就在數分鐘前電視上剛播放完卡特總統承認中國的消息。雖然知道這本是意料之中的事，可還是抑制不住內心的激動。此感慨與在美國透過衛星直播看到田中角榮首相訪中之際，向周恩來深深地鞠躬，並說「對不起」的道歉畫面時的激動相似。（字下圓點係引用者所加）
>
> 　　與某位美國人談起此廣播時，雖然兩人都說「very impressive」，但他是對能使電視轉播成為可能的偉大技術表示贊佩，我是作為中國人、台灣人對這一中日歷史上的大事件而無限感慨。要對他說明我的這種感覺很不容易。
>
> 　　美國承認中國是出於想利用中、蘇矛盾以平衡自國防衛能

力的政治考量，更是爲了走到死胡同的美國經濟，即卡特的經濟政策失敗的活路，而求之於作爲市場及原料之提供者的中國，難道不是這樣的嗎？

在華盛頓的希爾頓飯店，因擔心違規停車而匆匆告別感到很可惜。（中略）

值此中國激動之時刻，貴兄一定會忙上加忙吧。

問候夫人

十二、十四夜

此致

K・H・H

偶然地共有名字的首字字母K與H的戴與H君，是殖民地台灣的州立S中學一、二年級時的同窗。兩人均出生於1931年。

戴接到H稍早寄來的賀卡，在高興的同時，也感到某種困惑。「值此中國激動之際，貴兄一定會忙上加忙吧」的部分是他對我的過高評價，也應是某種誤解吧。

儘管如此，那H的確是變得健康多了。他曾經對自己的「心」病煩悶得不得了，戴一直在一旁默默地關注他，卻從來不曾碰觸過他的心病。戴一直覺得H的心病，不僅僅只是一般所謂的精神障礙，更含有其他的部分，現在他還持此種看法。或許這只能算是一種不懂醫道之人所擁有的獨斷與偏見吧。戴回想起光復（復歸祖國＝中國）前後數年在台灣S中學的生活，那是連友誼都很少能夠萌芽的枯燥日子，儘管他努力嘗試著浮現出過去日子裡H君的影像，卻總無法聚焦。可能還需要經過一段時間的沖

刷吧。

　　引起他「心」病的因子是在S中學的數年間植下的，這大致上不會錯。他的對人不信任也是在這種「可憐」的生活經歷中培養出來的。

　　「別那麼誇張！」，似乎聽到有人在喃喃私語。作為中學時代的班友，雖說短期間內彼此共有了一個非常困難的過渡期，之後在東京留學的數年間斷斷續續地互相保持著一定的距離，並且每年有幾次邊吃邊談的飯局。但這位「冷靜」的友人H的來信，還是令戴感到非常震驚。他禁不住自言自語道：「H君終於打開心扉了，真好，真好，他終於變回1940年代後半的H君了。」

　　先前的信如果是讓40歲以上的非台灣人看的話，恐怕會覺得那張卡片沒什麼特別的，而對戴為何要說「真好，真好」而感到奇怪吧。

　　信中的句子「抑制不住內心的激動」、「我是以作為中國人、台灣人」等，絕不是戴與H兩人之間「私人的」狹窄小框架可去容納的又重又廣的、潛在地含有根源性的問題。

　　他聯想起去年秋天，在訪問華盛頓特區的H君之前的旅程中，與重溫舊交的知己，和因他而一起喝茶吃飯的新友人之間的種種對話。

父親是日本人

　　C女士是新結識的友人之一，據說畢業於台灣大學外文系後渡美，現已結婚，在美國大銀行做事。或許是未當人母的無拘束

吧，她既喜歡照顧別人，又愛攀談。

話題的發端如同清澈的小溪一般，自然而然地流淌出來。戴將在東京編輯的《客家之聲》送呈舊知B的岳父，原台灣大學教授、著名的外科醫生H博士，並在一起閒聊的時候，C女士剛好在旁邊聽到。會話告一段落後，她慢慢地張開口，接二連三地提出問題：「為什麼用日語發行呢？」、「怎麼不出中文版呢？」

在這裡我有必要介紹一下《客家之聲》。漢民族中有一類屬被稱為客家。他們不僅居住在中國大陸、台灣、香港、澳門，還作為「華僑」社會之一員散居在世界各地。

他們除了中國大陸之外，大致上毫無例外地都在居住地或居住國組織以相互扶助與和睦為目的的團體。大多冠以大陸出身地的地名，如嘉應會館、大埔同鄉會、惠州會館、應和會館、梅江公會等，或直接以客家公會、客屬公會等自稱。更有香港、美洲、日本的團體，為避開中華民族內部「主」、「客」的固定化，從加強自屬團結於更高層次的理念之下而應該實施的「崇正黜邪」閎義中，取崇正一詞作為會名。1921年5月香港崇正工商總會之發會即為其濫觴。

先前提到的《客家之聲》，是居住在日本的客家全國性組織日本崇正總會的機關報，英文名為*Echoes of Hakka in Japan*。目前是每年發行四回的小季刊報。

這個暫且不談，對於C女士的提問，戴應該做出回答了。

「是啊，目前暫時以日文刊行，過些時候再設中文欄，如有可能的話，也想開拓英文欄分發給全世界的同胞……。」

「暫時是什麼意思啊？」

　　他一時感到為難，但想一想有此提問也並非毫無道理。她至多不過32、33歲，難免不諳日本客家的實際狀況。

　　「我們所發行的主要目標是啟蒙日本人太太和第二代或第三代。既痛苦又寂寞的是，自戰前就居住於日本的台灣出身客家人中，大部分其實是不太讀得懂中文的。此外，據說住在日本的客家幾乎都是台灣出身的，所以即使會講客家話，也不會寫、不會讀。他們與日本人妻子及第二代、第三代的共同語言沒有其他的，只有日語一種……。」

　　「對，對，正如你所說的，家父就是日本人。」

　　她邊笑邊自言自語道：「真的是這樣的，他是日本人」，在「日本人」三個字上加重了語氣。

　　戴想起去年春天的某個情景。在中日戰爭期間曾留學東京的醫科大學，現在台灣南部開業的S先生帶著妙齡的千金，持台灣糖業公司W課長的名片來訪。S先生應已聽W君說戴是客家系台灣人吧。S先生是相隔20年後的訪日，所以以不流利的日語夾雜著閩南話說明他的來意，以及W君的近況。

　　可是他的千金剛開始學日語，所以必然地以北京話與戴交談。

　　換到吃飯的地方，眾人繼續談得很起勁，由台灣的近況到台灣年輕一代的思考方法、行為方式等話題轉移的過程中，她突然對我說：

　　「戴老師，我爸爸的想法、看法和我們不一樣，我們姊妹都說他是日本人。」

　　過了好一會兒，戴從回想中醒悟過來，這才反問C女士：

「你父親曾經在日本住過嗎？」

「沒有，他在日帝時代當過鄉下公學校的教員。」

「這麼說起來，你父親光復後30年，雖然中國話大致上能用，但是對事物的看法、想法仍舊保留著日本人的模式，是這樣嗎？」

「完全是這樣。」

「這是因為你父親就是所謂的擬似日本人啊！」

戴陷入沉思。「代溝」、「可口可樂」、「聲寶」、「迷你裙」……當接觸到這些日翻中、英翻中維妙維肖的譯詞時曾令他歎為觀止。但坦白說，他萬萬沒有想到代溝問題竟然如此嚴重。不，與其說是沒有想到，還不如說是為他自己沒有看到台灣人的新世代確實抬頭了這一現實，為自己的不諳世事而感到羞愧。

他繼續詢問C女士：「妳說妳父親是『日本人』，那妳認為自己呢？」

「為什麼您如此問？我當然是台灣人。」

客家人與福佬人

「容我打個岔，從昨天開始，我們出席了第四屆世界客屬大會。在會場的台灣出身的客家人，連妳父親在內，能很單純地說，我是台灣人嗎？」

頭腦很敏銳的她說：「嗯，這麼說起來，剛來美國的時候，我們是把在台灣的習慣用語本省人、外省人等搬來照用的啊。」

「那……最近又怎麼樣了呢？」戴好像怕打斷對話的節奏，

聲音雖輕柔，卻興致勃勃地把上身向前傾。

「最近嗎……糟糕……」C女士好像拚命要想起什麼似地斷斷續續地說下去：「雖然時間不是很明確，但我感覺到好像在生活用語的比重慢慢傾向英語的過程中，不知不覺地台灣人這一詞語就漸漸地取代了本省人。你知道嗎，本省人要英譯找不到適當的妙語，通常多被翻成Taiwanese或Formosa。當然這是在對話中有必要向對方強調，我們與外省人或國民黨人是不同的情形下……」

「原來如此，這很有意思。在日本的情況，因為漢字可通用，外省人、本省人的用法現在好像還在用，只是媒體上常常會出現奇妙的用語。比如，外省人的單字作為詞語是知道的，但因為不知使用主體在哪裡，所以有把對立概念的本省人，以擅自『發明』的單字內省人取而代之的情形。有時候也有校正者自作聰明而改錯的例子。還有戰前就已在日本的台灣出身的華僑自稱為『灣生仔』，或因台灣的平面地圖像甘薯，所以戲稱自己為『番薯仔』。與台灣往來較少的人，對外省人的用法不習慣，所以好像以『大陸仔』代用。你知道嗎，因為薯是外來作物，所以薯之上被冠以『番』字。

當然通常好像客家人是以客家發音，福佬人（以閩南即福建南部一帶做為父祖在大陸原鄉的人們總稱。又福佬是河洛的轉訛，一說是先於客家，但同樣是從中原南下的漢民族一屬）以閩南音各自稱呼的。

此外，不少從台灣來日的中年以上台灣人在對話中，以『阿山仔』蔑稱外省人。」

「戴先生，阿山仔能貼切地譯成日語嗎？」

「『阿』字好比日語的『桑』（さん）、『將』（ちゃん）等暱稱，妳的名字客家話叫阿美仔，就像妳在嬰兒期有被用日語叫作美『將』一樣的啊。」

「哦！我明白了。」

「而『山』即唐山的山，是大陸的意思。因為台灣本來是中國的國內殖民地，漢族系台灣人，包括客家、福佬在內，我們的父祖大部分係出身於華南的福建、廣東兩省這是廣為人知的。所以，在將唐山等同於大陸的情況下，以往是包含了對大陸的鄉愁，客家話更是把出殯叫作『還山』，意即回唐山。我們回想一下直至第二次大戰爆發以前，海外華僑把棺木用船運回故鄉造墳埋葬的情形，就可理解這種心情。所以我想『阿山仔』本來的含意也只是指從那邊來的『阿山桑』而已。因此，二二八事件（參照後述）稍前，台灣人對國府的接收行政、接收官員的亂搞首先感到失望。作為應急措施要員，臨時從大陸搜羅來的混和集團及進駐接收的軍人和官僚，應該大多為無能且沒效率者是可想而知的。畢竟那是第一次的經驗，來不及確立規則，就被捲進通貨膨脹與戰後混亂的漩渦之中，更有由於日帝50年的隔離政策而產生相互間價值觀有著相當程度的出入。台灣人因反日的這種反動，而伴隨有解放感的狂熱歡迎，反而被那些極其自高自大的國府官員所利用，而橫行至極之腐敗。熱烈歡迎便轉變為憎惡，因為是近親所以傷痕更深。因此本是暱稱的語感就消失而變為蔑稱。這裡的中國人街也被叫作唐人街吧。此『唐人』是尊稱也是暱稱。大概對中國人來說，唐及其時代是有著理想的王朝、好時代的正

面印象吧。在日本，唐朝、唐詩選也是正面的肯定的事物。這暫且不說，到1960年代前半的台獨派（台灣獨立運動和其運動家）無論言語上還是文章中，都以極盡憎惡的情緒連續發出『阿山仔』之稱。但近年來感覺好像在語言與文章上對『阿山仔』這種稱呼用得愈來愈少了。」

「這麼說起來還真是有這種感覺。都說語言是有生命的，還真是這麼一回事。父親的世代偶爾還有這種不屑的叫法，而我們的世代則差不多不那樣叫了。這真有意思。那麼戴桑，說實在的，你又是如何定位自己的呢？」

「在講我自己之前，請讓我先對日本的情形做個說明吧。正如妳所知道的，台獨為了其政治目的，把台語、台灣人的概念，依自己的方便造出來，從1950年代後半以來開始大肆宣傳。其恰當與否可留待以後議論。因他們過於『政治化』，而且是在短期間內，觀念性的由上面捏造且嘗試著散播，因而不免牽強附會，紕漏之處也不少。

在西雅圖發生的爭執

「西雅圖發生過這樣的個案。在美國各地都有台灣人俱樂部或美麗島俱樂部的組織，其性格依據成員、領導人還有地域的因素而有些許不同，但大體上好像都是靠右的組織。即使靠右也只是要與國民黨劃清界限，對為了使自己作為台灣人的自我認同（identity）的明確化進行各種啟蒙運動，對台灣人權問題表示關心，並嘗試促進其擁護運動（中心對象為台灣人）。這是在西

雅圖的同性質集會上所發生的事情。如果我聽到的與我的記憶沒錯的話，那集會好像也同時包含有對《台灣政論》（在台灣的反體制雜誌，1975年8月創刊，同年12月被禁）禁止發行的抗議集會。有某客家系女性，在集會上因用北京話發言而受到反對，對此無理的言論壓制，她試著再以發言抗議，結果卻是被當成國民黨的間諜而遭漫罵一頓。」

「她是與國民黨有關係的人嗎？」

「不，非但沒有關係，我聽說她反而是體制批判派，或可說是該被稱為正義派的人。據她表姊說她出身於鄉下的客家莊，實在不會講閩南話。然而如用客家話發言的話，與會者大部分都聽不懂。所以她以自認為共同語的北京話發言。自那以後她就沒有再參加過同樣性質的集會，不但如此，她更變成立志成為反台獨的鬥士而在鑽研台灣史。」

貫通古今中外，多數者、優勢者往往在不知不覺中行使其「蠻橫」。戴追憶起1960年代前半在東京的留學生種種活動而沉湎於感慨中。

即使是現在也都還未能完全掌握那時的背景，但是否可說1960年代前半是台灣獨立運動在東京留學生界的最盛時期。與此同時，台獨把「在日台灣大學校友會」當作外圍團體而控制它，在此保護色的掩護之下營運該會。據說這是在該會主辦的公車旅行中發生的事。現在已得到學位、在台灣大學當教師的C君，在旅行的次日很氣憤地跑進我的研究室：

「戴桑，台獨派的一夥簡直是無理胡鬧。用客家話講話時，他們抱怨說不要講人家聽不懂的話！用北京話向福佬人的朋友講

話時，他們說為什麼要用豬（即侮蔑外省人的話。在殖民地台灣，當時的台灣人暗地裡稱日本人為狗以侮蔑之。現在的台灣即依此事例，將對貪污、懶惰、沒效率的憤慨加於外省人之上而侮蔑之為豬）的語言北京話。『用台灣話講吧！』這樣大聲喝叱我。」他脹紅了臉對我訴說道。

「台灣話！台灣話！到底我們的客家話算不算台灣話呢？還有高山族（台灣少數民族的統稱，大致可分為九系統。大部分是因漢民族的移住台灣，隨著拓殖的進展而被追趕上山或邊緣地至今。他們除了到城市去的以外，大致上相互的居住區域、語言【母語】、社會組織都不同）的語言又算是什麼呢？他們才應該是真正的土生土長的台灣人啊。戴桑、S桑你們不覺得他們蠻橫嗎？」

這頗有把碰巧也在研究室的S君捲入對話的漩渦中之勢。

「C君，別激動，別激動，不要那麼激動。你們以為我是福佬人吧！其實不是，老實說我家是『客人底』（指原來為客家，但已不會講或不大會講客家話的人。與此相反，如果說『福佬底』，是指住客家村鎮的福佬人，從語言到風俗習慣都客家化了的人。用語之中無侮蔑之意），除了簡單的招呼之外已不會講客家話，但客家精神多少還有一點。」說著有點帶著自嘲似地笑了起來。

S桑繼續說：「可是，C君，你為什麼要那麼生氣呢？這個我不懂。說實在的，我也會以慣用語說台灣話什麼的。與戴桑談天，常常被提醒，那是閩南語或是福佬話。」說著看著戴苦笑。停了一會兒，S君又說：「這個暫且不談，在日常生活中的確福

佬人不會意識到客家語，而不自覺地把閩南語說成台灣話的情形
很多。唉，原諒他們吧，C君。」

「別為難我，這不是原諒不原諒的問題，不要拿我的正經話
開玩笑。S桑，我真的很認真地在思考問題。我比二位年輕近十
歲，雖然不願意被捲進政治圈，但也非全面接納國府所有的現行
體制的。獨立派的心情有些部分我也能切身體會。但無論如何就
是不能苟同，這不是與害怕特務同一層次的問題。我也不清楚這
是為什麼。還有因為我是學自然科學的，不善於社會科學的分
析。」

台獨派的主張不能苟同

「這麼說現在你是已經開始了解一些了。」戴馬上插嘴道。

「是這麼回事，應該說是透過這次的公車旅行，與他們進行
正面衝突之後才終於開始明白的。」

「你這是說？」S君以詫異的表情認真問道。

「總而言之，就是說他們只不過是屬於『秀才造反』之類的
而已。或許這話聽起來可能有點不遜，他們搞政治過於性急、自
私、自以為是，把人性中最根本的部分遺忘了，我有此感覺。」

「說起來是這麼一回事吧。是否可以解釋為首先第一點是他
們因獨自沉湎於茫茫的『台灣人』概念中，看不到少數族群的客
家人與高山族的存在。因而缺乏感受力，也就是缺乏對他者以心
靈去溝通的從容。這麼說依我的管見，在他們的議論之中，找不
到正面論述客家與高山族的問題的。附帶提一下，他們是不是不

懂革命理論啊。今後的革命是如果不能把處於最底層的人、受排擠的人，以及少數族群的要求與能源都編入、動員起來，這種革命家或革命運動家集團就不能指導革命。這樣的觀點應該可以說是革命運動家的ABC呀。」S君依舊在施展他的諷刺家才能。

「架式好高啊，我們是否能把聲調降低一點〔譯註：冷靜些〕再來議論啊？我一直覺得奇怪的是，他們為何把『支那人』、『清國奴』等日本人辱罵包括我們台灣人——儘管殖民地時代一般地被稱呼為本島人，但一旦讓日本人不高興，我們台灣人便被罵成『支那人』、『清國奴』——在內的中國人的蔑稱，漫不在乎地沒感覺地在文章上寫或講著，這是第一個疑問。另一個是，他們的領導者為了運動而造出台灣人的概念，並以此做宣傳活動是可理解的。與新加坡的李光耀政權拚命地把新加坡人意識，即新加坡的國民意識，或作為新加坡國民的自我認同，自上而下地強力推行的實際狀況相比較，此間的內情可以理解。

「此外，美國當局出於政治上、統治上的必要，在公私場合中的用語，不用沖繩、沖繩人而用琉球、琉球人，雖然性質上有所不同但也是另一個很好的例子。他們為了主張台灣人非中國人，常把台灣人與中國人的用語作為對立概念來使用。比如主張台灣人混血說、台灣人＝閩越人漢民族化說，甚至是承認台灣人確實是出自漢民族，但因台灣史的獨自發展而使台灣人早已變成非中國人等諸說。之後他們又說因為台灣是台灣人的，並且台灣人不是中國人，所以展開台灣不是中國不可分的領土的論點。C君剛剛說的有不協調感，是否與以上的論點有關呢。乍看之下，他們的邏輯也像是滿有道理的，可是與我們常規的生活感覺有很

大的偏差，因為很多台灣老百姓持有某種抗拒其論點的東西，所以對他們的所作所為沒有親近感，因而他們的運動也難有進展。我是這樣想的，你們覺得如何？」

「對啊，特別是像我這樣年輕的一代，所接受的日語教育不是以殖民地教育，而是做為大學的外國語學科之一來學的。以我個人為例，很不好意思，因專攻農業，以及家庭的緣故，從一開始就以留學日本為目標，因此對學習日語也備加用心。所以把自己定位為台灣人的時候，只是意味著出生於叫作台灣的一個島而已。我對台灣人這個用語，完全看不出其具有台獨派所賦予的政治性含意或擬似概念，是完全意會不到將其當作與中國人對立的台灣人的概念。懂不懂我的意思？S桑！」

「慢慢地清楚了。我小戴桑兩歲，在台灣以日語受完公學校教育。我剛才講我是客家底，老實說為此我有過小小的煩惱。孩提時代，我和父親大概一年回到故鄉的爺爺家一次，兼為奶奶掃墓。父親的兄弟姊妹和親戚對我都很好，但全都用客家話交談，我不知所措，慢慢地就不愛去了，這是我少年時代的體驗。在台灣上大學，比較能理解情況之後，我發覺所謂台灣人這種表現方式，是與外省人、大陸仔、阿山仔相關聯而慢慢形成的。正是這個，我心想！客家底的福佬人的上位概念裡有一個台灣人的概念對我實在是很方便，恰到好處！」

「清國奴」引發的反彈

「真精采，有內容。談到個人的事例了，讓我也發表一點私

人體驗吧。這是關於我已過世的二哥的事。他在台灣念完中學後到日本留學，因學法律所以被牽連到『學徒出陣』。他出生於1921年，屬於比邱永漢、王育德、陳舜臣諸位大兩三歲的同代人。光復後，在我來日的第二年即1956年他第一次回台，老實說對國府在台灣的體制是抱著批評的態度。你們也知道，台獨派的《台灣民報》、稍後王育德等人所創刊的《台灣青年》等，都是免費郵寄給華僑與留學生的。二哥很愛看書，他定期購讀《世界週報》、《中央公論》等，特別關心與中國相關的世界情勢。他與同世代的一般人一樣不太會讀中文，北京話也只是在大學學了一點的程度。他在《台灣民報》、《台灣青年》上看到支那、支那人、清國奴、讚美日本的論調等，就會拍桌子生氣。」

「對，對」S君一邊點頭一邊說：「我當家庭教師的那家華僑的主人也說，曾向台灣民報社或是台灣青年社打過抗議的電話。」

C君以吃驚的表情說：「支那、支那人、清國奴的講法，對你們上一個世代而言居然是擁有那麼重大反響的語言，我現在才知道。」

「啊！正因為擁有重大的含意，台獨派才把自己的憎惡感盡情地包含在那些侮蔑語裡擲給外省人＝國民黨人，雖然這是很不應該的事，但他們的心情是可理解的。不過我過世的二哥曾說：『用什麼話痛罵台灣的國民黨，那是各人的自由，但是我們台灣人同胞，以過去日本人殖民主義者、日本軍國主義者、日本帝國主義者曾經對我們使用過的侮蔑語，不加思慮、不加判斷地應用在中國人同胞身上，是不可原諒的。』他還不止一次地生氣痛罵

道：『他們真是低能！把國民黨即看成是大陸仔，簡直是太幼稚了。』」

「戴桑，你是否過於冷靜了？好像始終以旁觀者的立場在發言……」

「我只能這樣啊，本來我是血氣旺盛的人，你們已經燒得夠熱了，若我也激動，那還能議論嗎？哈哈！」

「或許你已經聽說過了，台獨派的一部分人說，戴桑表示了意見，暫且要以自由人自居，他們在嘲笑你呢。」

「王育德來過一封有禮貌但帶譏諷的信。我知道他們譏笑我、討厭我。但是像我這種立場的也應讓其存在吧。民主主義時代嘛！希望他們能同意，哈哈……少數意見對民主是很寶貴的，能理解這個對他們不會有損失。還有我要講清楚，那些人嘲笑我、討厭我是他們的自由，只是以為我是因客家出身而反對台灣獨立的這種想法，是完全錯了，也希望你們能搞清楚。因為是客家等的議論是沒有意義的，對那些人的議論不能共鳴，要把台灣搞好不是只有獨立這條路，還有國民黨員（人）即中國人、大陸人、外省人，我不這樣看，所以不參加他們的運動。福佬人也有很多反對獨立的人不是嗎？陳舜臣是其中一個，我嫂子是福佬人，她的家族對獨立也完全沒興趣，這是實際情況。本來我們這些獨立派以外的台灣人，自己明確否定自己是中國人的應該極少吧。」

「現在台獨派自己證實這一點。獨立派的大老廖文毅歸順國府，是自己否定了他們以往製造、鼓吹的台灣人非中國人說，而匆匆歸台的。亦即等於以行動證實，台灣人之上位概念有中國

人，中國人的範疇也包含了台灣人。真是的，怎麼會變節到如此地步。」

「C君你太激烈了，學農的怎麼這麼性急呢？我不認為他是變節，而是他們自己虛構出來的台灣民族論崩潰了，這是一個看法。另一個是國民黨上層與廖文毅之間有妥協的共通點，有引誘廖的什麼東西在那裡，所以他才會回去，才能夠回去。當然廖要取回被凍結的龐大私產的直接經濟利益的可能性也有，在兩者的矛盾趨於緩和之際，抓住機會回鄉治療疲於奔命的身軀與慰藉鄉愁而歸順也說不定。從政治面上來說，也可被看成國府在台灣的反共統一戰線的些許勝利。」

「分析得差不多了。不生氣才怪，絕對的！廖文毅就像把破布接起來一樣湊成一本《台灣民本主義》〔《台湾民本主義》〕，由自己統率的一小撮人在築地〔譯註：日本東京〕捏造了台灣共和國臨時政府，大搖大擺地自己坐上總統寶座的人物吧。作為政治家的道義責任他們是否考慮過？現在有流言在傳播，他們一夥在觀察國民黨對其頭目的待遇如何，才決定自己的進退。他有虛名，又是台灣的大地主，所以可與政府討價還價，然而受其言行的影響，受圇圄之災在牢裡呻吟者又該向誰訴苦呢？我與台獨無關，但作為一個台灣人，我要發出譴責的聲音，作為歷史的紀錄也需要如此。真是令人感到羞恥！畜生！」

「你看！又在激動了。據消息靈通的人說，廖（1965年5月14日歸順）在回台灣之前已經完全沒有力量，經濟上也很困難。以台灣青年社為首的年輕世代也無視於他的存在，被說成完全是失落一代的存在。本來就不是了不起的人物，所以也不必生那麼

大的氣。當然要追究他們道義上的責任，我想也有相應的意義，
但如果認為他們對台灣人有很大的影響，那是評價過高了。我曾
經讓你讀廖的《台灣民本主義》與邱永漢的〈不要忘記台灣人〉
〔〈台湾人を忘れるな〉〕（《中央公論》，1957年7月號），
你曾不齒地斷言其為毫無意義的廢話，你還記得嗎？」

　　「記得，記得。」

　　「對不對，看你的拒絕反應，就可想而知年輕一代大概都沒
有把他們當一回事吧！」

　　「請稍等一下，我不願意那麼簡單、單純地想。應該還是有
看到他們所論而產生共鳴的人吧。在我們之後的世代是沒有的。
有的話就是跟他們同一世代或之前的世代，而且是屬於在殖民地
時代，沒有或很少遇到過刁難的階級或階層的人的一部分，我是
這樣看的，S君，你呢？」

平林たい子也生氣

　　「或許可以那樣看。但應該是不分世代的『哈日』一夥對他
們的所論──特別是邱永漢所寫的──具有某種程度的共鳴。有
趣的是，日後知道廖的『叛逃』的日本女作家平林たい子，好像
曾拍著桌子大發雷霆說『台灣人信不得』。雖然這是從某評論家
處聽來的，尚未經第三者的確認，但好像平林たい子相當認真地
支援廖一派。『台灣人信不得』等的確像是脾氣暴躁的平林たい
子的說詞，但像我們這麼傑出（？）的台灣人也有，不分青紅皂
白是不對的，哈哈！」

「這是很愉快的小故事。說實在的日本人很老實，容易相信別人。而且如果一旦讓他相信了，就連懷疑都像犯了罪似的被自責所苦。因善意的人多，廖文毅也真不通人情，應該向人家打一聲招呼呀。」

「戴桑，你想得太天真了。事前打招呼，如果祕密洩漏就糟糕了，即使廖有那意思，我看實際上也是做不到的。這暫放一邊，我可不同情平林たい子。她有頗長的左翼運動經歷，作為女性作家也屬一流者。如果讀或聽了廖的言論，應可簡單地識破的呀。」

「我要提出不同的看法。我不認為平林桑沒有識人之明，沒有看穿《台灣民本主義》的虛構性。我寧願認為她具有那眼光與能力。其實問題不在這裡，問題在於有像平林桑這樣的日本人，即多愁善感的，在感情上不管史實如何，主觀地要相信台灣不是中國的一部分。反共的人又加上一層意識形態的外衣，即不願意讓中共拿去、被中共拿去就不妙這個心態。而對自己曾統治過的舊殖民地台灣擁有親近感與不捨之情，這是人之常情也可理解。特別是長期以來李承晚政權崩潰之前的韓國，以及在日韓國人告發日本人在殖民地統治時期的罪惡的情況下，日本人需要一個『拯救』與『出口』。台獨派的言行恰恰合乎他們的需要。台獨派一方面說，日本殖民地時代比光復後好，提示日本統治使台灣經濟發展，促進台灣的近代化；另一方面是出於為了實踐政治課題的部分需要吧，他們懇請同情他們的日本人，以及曾經以某種形式與台灣有關係的日本人的支持。日本人當然感到舒服，『窮鳥入懷』極符合日本人的美學意識，所以有一部分日本人奮力相

助。在台灣的『成果』，受被統治的台灣人稱讚的日本人的『過去的治績』，這是可當作『回歸亞洲的勳章與可誇耀的東西』，十分方便。或許是在這種時潮與複雜的心理狀態下，平林桑使自己的眼睛模糊，也使自己客觀的判斷力遲鈍或喪失的吧。事實上此後，在亞洲開發論中出現了台灣模型，日本的台灣治績被大大地宣傳利用。」

　　三藩市中國城是北美最大的中國城，附近的「華埠假日旅館」大廳開始熱鬧起來。兔女郎赤裸的腳線美使人分心。戴又叫了一杯咖啡。

接連不斷的台獨派歸順

　　叫的咖啡來了，喝了一小口，點著煙斗，深深地吸進一口，戴再度回到回憶的大海中。繼廖文毅的歸台，進入1970年代是簡文介（在當時的台灣共和國任祕書長，繼廖之後的第二號人物，著有《台灣之獨立》〔《台湾の独立》〕，1962年，東京有紀書房）、邱永漢（坐上「財神爺」寶座之前，特別是在1950年代後半在日本的論壇，尤其是在《中央公論》上熱烈地展開台灣獨立論）的歸台，還有一度取代王育德而當過年輕台獨派總帥的辜寬敏（台灣獨立運動家，民進黨黨員，現為民進黨政權資政。1895年引導日本台灣侵略軍進入台北城而發橫財的辜顯榮之子，又辜顯榮因其「功勞」，在1930年代被任命為當時台灣人唯一的日本貴族院議員）「歸順」國府（1972年3月1日）等許多消息。在東京的台灣人系華僑界熱炒一時的各種新聞，那一幕幕像幻燈片般

在腦裡浮現又消失。

他絕忘不了1972年初春的一個早上的事情。

與辜寬敏立場相近的R先生突然打來電話，說要見面。

對於R先生的台灣獨立理念、主張，以及他盡可能快速地把獨立付諸實施的理論，戴不能贊成，但喜歡他的人格特質，現在還是喜歡。從局外看，台獨派裡頭有的只是為了製造滯留日本的理由而參加運動，被看成只是為了賺錢的也有、一心一意製造政治交易「資本」的等，也就是說動機未必純粹的成員好像也有。與此相比，R先生是用自己的錢，把親子之間的「情絲」切斷，而且謝絕當時得之不易的大學專任職位，志願當職業革命家。

「在你們目前的主張或理論的框架內，無論你們再怎麼努力，台灣獨立運動也不會變成革命。」戴辛辣地加以批判。又表明：「你們的『台灣民族論』是民族不存在的民族論。我認為台灣人是實際存在的，但台灣民族是實際不存在」的意見。並對R先生所謂應趁中國大陸的原子彈、氫彈還未製造出來之前搞獨立，不然就絕望等類的台灣盡可能快速獨立論，也曾這樣反駁過他：如果獨立有其大義名分，又居住在台灣的居民中大多數人真的渴望台灣獨立，主動追求，那麼原子彈、氫彈也不是問題。對於台灣海峽太狹窄，從地質學上來說，中國大陸的壓力即使台灣獨立了也無法頂撞回去的一般看法，R先生陳述了與當時的邱永漢大致相同的理論。美國的國家利益最終是與台灣人的利益一致，所以可得到美國的支援與保護，R先生如此主張。正經的獨立仰仗外力是無法達成的，戴強調了這一點後並給予忠告：「美國要的是台灣這個島而不是台灣人，希望不要忘記這一點。對台

灣人施予仁慈的『救世主』之類的，在國際政治的權力決鬥場上是絕對不會出現的。對美國而言，台灣只是一顆『棋子』而已。因此，應該切忌對其抱有幻想。」那是1960年代的前半，美國還未開始對北越轟炸之前，當然也是文革還未有徵兆之前的事。

經過三年或四年之後再見面時，R略顯憔悴，但身軀經過鍛鍊，雖已是人到中年但肚子尚未鼓出，還保持著結實的身材。

我請他到上班地方附近的中國料理店，叫了一瓶啤酒與麵。

乾杯後他以有些落寞卻認真的表情告訴我，他已脫離了台獨組織，以及辜寬敏歸台一事。然後以淚聲加了一句：「戴桑你比較聰明。」他沒有半句埋怨的話。他淚流滿面地說，自己已盡其所能，但最終還是不行。

R先生的眼淚所訴為何

因為太突然，而且是始料未及的R先生的「眼淚」，讓戴感到無限困惑與痛心，等他鎮靜下來才開口：

「原來如此，你的雙親與妹妹都還好吧？可是，你剛才說，我比較聰明……，意思如果是說，我對相關台灣情勢分析正確，目前發展正如我所預見的在變動的話，那麼我接納你的發言；如果不是我就不能接受。世上有不負責任的風評，說我巧於鑽營，好像有人這樣評論我，我相信你不會這樣看我。和你相識15年了，我一次也沒有改變我的想法與生活信念，這個你比誰都清楚吧！變的不是我而是政治情勢。」

R君點頭表示同意，然後大口地歎氣，咬牙懊悔道：「啊！

這十年間，我一直不斷地追求著試圖透過自己的手實現《出埃及》（*Exodus*，以以色列建國的艱辛軌跡為中心思想的電影）那最高潮的夢想。見鬼！完蛋了！」

他的「淚」讓戴感到膽怯吧，戴避不再談猶太人與台灣人之差異。

想起了與戴同樣對R之人品抱有好感的——好像現在也未改變——妻子對R君的評語：「R桑是台灣的唐・吉訶德（Don Quixote）。台灣留學生界與台灣人華僑界社會的桑丘・潘沙（Sancho Panza）之類人物太多，他是珍稀的存在，我們應該私下善待他。」這是某日夫妻間的對話。

戴在思考。如果不是浪漫主義者就不會志願當職業革命家吧。不，話雖如此，為何R君會如此這般地喜歡玩弄形式理論呢？說不定是不自覺的也未可知。由於被疏遠、不被理睬，為了安全而透過歸屬於自閉排他的集團可以少受批評，用同夥的語言在壁上畫餅充飢吧。應該不至於如此，但讀了他們的議論，讓我禁不住有這種想像。

對於我的台灣共和國建國不可能論，R君提出猶太人的以色列建國事例加以反駁：「他們離散二千年之後終於實現了夢想，不是嗎？我們不必自己充當敗者！」

讓頭腦冷靜一下再做比較也好。

台灣人與猶太人不同

原來西元前10世紀以前就有以色列王國的建立。我們的「台

灣國」又在歷史上的哪一頁可以尋找出來呢？人們可能會把在甲午戰爭戰敗後，因為反對「割讓」台灣，在台的官紳為了引起國際干涉與清朝一部分勢力的救援而宣告獨立，但夭折的台灣民主共和國牽引出來也說不定。

　　唯一的史例是頗欠缺實體的共和國，雖然其存在不到16天，根本不值得一提，可是台獨派以「具有強烈的民族主義而成立的」共和國等來強調其在台灣史上的意義，並將之設定為台獨運動的原點而極力宣傳。試想以永清（清朝永存之意）為國號，擁立清朝最後的台灣巡撫（最高行政長官）唐景崧為大總統的這種獨立宣言，再怎麼讓步也不能認為當時已有獨自的、具有強烈的（台灣）民族主義的實體之存在……。

　　「戴桑，史例沒有建國之例就不能造新國的規定，在『國際法』上當然不會有吧，所以我們在努力。」數年前我們看到的R君顯得意氣軒昂，令人記憶猶新。記得當時R君一時深深地傾向於精神主義中。

　　查一下關於猶太人建國主體確立的具體過程應該是會有幫助的，一時想給他建議，但是不知不覺間又感受到他有可能認為我是在擺老資格的氛圍，而把已經快說出口的話給壓下來了。

　　猶太復國主義、以色列建國的熱烈氣氛，每每看到在一連串的中東戰爭中以色列或海外猶太人的能量顯現之時，我們不得不回想有史以來對猶太人在人種、民族、宗教迫害的堆積之「厚」。

　　戴有些傲慢地將此作為動與反動的精采辯證法美學的一個表現來看。

　　結合猶太人的紐帶，第一是長久的迫害與歧視的歷史，第二是作為猶太教徒末裔的意識。讓猶太人意識自覺與持續的要因，與其說由猶太人之「內」，不如說從圍繞猶太人之外面的社會可以看出更多。沙特（J. P. Sartre）說得妙：「因為被別人認為是猶太人，所以就變成了猶太人。」

　　讓我們回過頭來思考一下我們台灣人吧。

　　台灣人是一塊磐石嗎？不！本來台灣人作為一個概念而形成是最近二、三十年的事，要達到成熟的境地還需要相當長的時間。

　　在台灣人的概念上，欲附加更多「政治」意義的人，常主張台灣曾在荷蘭、西班牙、清朝、日本帝國主義等異民族統治之下，並且強調現在的國府統治也是外來民族的統治。有趣的是，展開此論調的人不願碰觸到自己的父祖曾是與鄭成功一體，或是與在此之前的「海盜」（我願定位為武裝交易集團）夥伴採取共同行動，或者是隨著清朝開始在台灣的統治而入台，或是因清朝在大陸的惡政（包含太平天國運動失敗的客家）而尋求避難與「求生」的機會來台等。關於我們父祖「外來者」性格的一面不願多談。父祖們是登陸到高山族之島的台灣，行占領、侵蝕、開拓的擴展，然後再確立了漢民族在台灣的優勢性是表面的史實。高山族曾以「出草」行為進行反覆抗爭而最終敗北。結果是被強加上「蠻人」的蔑稱而趕入山上與邊境地帶，這才是隱流於背面的真正歷史。

　　嚴格地說，荷蘭與西班牙的占領台灣，對台灣全體而言，無論在時間上或是空間上都只不過是擦傷程度之事而已。

　　問題是在如何掌握清朝的台灣（1683～1895年）。漢族系移住者在該期間中，對高山族系原住民確實是加害者，並且只是外來者集團而已。漢族系的我們應該承認此段史實。對漢民族來講，採取民族歧視政策的的確是異民族的滿洲族清朝政權，但是在邊境的孤島台灣，旗人、滿洲族高官不曾來過。統治者並非異民族，而正是同民族的漢族出身者被編入滿洲王朝，而變成其買辦與爪牙在統治台灣，這種看法是比較接近史實的。

　　甲午戰爭之後日帝的台灣統治又是怎樣的呢？日本帝國主義的統治體制，與封建王朝清朝的結構是完全不同的。作為「暴力部署」的國家權力，其行政面的到達範圍也顯著地強力且規模更大。台灣的近代‧近代史上，對漢族系台灣人來講，名副其實地由外來民族進行統治的，除了這一時期以外就沒有了。

　　台灣總督府當局制定了戶口規則（1905年12月26日，台灣總督府令第93號），把台灣在住島民稱呼為本島人，把本島人在戶籍制度上又分類為福建人（前述閩南人、福佬人）、廣東人（對前述客家人的誤認稱呼）、其他漢人、熟蕃及生蕃，而嘗試進行分割統治。

　　伴隨著時間的經過，清朝以來的漢族系移住者與高山族系原住民間的經濟利害與感情對立，雖然可說已趨於淡薄，但經過日帝全統治期間被遺留下來了，那也是當然之事。本來日本當局的意圖是隔離兩者，所以在政策上也刻意阻礙其相互接觸，幾乎不給予或不促進兩者接觸。

　　漢族系移住者間的狀態又是如何呢？「近代」以前的任何國家、任何地域內均可說是極普遍地存在地域主義的對立，在台灣

也有過。

閩南系與客家系之間的械鬥，閩南系內部隨著泉州、漳州的出身不同而出現的抗爭也存在。但可以看到泉、漳之間的對立抗爭相對而言較早解除，這是值得評價的。大敵日帝的壓迫與日本當局的福佬、客家離間策，使他們相互自覺到自己的立場，可說相反地促成了閩南人的一體化。福、客的對立抗爭不容易緩和的原因，雖然因有日本當局的離間策，但是福、客在清朝以來，不，在大陸原鄉以來就持續擁有的語言、風俗習慣、衣服髮型——尤其是婦女的衣服髮型——有顯著的差異，這些都形成了隔閡。此外，戲劇、音樂、供奉的神明也不同。此中最為顯著的差異是閩南話與客家話在語韻上的不同，幾乎不能相通。因此直到光復時，通婚也僅止於上層階級與最下層的一部分有著極少數的例子而已。

日本統治的50年間，在台灣的殖民地開發得到了進展，結果是島內統一市場（高山族居住區的特別行政區除外）有某種程度的圓熟，但島內地域主義的對立抗爭，以及福、客感情對立尚未能達到充分解除的程度。

台灣內部在日本統治期間雖有頗多的抗日運動展開，但因為有中國大陸這個「避難港」，所謂「曲線救國」的「藉口」與「避難所」的客觀存在，因而本島人大同團結，全力抵抗日本統治的走投無路狀況，始終不見顯現。本島人的概念作為日本統治的結果，是由「上」強加於人的。因為是被強加的局限吧，本島人的範疇在其概念中，未能達到具備一個精神的、文化的統一內容的程度。

　　台灣從殖民地統治下被解放，復歸祖國後，可以看到本島人的用語自然地消滅，不久便由本省人的用語所取代，台灣海峽間的往來被政治性、軍事性的切斷後，特別是1949年10月1日的北京政權成立後，台灣人的概念漸漸地被培育起來。

　　國民黨在台灣的「黨國一家」統治體制，與為了保持「法統」與政權目的，凍結中央民意代表選舉，為了反中共而施行的總動員體制與戒嚴令，與之伴隨而來大大地限制結社與言論自由的結果，使得台灣省民的政治參與明顯受阻，也被奪去完全平等的公民權行使機會。

　　由於國民黨的台灣統治與台獨派所譴責的殖民地統治完全不同，台灣省籍的年輕世代可以平等地接受高等教育，所以由自己的胎內生產出眾多憤怒的年輕人。

　　1960年代後半開始的高度經濟成長政策，因為沒有限制職業，使得台灣省籍出生的有錢人出現了，他們當然也被黃金所迷惑，寄身於權力者的周邊。他們的子弟相互通婚，正是資本主義的發展，替他們把相互間地域主義的「鴻溝」填平了。在「鴻溝」被填平過程中，美、中開始接近，圍繞台灣的內外情勢，製造出容納曾是疑似日本人的一部分舊世代台獨派歸順的基礎。他們在創造台灣人的民族自我認同（national identity）上失敗了，不，是放棄其意圖了。

　　憤怒的年輕世代與其疑似日本人的父親、祖父世代，在精神上保持了相當距離的情況下成長起來。他們早已不像父祖的世代要透過日語——不但用做溝通的手段，也包含價值的一部分——以及透過日本殖民地主義強賦的價值觀與體系來看世界或給自己

定位。他們透過中文，擁有了自己的語言。終於出現可以用自己的語言來想、來寫的強而有力的新世代。

他們把自己的父祖叫作「日本人」，來做思考方式不同的自我確認。而他們已開始行動起來了，把自己得來的小小「武器」用來打破傳統的手銬腳鐐。此世代確立了主體性的年輕作家、政治家，開始自己摸索出不被時代潮流所沖走而成為時代潮流的中流砥柱，以及真正地值得活、值得用青春做賭注的生活方式。他們把自己叫作生於台灣的中國人，非常坦率地表現自己是台灣人同時也是中國人（《莎喲娜啦‧再見》【田中宏、福田桂二共譯，湄公刊行，文游社發售】的著者黃春明即為其中一例）。

猶太人被放逐而離散，相比之下台灣人是用了將近四百年去侵蝕「他處」，現在已把自己的鄉土造起來了。在外國的大多數台灣人並不是被放逐而是自己放逐的滯留結果。台灣人所受到的或者說是正在受到的歧視與壓迫，在規模、質量兩方面比起猶太人來都差得太多。所以由此惹起的憎惡與敵意，不足以成為民族自我認同的紐帶，即使是當作能源也只是極微弱的存在而已。

可是R君的眼淚又意味著什麼呢？他所提出的理想，所提示的理論，挺身實踐的種種事都成了虛空，其結果是未導向任何目標之後的懊悔之淚嗎？或者R君對曾經奉獻過青春的「情人」告別之淚也說不定。又或者他是把做不完的夢，對「情人」的思念，理性上是捨棄的台獨運動，但感情上是今後還要繼續愛它而所流的眼淚。戴保持「士人」的禮節沒有勉強深究。

「對不起，讓您久等了，我要介紹我的朋友W博士夫妻。」

說要去打電話而離開的C女士，帶著友人夫婦回來了。

「W博士說，在史丹佛大學的胡佛研究所（Hoover Institution）圖書館讀過戴桑的著作，我才知道戴桑有好幾本著作。是在到這裡的途中W博士向我說的。」

戴搔搔頭說：「啊啊，都是些雜書，又都只以日文發行，所以不能讓像C桑這樣的年輕人讀真可惜。」一邊靦腆地遞上名片給W先生。

「因工作的關係我去過日本兩次，都是短期的停留。1973年停留半年，1975年是從1月到鯉魚旗飄揚的5月中旬都在東京。得知戴桑的大名是1973年的事，緣於跟朋友借讀您最初的評論集《與日本人的對話》（社會思想社，1971年）。〈日本統治與台灣知識分子〉讓我很感動。在您面前講很不好意思，把家父的生涯與某副教授重疊起來，教我不免有良多思緒，竟重複讀了三遍。因此對戴桑所寫的東西開始關心。我專攻化學，所以把吳濁流桑的小說當作消除疲勞來讀。最初是讀台灣版的中文版，老實說中文並不好，一直有不成文學之感。」

「他已過世了，可向你說實話，吳桑除了漢詩以外的文章全部是用日文寫的。所以，他的中文版只不過是借朋友之手翻譯而成的東西而已。聽說他很小心，處心積慮不讓文學青年，特別是血氣旺盛的一夥捧上台。當然又是頑固老人，自恃很高，所以也有被年輕的一夥敬而遠之的一面。因為有諸多緣由而不得好翻譯者吧。」

關於吳濁流

「是這樣的啊！原來生硬的中文不是他的文章啊，我也不知原委，聽說他的書在日本出版就訂購了。是與戴桑的評論集同一出版社的《黎明前的台灣——來自殖民地的告發》與《泥濘》。這兩本，書名很好，特別是第二本《泥濘》真好。刺痛了我的心。」

「那麼，讀了日文版，你覺得如何？」

「文章的確比中文流暢，可是作為文學作品是否稱得上十分成熟呢！他的漢詩集我也讀了，並不覺得是上好的。」

「老公啊，你今天太苛刻了，我則要給他不同的評價。不管怎麼說，吳桑是很有勇氣的人。在那嚴酷的台灣，真可謂是難能可貴地留下了《無花果》（以二二八事件為題材的小說），我們應該感謝他！C桑你認為怎樣？」

擁有生化學博士學位的W夫人打破沉默加入談話。住美國的台灣女性風度都很好，既謙恭，又能明確主張自己的意見。與此相比，留學日本的台灣女性，好像住得愈久變得愈謙恭的同時，也變得愈來愈寡言似的，是不是與外界的接觸減少，也慢慢地染上日本的風氣呢？在等C桑反應的瞬間戴聯想起妻子美美的事。

「在講誰呢？哦！是吳伯伯的事嗎？聽家父說吳伯伯是了不起的人，然而在台北也少回鄉下了，我也上大學住宿舍，所以差不多十年沒有見面了。他的作品引起那麼大的問題嗎？真嚇我一大跳！」

「所謂的丈八燈塔照遠不照近，就是指C桑之類吧。哈哈。

儘管被看成八面玲瓏絕非好事，但我認為W桑的看法與夫人的評價雙方都對。其實不是我，而是吳老自己那樣評價自己的。他的書在日本的出版上軌道時，與數位日本友人一起去做溫泉旅行、吃飯等。有一天，受有關亞洲方面著名的日本人W桑之邀赴赤坂的日本式酒家聚餐。大概是因為氣氛好吧，吳老以自作的漢詩用客家話吟誦。有幾次他興奮得不能自已，以客家話流著淚對我說：『本該更早用心學中文的。我的日語與中文都是半調子。我恨殖民地統治、我更恨二二八事件，我憎恨那潑涼我學習中文熱的事件。』」

「那麼說吳桑對台獨有興趣？」W夫人急切地提問。

「完全不是。曾有一段時期東京的台獨派好像捧過他，似乎把他主辦的《台灣文藝》雜誌，看成彷彿與他們的理念一致似的期待過。但是他在我家看了廖文毅、邱永漢、王育德等的著作與論文後，說與他們不對盤。決定性的不同是，對日本殖民地統治的評價與對二二八事件的看法有很大的分歧。吳老對邱永漢的文采給予很高的評價，可是晚年卻對歸順後的邱永漢的所作所為，持非常嚴厲的看法。聽說在酒席上有時把邱永漢罵得體無完膚。」

「能不能講得更具體一點？」W桑夫妻異口同聲地懇求道。

「如果讀了《亞細亞的孤兒》（新人物往來社，1973年），還有《泥濘》書皮內頁影印的吳老自作詩的後半首：『半生荊棘遺民淚，誰解傷心一老蒼。』與《亞細亞的孤兒》的解說〈殖民地體制與「知識分子」──吳濁流的世界〉〔參見《全集15・吳濁流的世界》〕的末尾引用吳桑的詩：

回憶淪亡五十秋，爲奴半世愧前羞。

幾多憂憤言行外，借問同胞記得不。

　　如能仔細吟詠就能明確知道他是如何感受日本的殖民地統治的。他不是搭時代便車，而是要嘗試著透過與日本的殖民地統治遺制的對決來完成自己作為台灣人的自我認同，我是這樣看的。」

　　「戴桑的這篇解說我在學校的圖書館讀過。」

　　「謝謝！還有，吳桑對二二八事件的看法大部分都寫成作品收在《無花果》裡了，他說他已盡可能寫到最大的極限。有個小插曲，他擔心自己或許會被抓，所以《無花果》開始在台灣刊行的時候，他就到外國旅行，結果無事。但發行不久作品就遭禁。」

　　「有這麼有趣的祕聞啊，老吳是位堅毅的老人哦！家父常誇獎他，是否也包含這些事在內呢？」C女士好像也漸漸開始感興趣起來。

客家人、台灣人、中國人

　　「應沒有包含在裡面吧。那是你出國後的事情，與國民黨當局的緊張關係在台灣內部是不隨便講的。「堅毅」大概是指與日本人抗爭的事吧。這一點在《亞細亞的孤兒》裡寫得很詳細。暫且不談這個，現在讓我講一下我對吳濁流的評價。作為紀錄者的吳桑，還有他在極限的狀況下努力地活下來，我給他很高的評價。可以說他的一生幾近完全燃燒。他雖然出身客家，但並未受

狹小的族群出身所困，反而將此轉化為榮耀，更以此為原點，寫出骨骼結實——雖然還稍欠精緻——的作品。他的想法基底裡有艾力克斯‧哈雷（Alex Haley）的《根》（*Roots*）、張俊宏〔譯註：美麗島事件入獄，前民進黨祕書長〕的〈草地人〉一般豁出去與從草根出發的構想，其實是有其共同的東西。讀他的作品，常常會遇到以客家話表達老百姓感情的章節。這非常好。我的理解是，他對自己的客家人出身抱著無限自豪與依戀同時，終其一生果敢地追求台灣人的自我認同。然而他並不止於只當台灣人。他的漢詩世界足足有餘地告訴了我們這些。吳老把自己的認同——心靈的依據——求之於『唐』，所以時而划船徘徊於漢詩的浪漫之中。他的心路歷程，最終應是及於全中國，這樣想是不會錯的。濁流翁是在尋求作為中國人的自我認同。他既不肯當『投機文人』、也不肯當『文化幫辦』。王育德是領悟到了這一點吧。在自己主編的《台灣青年》雜誌上，自以為是地發表文章嘗試批評吳濁流。我把那些批評拷貝下來準備寄回台北，因吳老的驟逝而作罷。失去與吳老一邊喝酒一邊聽其反駁的機會，真是太可惜了。」

　　沉浸在濁流翁的回憶中談吳老，談著談著，不覺寂然。在讀賣遊園前，繼之西習志野的敝舍，與翁徹夜議論，配著妻親手做的菜，喝茅台、五加皮等名酒。

　　東京會故知，狂飲五加皮。
　　大嚼罐頭鴨，舉頭明月光。

便是那時的即興詩。

又與瀧川勉教授、小島麗逸、加藤祐三諸兄共遊湯河原溫泉也彷彿是不久之前的事。也許是霧一般的小雨，挑醒了翁的詩興，他留下了四首長詩：

嶺上層層繡綠黃，清流河畔聽丁當。
一行步入山中去，園裡無人橘柚香。

溫泉浴罷旅塵消，醉飲清談樂一宵。
一曲狂歌驚四座，那愁徹夜雨瀟瀟。

新鮮空氣透胸心，早起忽聞鳥百音。
捲起窗簾山上望，橙黃橘綠樹森森。

浪漫多情詩酒花，鵬程萬里在天涯。
相逢初識猶如故，友誼纏綿忘返家。

我們四人難捨惜別之情，送翁到羽田機場。翌週的感謝信中，附了一首像是機上所吟的詩：

欲別言難盡，臨岐苦笑多。
歸心急似箭，無那唱驪歌。

懷舊之念如泉湧出不知何時盡。對！我想起了對翁的許諾。

不可如此悠閒了！戴伸直了項背把心收回來了。

「可是戴桑，聽說吳先生晚年變得相當自負、傲慢……」W博士難以啟齒似地提問道。

「是否傲慢不大清楚，只聽說變成自負得意。然而有心人好像是看在他的經歷與高齡的分上，把它當成是吳老稚氣的好的一面來看。然而他受人慫恿，立了吳濁流文學獎紀念碑（台北市內湖金龍寺），對此我激烈地批評他。文學獎的名稱在先生在世的時候，當然應稱為台灣文學獎。先生享天年之後，冠不冠吳濁流之名應讓後人決定。至於紀念碑，不知是以何種感覺建立的我不能理解。他被說得不知如何是好。之後小聲而無力地跟我說：『如果在台灣，在我身邊能有像你這樣把意見和批評率直地向我說的人那就好了！』吳老的這句話，讓我感到還有些許可救，但說實在的，我心裡不平靜。台灣人的我們的夥伴，為什麼會有如此多『大頭病』的患者。我感歎吳桑也是此中一人。」

「真是無可救藥。最近讀了王育德的《台灣語常用語彙》，讓我大吃一驚，著者簡歷怎麼自己介紹是『台南市世家出身』。還有彭明敏〔譯註：原台大教授，印《台灣自救宣言》被捕入獄，釋放後逃出台灣，曾任民進黨政權的總統府資政，現為台灣國際法學會榮譽理事長〕的回憶錄 *A Taste of Freedom*（中文版譯為《自由的滋味》）我也讀過，自負為『秀才』、名望家，菁英意識的臭氣衝鼻，實在很難受。可以說只要他們掌握台獨運動的領導權，國府台灣淨可高枕無憂地放心睡午覺。」

「老公，你收斂一點吧，一衝動起來就進行人身攻擊……」W夫人再踩剎車。真是有趣的一對夫婦。

「弄清個人史的背景，那是不成問題的。傷害自己來自我確認，也就是說，以自省為前提把自己家族的背景提示出來，那應是有收穫的。可是我們的前輩與同輩所做的，如果僅僅是停留於完全異質的『大頭病』之類的話，只能是沒什麼結果吧。國府能否高枕無憂是小事，更重要的是，如果不能克服台灣人的這種體質，實現有關精神上的自立在相當一段期間裡是沒希望的，這一點是洞若觀火的，我們應留意才好，有關這一點我想我們最好彼此都應加以確認。」戴邊回答邊想起從T大的日本人同學與教員處聽來的傳言，不忌諱地自稱是未來台灣共和國經濟企畫廳長官的K君，為了推薦自己的妻子而告訴 I 教授，自己是台灣貴族出身之H君等之事，「大頭病」患者的例子不勝枚舉。台灣人在東京的高學歷者追求的群體認同（group identity），顯現在如此低水平的一面，實在令人無限慨歎與痛心。

「W桑賢伉儷與C桑，現在輪到我求教於你們了，拜託。來三藩市之前，我繞道去了溫哥華數天。溫哥華的朋友送我陳若曦（台灣出身的作家，留美時與段世堯結婚，1966年文革中回中國，1973年從大陸移居加拿大，以在中國的生活體驗為題材撰寫小說與回憶錄而成名）的《尹縣長》（台北：遠景出版）、《文革雜憶》第一集（台北：洪範出版）與顏元叔的《離台百日》（台北：洪範出版）三本書。昨天晚上才全部過目。你們讀過嗎？」

「顏元叔，他是我的老師。《離台百日》是他在紐約大學水牛城校區當客座教授時，以在美生活百日的體驗日記集成冊的吧。」台大外文系出身的C女士一口氣回答道。

「是這麼回事，希望妳告訴我，是如何看這本書的。」

「在我的記憶中，那是很一般的自我顯示，以及望鄉之念的羅列而已。」

「我不覺得是那麼單純的一本書。文章流利不在話下，如此赤裸裸地把1976年8月起百日間的北美中國人學者、研究者、留學生界的動態描寫出來的書，在我所知的範圍內，到現在還沒有。他是小我兩歲的所謂外省人，某種程度上吐露了做為住在台灣的外省人的自身心境。應該留在台灣，還是移住美國的猶豫也坦率地寫了出來。還有他講演的時候，講他愛台灣，而席上有人質問他不會講台灣話如何愛台灣，他感到不知所措而苦笑的情景也被記述下來。這一段很有意思。或許是我讀過了頭，我想新型外省人的出現，可從顏先生的身上看出來，不知你們的看法如何。還有貫通全書的，對北美的全中國人社會來自中國大陸的無言壓力會有如此濃厚，這一點我一直不知道。」

「原來如此，可能是因為我們住在美國的反而燈前黑，以及美國太大，又互相太忙因而沒有意識到也未可知。今天能和戴桑見面真是好極了。」W夫人這麼說。

「謝謝！見過陳若曦嗎？」

「聽了她的演講，也看了她的書。專攻自然科學的我，對文學能談的不多。我吃驚的是，雖然她經歷了那段『異常的大陸體驗』，但對中國、中國大陸、中國人卻完全不懷有幻滅感。我覺得她透過作品，批判了主宰文革的諸人物，甚至嘗試著批判文革，但對中國農民、中國人民不捨之情卻是真真切切的。同樣是閩南系台灣人女性，她與外省籍的段世堯結婚，此事就很不平

常。不止於此，她堂堂地赴大
陸，而且是『回歸』文革中的
社會主義中國去尋求自我認
同，我不但吃驚，且完全敬
服。」

台灣女作家陳若曦（文訊資料室）

　　「這麼說起來也是。她比
我們小七歲，出生於1938年，
從幼稚園開始就完全受中文教
育，所以就不帶『日本帝國主
義』的尾巴。從而對她是台灣
人也是中國人這個事實，能夠
不感到任何疑念與芥蒂地生
活，寫成文章。在某種意義
上，可將她的世代看成是開始確立自己的語言的世代。或許可以
說是我們父親的世代，一方面是二二八事件的犧牲者的同時，另
一方面又以此二二八事件為藉口，將代罪羔羊的角色強加於所有
的外省人身上，從而把自我認同一天拖過一天的。然後他們把本
來是因為出生在台灣、所以是台灣人這個極為單純的用語，賦予
無止境的『政治義涵』，想躲避在自己所造的『台灣人』這個不
真實的框框之內。僅限於這一點來說，他們也還不能由衷徹底地
當台灣人。可是陳若曦不是這樣。她是由衷的中國人，所以能由
衷地主張自己是台灣人。把她吸引去中國的是什麼，『血緣』
嗎？思想嗎？文化嗎？不，說不定是無數的美麗山河。不管如
何，她是以閩南系台灣人之一員的中國人去徹底弄清楚民族的證

明，成功地將這些體現在自己的行動、作品上的，是不是可以這樣評論她。」

W氏溫和而有力地徵求他夫人，以及C桑、戴的贊同。

戴一邊聽著W氏的議論，一邊想著自己客家系台灣人的過去與現在，再是台灣省籍中國人，或者將來也繼續是如此，這到底意味著什麼？他強烈地感到一股深深的反問衝動由衷而發。確保安定的自我同一性，在台灣更包含中國大陸的全中國，將來更擴大到全人類的實現，他一直在描繪著這個夢。

那營為或許會迎來幸福，或許會招致不幸。但他已不準備退縮。因為他一直認為無根、不認祖的人的行為是最為不屑的。

繼陳若曦，又讀了黃春明、王拓等台灣作家的一連串作品後，正當他為出現強而有力的世代而欣喜時，把H君的來信重新看了一遍。這一篇很長的文章，實際上是對H的回信，也是戴在一邊傷害自己，一邊做自我確認的漫長過程中，在現階段的一個總結的證言。

心靈的依託——尋找自我認同的旅途是險峻而遙遠的。

本文原收錄於戴國煇，《台灣與台灣人》，東京：研文出版，1979年11月10日，頁2～46

《台灣往何處去》：東京，研文出版，1990年11月20日初版。

分析第三次國共合作的可能性

◎ 龐惠潔譯

前言

　　關於今天這個主題，我曾經多次接到報社或雜誌社邀稿，但我總以「這個問題太腥臊」為由婉拒，今天其實是我第一次在公開場合針對這個題目發表意見。對此，我一方面要感謝竹藤（福岡UESCO〔譯註：聯合國教育科學文化組織〕協會）事務局局長，另一方面，對於自己非得談論這一個，套句中文來說是十分「敏感」的主題不可，我心裡頭倒也不是沒有幾分埋怨的（笑）。

　　今年（1982）2月10日即將發行的《中央公論》三月號，裡頭刊載了「台灣的現狀與第三次國共合作」座談會紀錄，內容雖然不像今天這麼詳細，但我也於會中列席發言。如果大家有時間的話，不妨也參考看看《中央公論》的內容〔參見《全集19‧亦談海峽兩岸問題》〕。

　　今天的主題雖然定名為「環繞台灣最近的動向」，但我希望能從涵蓋兩岸──這句話在日文中尚未普及，但對台灣與世界各

地的「華僑」界及中國大陸來說，「台灣海峽兩岸的問題」已經是人人耳熟能詳的用語，也就是關於台灣海峽兩岸問題的這個說法、觀點來進行今天的演講。

　　我是在1931年時，出生於當時還是日本殖民地的台灣，從公學校（只供台灣人就讀的小學）到戰爭結束（中學二年級）為止，我接受的都是日本教育。戰爭結束之後，我在台灣接受了國民黨教育。1955年秋天，我來到東京留學，直到今年為止，我在日本已經待了將近27年。所以，今天這個主題對我個人而言不只是一個非常切身的問題，也關係到我今後的生活方式。就讀東大農學部時，我接受了東畑老師等人的教導，之後曾任職於亞洲經濟研究所，現在則在立教大學與學生們一起研究中國近現代史、中日關係史，還有日本與亞洲的關係史。

　　今天我不只是以「生活者」的身分，也希望能從一個歷史研究者的角度檢視這個問題。在我看來，這個問題對日本的傳播媒體或是日本人來說，有其難以理解的一面。我至今仍然無法確定，這是否應該歸類於中國人的文化傳統，或是民族性的問題來整理。所以，我想以個人的隨興來漫談，就請大家聽聽看。總而言之，可說目前有一個關乎台灣未來的戲碼正在海峽兩岸展開。就我個人大膽的推測，這個戲碼的內容對日本人而言並不熟悉，所以今天將要談談我自己是如何解讀這齣戲碼。

一、從大陸的角度來看合作的意義

朝向統一的一連串動作

　　首先，我想請大家一起按照時間次序來看大陸發動的和平攻勢及有關兩岸的動向。

　　最早是1978年12月16日，北京與華盛頓D. C.同時宣布了美中（大陸）建交。大家應該都還記得，在此事發生前後，《中日和平友好條約》裡的霸權條款曾在日本輿論間引發激烈的討論。不久之後，大陸全人代常務委員會就在1979年的元旦發表了《告台灣同胞書》。

　　關心台灣動向的人也許還記得——相對而言，日本的媒體不太報導有關台灣的消息——同年12月6日〔按：應是10日〕爆發了高雄事件，也就是所謂的美麗島事件。當時為了配合世界人權日，高雄舉辦反對國民黨的大型集會活動，那是國民黨以外的反體制運動，在台灣也被稱為黨外運動。在那場集會之中，警察與參加遊行集會者發生正面衝突，進而演變成暴力事件。整個事件其實相當複雜，但政府就以此為由，一網打盡黨外運動的重要關係人士；在經過軍事審判之後，這些有關人士現在全部被判入獄。

　　翌年〔1980〕1月16日，鄧小平在北京人民大會堂召集了一萬名幹部，並以「關於當前的情勢與任務」為題舉行盛大的演說。演說的主軸在於，對於中華人民共和國，也就是中國共產黨而言，當前的第一任務是反對霸權；第二任務是祖國的統一，這

一點說的也就是和台灣之間的統一；第三則是大家都已經熟知的
促進四個現代化。鄧小平在演說中提及了這三件重要任務。

　　接著來看看這陣子正值高潮的「九條方針政策」。1981年9
月30日，全人代委員長葉劍英在大陸以對新華社記者發表談話的
形式，公布了有關對台灣和平統一的九條方針政策。日本的媒
體很少談論到這點，但是1981年9月30日這個日子的意義非常重
大。10月1日是中華人民共和國的國慶日，中國特別挑在這天前
夕，以葉劍英之名提出九條方針政策，這件事的意義不容小覷。
接下來是10月9日，這也是一個值得記錄的日子，因為10月10日
被台灣國民政府奉為雙十節，是為紀念孫文等人發動辛亥革命成
功的日子。在雙十節前夕，當選中國共產黨黨主席的胡耀邦發表
演說，演說中具體點名包括蔣經國在內的14位台灣政府要員，並
且邀請他們前往大陸訪問。

　　先是9月30日，然後是10月9日，我之所以建議大家重視這些
日期，乃是因為這關乎中國人的「法統」或「正統」，也就是常
被提及的中國人的面子之說。這一點對服務於媒體界各位年輕的
記者先生小姐來說，恐怕會是比較難以理解的部分。

　　以上就是從1978年到1982年10月9日之間大致的動作。關於
該如何解讀這一連串動作中的九條方針政策、《告台灣同胞書》
的內容，還有胡耀邦邀請國民黨要員訪問大陸等，如果有必要進
行細節分析，等一下我會接受大家提問，現在我想繼續講比較概
略性的事情。

　　一般來說，在日本媒體的報導內容中，前述的和平攻勢指的
就只有「和平攻勢」而已，報導傾向於只談論現實面的內容。但

我首先想強調的是，我們必須在這裡針對和平攻勢的具體背景進行分析，這一點非常重要。

其一是大狀況，也就是就國際關係來看，何以中國大陸的北京政府會挑上這段期間採取這一連串激烈的舉動？諸如發表《告台灣同胞書》，鄧小平將祖國統一問題視為1980年代三大任務之一，葉劍英提出有關和平統一的九條方針政策，接下來又由胡耀邦招待台灣國民政府要員訪問大陸等。我們首先應該針對這整件事情的背景發問。前述提到的都是一些比較大的行動，但這段期間內也不乏各種小動作出現。媒體工作者可能都已耳聞，例如周恩來夫人鄧穎超代表整修蔣經國母親的墳墓，邀請海內外記者團，特別是外籍記者團，前往拜訪並介紹蔣介石的故鄉等，中國曾經有過這些饒富興味的舉動。我在日本記者團中的朋友就曾就此語帶挖苦地對我說：「戴先生，我總算見識到中國人『討厭』的一面了。」這是因為這期間，曾經有過各式各樣未曾登上日本媒體版面的小動作。

環繞中國（大陸）的國際情勢

如果從國際關係的角度出發，我們應該如何思考前述行動？這是我首先想要提出的問題。

第一，如果就中國人的立場來看，從鴉片戰爭以來直到今天，中國、美國、日本與東南亞──其中特別是ASEAN（東南亞國協）五國──所謂的四極關係，目前正逐漸發展出非同盟性的同盟關係，同時也是既親密又和平的關係──儘管之間仍多少

有些問題與矛盾存在——而這點乃是在近現代史上前所未見之事，值得關注。自從卡特政權轉移到雷根（R. W. Reagan）政權之後，直到今天，儘管雷根政權內部仍然帶有濃厚的加州地方政權色彩，但就大局而言，我們可以說，華盛頓D. C.、東京、北京這三者間正保持著在過去歷史中前所未見的親密關係。在此背景下，中國大陸對台灣高呼和平統一或第三次國共合作，可以說是意義重大。

其次，我也想談談存在於檯面下的蘇聯霸權主義。如同前述所提，《中日和平友好條約》裡的霸權條款曾經引發激烈的爭論，爾後，福田赳夫首相到華盛頓D. C. 時，卡特總統（當時）表明了對霸權條款的贊同——如果我沒記錯的話，於是不知不覺，關於霸權條款的爭議也就跟著消失無蹤。有趣的是，就連在美中建交的《上海公報》之中，美國也接受了霸權條款。當然，我們還必須考量到此點與蘇維埃對外擴張行動——尤其是前進亞洲、與越南結盟，還有進攻阿富汗——之間的關聯性；中越戰爭之所以爆發，即是因應這一連串行動而起的反應。我們有必要重新確認，在此一亞洲局勢下，中國大陸對台灣所進行的喊話行動。

關於這一點，我認為我們可以這麼理解，剛才已經提及，1978年12月16日，美中同時公布建交消息，1月1日又接著發表了《告台灣同胞書》。無須贅言，這是一連串的相關行動。更明白的說，1949年以後，台灣之所以能維持現狀，除了自助努力之外，第七艦隊的存在也有著極大影響力。不只是軍事，就經濟面來看，從推動農地改革、高度成長政策，到促成現在經濟「繁榮」的架構中，都少不了有美國為流放台灣的國民黨政權撐腰；

同時，第七艦隊也有助於抑止中國大陸的軍事行動。但很顯然的，美中在台灣海峽上的對立情形正逐漸出現改變，所以中國大陸才不願放過這個時機，因此乘勢而起，高呼和平統一。

仔細領會歷史教訓的中共

那麼與中國大陸內部狀況的關聯，又有哪些背景存在呢？接下來我想針對這個部分進行整理。

如今在中國大陸，有許多不同於我們過往印象的狀況正逐漸清晰。在此之前，關於中國共產黨經營有成、毛澤東成功改造中國大陸的評價雖然很高，但1957年以後，反右派鬥爭、大躍進、文化大革命與四人幫時代，很明顯地推翻這種說法，而且證明這不只帶來失敗，更造成了一連串的挫折。對此，1982年6月例行召開的中國共產黨六中全會就做出了決議（針對建國以來，有關黨的若干歷史問題的決議）。我以為，不論是哪一個國家的政治人物，都不喜歡革命以外的激烈變化，因為隨之而來的將是巨大的衝突與摩擦，必須冒極大的風險。而就我看來，中國共產黨包含對毛澤東的評價在內，他們從發起抗日統一戰線、樹立政權，以至於推動第一次的五年計畫等等，一直到1956年為止，他們都非常巧妙地採取統一戰線，孤立敵軍、增加盟友，並嘗試推動國家政策，這種作法可說是非常成功。即中共相當靈巧地運用統一戰線方式以鞏固自身政權，並且用以推動其在中國的政治或政策。

現在新政權的三大核心，毋庸置疑係操持於鄧小平、胡耀

邦、趙紫陽三人手中。這個自毛、周、華（國鋒）以來的新體制，再過一段時間將會更加明確，他們在許多層面上都非得回歸1956年階段的作法不可——僅止於口號、但完全未改變狀況的激進左翼政策的展開進行反省，並引此作為基礎。1957年以後的極左傾向最後導致文革發生，使得人民遭遇慘痛災難，而根據我個人的預測，未來針對這些歷史教訓所進行的反省將會更加清晰。

所謂的回歸1956年階段，換言之，也就是不再採取過度的反右派鬥爭，或將知識分子或舊國民黨系的人視為敵人，徹底予以追究、批判，並以耗竭其活力為方針。不，應該說是他們將不能再採取這種作法。真正的課題將是立足於此一前提之上，力求大幅擴張周遭的統一戰線，吸納敵人成為盟友，並盡可能包容異己分子以利推動政策，回歸1956年的階段才是正確作法。與上述相關聯，我認為那些有關毛澤東的批判，亦即六中全會的決議，現在的政策推動也正持續進行中。

所以，中國的首要課題在於國內四個現代化政策必須經由導入以日本為首，如美國等等的外國資本或外國技術，設法讓中國一步也好、兩步也好的漸漸擺脫貧困，成為一個足以養活將近九成農民的國家，這是最高命題。有鑑於此，中國非得計畫如何增加盟友、喚醒民眾意識、凝聚活力，並且推動政策不可。所以我認為，那些對於文化大革命時大量捨棄原屬自家人的「己方」，連劉少奇也迫使其淪落到慘死等荒唐事是如何無意義的批判與總結，即可說是前所提及決議中的一個重點。

從上述各種關聯看來，我認為，中國對台灣進行的喊話並不只是口頭上的應酬話，而應該將它視為中國回歸共產黨建國原點

的行動去理解。我這番話並不是想為鄧小平提出辯白，而是試圖
以一個研究者的身分做出的推理。

民族的、歷史的、政治的使命感

接下來，還有一件事情一直讓我覺得很不可思議，即使身為
中國人，我也無法明白，為什麼十億人非得整合成一個國家不
可？還有，中國人為什麼會對「中華」歷史與文化擁有如此強烈
的歸屬感呢？身為一個歷史研究者，我時常會對學生們提出這些
有如自言自語般的「為什麼」。

我曾經試著想像，假如中國像近代歐洲，或者是歐洲近代國
家的成立一樣，建立起各個零碎的民族國家，譬如出現四川國、
福建國、廣東國等國家。或者假如中華「世界」超越了歐洲，先
行創造出「近代」，讓世界史上的近代不是以中華民族為中心，
而是由藏族、滿族、漢族、蒙古族或苗族等各個不同的民族，分
別在自己生活的區域或根據地如四川省、福建省等地建構出國家
的話，那該會是一個什麼樣的情景呢？假設乃是歷史的禁忌，事
實上也不曾出現過這些情形，不過如果是以遊戲或推理的心情，
嘗試對中國與西歐的近代化進行比較的話，倒也不啻是樁趣事。

有趣的是，如果翻閱中國的歷史，將不難發現，歷史上曾經
出現過如以揚子江為界的南、北宋，或者按照日本式的說法，曾
經有過幾次南北朝並立的時代。但到了最後，總是會有逐鹿中
原、統治中原的皇帝與王朝出現，並將中國統合為一。這其實是
一件非常不可思議的事。為什麼會有這麼強的向心力，非得將形

同整個歐洲的遼闊國土統合為一不可呢？

　　姑且不提這麼古老的歷史，台灣的事例也很有趣，那就是淨琉璃＊《國姓爺物語》中的鄭成功。鄭成功反抗清朝，與父親決裂，經由金門進入台灣。17世紀初時，他打敗了當時占領台灣台南一帶的荷蘭人將之驅逐，開始認真地開拓台灣。然而自鄭成功完成統一，台灣經歷了38年〔按：應是23年〕的統治之後，最終還是納入了清朝的版圖。我認為，我們有必要站在這種民族規模的歷史意識之上，並就中國歷史的長流來思考問題。

　　總而言之，這些多以漢族為中心、並被冠以「中國人」這個極其曖昧、廣泛的概念的人們，在鴉片戰爭以後，所受西歐列強與日本帝國主義強烈的恥辱感，也肩負著對雪恥的渴望與使命感。不論是毛澤東、周恩來，或者是蔣介石，甚至是蔣介石的兒子蔣經國，他們身上都帶有這種使命感。

　　我認為，正是政治的使命感與民族歷史的使命感，促使他們抱著統一中國的悲願。所以周恩來才會說出，無論如何都希望能在有生之年達成統一；同理，鄧小平與葉劍英也常常提及對統一的使命感，年事已高、健康不佳的葉劍英尤其如此。說到這裡，我又想起了一件往事。當國民政府警覺到可能無法保住聯合國的代表席次時，自民黨內某位有力的長老級議員，曾對國民黨內頭號的知日派、同時也身兼對日管道的張群建議：國民政府不妨試著更換招牌。中華民國就是因為主張一個中國才無法保住席位，那麼不妨試著改成中台國或者台灣民國試試看。據說張群聞言

＊　淨琉璃是日本以彈奏琵琶等樂器說唱故事的一種演藝，始於室町時代末期。其後發展結合三味線（樂器名）與人偶劇的庶民演劇等，有各種流派。

後，流著眼淚抱住這位議員的肩膀大歎：「不可能，蔣總統不會同意。」一位無法理解這種感覺的日籍好友曾就此詢問我的意見，我也才因而得知此事。

正因如此，蔣介石總統才會堅持一個中國論，他的兒子蔣經國也才會堅持一個中國論。日本長老級的親蔣派議員為求守住台灣，基於回報蔣介石總統的恩義提出了這個建議，國民政府的高層當然也明白這個提議的出發點乃是善意，但即使明知如此，還是只能回絕。不，應該說是非拒絕不可。如果想要理解台灣今後的動向，就非得先知曉這種中國人的歷史意識與歷史感覺不可，這也是為什麼我特別要在這裡提起這段往事。

回到正題，我認為，儘管在意識形態上有所差異，但中共當局的領導們所抱持的民族、歷史、政治的使命感，國民黨這邊同樣也有。正因如此，不論是蔣介石也好、蔣經國也罷，他們才會隔著台灣海峽，而且絲毫不肯鬆口地堅稱：中國只有一個。曾經有些日本朋友對我說：「戴君，你們這些中國人真愛說些讓人摸不著頭的話。」不論是毛澤東或是周恩來，不是都曾讚美過蔣介石父子嗎？他們對於晚年的蔣介石尤其誇讚。據說蘇聯曾經想以台灣的澎湖島──自日據時代以來，該地就一直是海軍要塞──作為軍艦的駐地，但蔣介石不但拒絕，而且直到最後都不曾放棄過一個中國的招牌，因此毛、周兩人才會力讚蔣介石值得尊敬。日本朋友曾經問過我：「為什麼毛、周兩人明明身為共產黨員，卻會說出這種話？」這其實揭示出了另一個重點。

大陸自1979年以來對台採行的和平攻勢，如果從馬克思主義的正統立場來看，顯然可以說是「修正」主義，也就是秉持著原

本是馬克思主義最該克服的課題——「血濃於水」的觀念與看法——並將之貫徹於和平攻勢的根柢之中。換言之，也就是以民族主義為優先。正因「血濃於水」，所以總有一天會合流，這是高懸「民族大義」錦旗開展的和平攻勢。中國大陸共產黨的首腦們同樣也抱持著民族悲願，也有「中國非統一不可」這個政治、民族、歷史的使命感。而自孫文以來，儘管「革命尚未成功」的說法語意略微有別，但中共、國民黨兩邊都抱著革命第一的想法，而且即使到了第二代也濃厚如昔。即便中國共產黨修正、改變了對外政策，卻依然可以感受到相同的特徵。對於「血濃於水」的強調，反過來說，也就是中共當局已經暗自承認，那些超越民族、國界的問題只能暫時任它懸而未解，或者至少在眼下的階段，那些超出民族、國界的問題依然是棘手難題。

關於一般中國人的心理狀態，也就是該如何治癒自1840年鴉片戰爭以來，整個民族便一直背負著恥辱感這件事，至今仍是中華民族最重要的課題之一。我希望能提醒日本的各位留意。關於民族規模的心理狀態，是日本的諸位較不容易理解的部分，因此值得一記。

尋求國內的波及效果

接下來第三個問題，我想試著從兩個面向來檢視大陸對台灣進行的喊話。就重要性而言，這次的喊話主要是針對現行的統治權力，也就是以蔣經國總統（已於1988年1月13日去世）為中心的統治權力而發，旨在呼籲雙方皆應秉持「民族大義」而行。除

此之外，他們也以同胞稱呼台灣內部的人民，並呼籲台灣民眾一起行動。

而自階級的觀點來看，中國係經由對原本乃屬敵對——至今為止也確實一直都是敵對關係——的國民黨做出極大讓步，以促使國民黨坐上和平談判的圓桌。

這是中國大陸在脫離毛澤東時代以後，基於求取國內政治安定的政策考量的結果。在我看來，他們在經歷了對文革派的批判，以及對四人幫的審判之後，正盡可能廣大地造成「安定團結」，並嘗試鞏固現行體制。面臨曾在文革中擁有慘痛經歷的同志的不滿，以及他們對黨的不信任，和由此導致的對政治冷漠的氛圍，為能提出具體的對應之道，他們認為利用台灣也許會是一個頗具效用的手段。

也就是說，假如連國民黨都願意圍著同一張圓桌並且坐下來進行和談，為什麼文革派們，或是曾在文革時代有過慘痛遭遇的人卻仍無法更正面地看待歷史呢？老是這麼遲滯不前也太奇怪了吧！不要總是回頭看，光顧著計較舊傷口絲毫不具有任何生產意義。他們試圖藉此暗中，不，應該說是藉此間接地說服民眾。也可以說，他們試著要讓「和平攻勢」成為得以發揮某種社會教育意義的角色。

當然此前提是，我們必須先了解，中國大眾對於在二次大戰後立刻遷往台灣的國民黨是如何地失望，又抱持了多麼強烈的不信任感。雖說國民黨在國共內戰中吃下敗仗的理由十分複雜，不過若單就與今天這個主題相關的面向來談，國民黨之所以會敗仗，很重要的一個原因是他們輸給了中共的統一戰線。反過來

說，國民黨不但無法打造出自己的統一戰線，還如被剝開的洋蔥一樣，任身邊的夥伴一個一個遭人剝除。如果從客觀的角度來看，我們也可以這麼說，假如重回當時的情況，若是國民黨在擴充內部情況的同時，也能擴張、實施統一戰線，必然可以贏得「民草」，也就是大眾的民心。正因為大陸民眾曾經經驗過「極左」之苦，所以他們希望這個與國民黨進行合作的行動，象徵的是一個不會再重蹈極左覆轍的政策。

這些與國民政府對話，與至今為止的敵手對話，與曾被痛斥為反革命分子的人對話的行動，對中國大陸的人民而言，不僅讓他們歇一口氣，也是他們將能獲得更大幅度的「自由度」的徵兆，當然值得開心。我們可以這麼說：民眾將會據此判斷，這些行動展露的氣氛顯示，壓迫性的管制即將出現鬆綁，中國共產黨當局會在一定的程度下包容人民的活力。

關乎中共黨存亡的四個現代化

第四，我想將話題擴展到四個現代化之上。如前所述，1957年以後，儘管中國共產黨朝向「極左」前進的的路上波折處處，但其實他們仍然有所進展。俗話說，失敗總是隱含著歷史的教訓，可是他們支付的代價也實在太過慘重。再者，儘管耗費了漫長的時間，又支付了慘重的代價，但假如中國大陸的貧困與民眾生活無法獲得改善，那麼不管是什麼革命，必然都會引起民眾的質疑與不滿，最後更會導致中國共產黨落入必然崩潰的窘境。我認為，共產黨正是基於這種危機意識，才會提出促進、實現四個

現代化的說法。

　　四個現代化不可缺少外國技術與外資的導入，以及外國企業的共同投資。此外，更重要的是對和平的國際環境的需求。如果在與國際間的關係和有機關聯中，中國共產黨仍像過往一樣咬著鬥爭不放，或者光是放聲大喊反對什麼帝國主義、堅持國際性階級鬥爭，那麼終將無法成事。不論是就現實或者是就形象而言，中國都必須賦予國際間自己乃是和平政權的印象，這點從我剛才提及的日、美、中，或是越南進攻柬埔寨後，中國與ASEAN各國的關係和關聯性進行考量即可得知。以上，就是我觀察到中國大陸近來採取這一連串和平攻勢的背景。

二、台灣社會的分析

　　接著，我想來談談台灣內部如何就此進行對應。

　　如果從各位收看日本媒體報導所知，答案恐怕只有「拒絕」這句話吧！不論是從公開或檯面上的資料看來，情況的確都是如此。但一般來說，如果僅僅依靠檯面上或者公開的發言，也將無法正確地掌握政治動態。如果等一下還有時間，我再回來談談國民黨在檯面上發表的言論，在此之前，我想先針對台灣內部的1,800萬〔譯註：1982年時〕居民裡究竟包含了哪些人，並針對他們內部的矛盾與思考形式做個整理。在我們預測台灣該如何對應中國的和平攻勢時，這些將會是不可或缺的資訊。

　　如同各位所知，台灣目前仍然實施嚴格的言論管制，因此，以下的內容只不過是我個人的感覺，是我生於台灣、在台灣擁有

大批的親朋好友，由此獲致的感覺，再加上我以研究者的角度進行分析所得。我將針對這個觀點進行介紹，並嘗試對此提出問題，這些資訊謹供各位做個參考。

居民的結構和語言

　　首先，我想先來談談居民的結構。台灣過去曾經接受殖民地統治，因此乍看之下，對日本的各位而言，要理解台灣似乎並不困難。但是事實上，我認為台灣仍有許多面向未曾釐清。在戰前，日本政府將台灣人稱之為「本島人」，如果諸位最近曾和台灣有過接觸，可能會常常聽見本省人這個說法。

　　各位在造訪台灣時，接觸的對象多半是年過50、通曉日語的人，但我想請大家注意的是，經由特定族群所接觸到的台灣民眾意識、思考方式與觀點，並不見得是足以代表多數人想法的最大公約數。在研究外國文化或與外籍人士接觸時，如果僅僅著眼於自己偏頗的見聞、成果，並將此放大為一般現象，有淪為自我滿足之嫌。這就好像來到了日本留學，單是看過東京的銀座便據此思考日本全體一樣並不正確，或是只拜訪過沖繩最貧窮、種植甘蔗的農家，就斷言這是日本的農業一樣可笑。

　　日本人對台灣抱著親切感，兩者在商業、觀光上也緊密相連，遺憾的是，一般而言，日本人在知性上對台灣的關心卻非常淡薄。

　　諸如台灣的歷史，還有這裡究竟居住了哪些人，日人似乎對此所知不詳，只是單憑常識論，獲知從大陸遷來的外省人與台灣

人的本省人之間關係不睦。既然如此，不如就獨立吧！據說在年過50、和台灣有些淵源的日本人中，有不少人抱持著這種不知是否該稱為同情論的看法或想法。在討論該如何看待這種常識論以前，我想先介紹有關台灣內部的居民結構情形。

　　如果做個粗略的劃分，大致可以將之區分成本省人與外省人兩種。這個說法是中文的表現形式，而非台灣獨有的用語。在對日抗戰期間，四川省人會稱呼自己是本省人，並把那些為避戰亂逃入四川的其他省民稱為外省人加以排斥。四川省是曾經出現在《三國演義》中的蜀國，向有天府之國美稱，是相當富饒的一個省分。那些遭到日本軍逐趕、從其他省分逃入四川避難的人被他們稱為「腳底人」。四川人稱自己為本省人，卻將外省人譏為「腳底人」——也就是被踩在腳下的人（四川方言）——並大行排擠。

　　所以我希望大家能夠記得，本省人與外省人這個用語並非台灣特有的說法。譬如對廣東人而言，福建人就是外省人，這些例子在遼闊的中國裡頭屢見不鮮。仔細想想，四川省內約有一億左右的人口，如果單是一個省分就擁有足以與日本匹敵的人口數，那麼會產生褊狹的地方主義或地區主義式的想法也就不足為奇，甚至還可以說是理所當然的結果。但在台灣，受到歷史、政治色彩的影響，本省人與外省人間的省籍情結顯然十分獨特，也非常嚴重。

　　台灣的外省人是對1945年8月15日以後（二次大戰終戰日）從中國大陸遷居來台者的總稱，其中，包括了藏族、蒙古族、回族（伊斯蘭系中國人）等，他們全部都被統稱為外省人。這裡面

有些是不得已而自中國大陸逃往台灣的人，有些是被國民黨軍隊帶來台灣，我還有些朋友是跟著同學們一起不斷南行，不知不覺來到台灣。總之，他們多半是在1949到1950年之間，透過各種方式，經由海南島與香港來到台灣。

還有一點不能忘記，那就是在1945年8月15日到1949年秋天中國共產黨政權建立以前，人民還能自由往來台灣海峽。戰後的台灣不同於因戰爭而混亂不堪的大陸，相對而言比較安定、富饒，也擁有相當存量的米與砂糖。台灣內部並未捲入中國大陸內部的國共內戰，在第二次大戰戰亂中所受影響也較為輕微，台灣的鐵路、電力、製糖公司、石油公司——雖然沒有石油，但可開採天然瓦斯——等等日據時代的企業，紛紛轉型為國營或公營企業開工。出身中國大陸的自然科學家和技術人員，為了躲避大陸的亂局與國共內戰，紛紛來到台灣求職；此地薪水優渥，從不延誤發放時間，工作量又相當穩定，因此極具魅力。

說得更清楚一點，不管是國民黨也好、共產黨也罷，這些對他們來說根本一點都不重要；他們是因為渴求工作、厭棄戰亂而遷居台灣，意即這裡頭不願與政治扯上關係的人壓倒性地居多。唯因台灣海峽間的往來後來遭到禁止，他們也因此經歷了妻離子散等種種悲劇。

包含前述這些人在內，當時約有200萬左右的人口因一時性社會因素遷往台灣，如果再加上這之後自然增加的人口，現在居於台灣的外省人總數約為300萬人左右。目前台灣的總人口數約為1,800萬人，餘下的1,500萬人就被稱為本省人；所謂的本省人，就是對1945年8月15日以前即定居台灣者的統稱。

　　如果對本省人進行粗分，約可將之劃分為漢族與高山族。高山族就是過去被日本人稱呼為「蠻人」，爾後為了戰爭動員改稱為高砂族的人。現在不論是台灣當局或是大陸當局，都稱呼他們為高山族，其人口約在30萬人左右。

　　這30萬人還可以再細分成九個系統，他們彼此之間的語言並不相通；唯一共通的語言，對老一輩來說就是日文，對新生代而言則是北京話，也就現在所謂的標準語。

　　漢族也可依據語言之別區分出兩大系統。其一是閩南系，閩南就是南福建的簡稱；另一個則是客家系。有些和台灣略有淵源的日本人，會誤將客家稱為廣東人，這是不正確的說法。這個誤用恐怕是因為後藤新平最早開始進行人口調查時，曾於制定調查項目時發生誤解，其後就一直延續至今。

　　我自己就是客家系出身，我們所操持的客家話和廣東話完全不同，如果前往粵語圈的香港，恐怕完全無法通用。廣東話指的是廣州市近郊一帶的方言，客家話則是屬於北方的方言；客家人指的大多是原本居住於黃河中下流一帶，其後南下者的後裔。姑且不討論這點，客家人在本省人中約占13%，餘下85%中多為閩南人。閩南也就是剛才提到的南福建一帶，大體上是以廈門為中心，包括了泉州、漳州一帶。閩南人的祖先是從南福建遷往台灣，操持的方言一般被稱為福佬話，有時候也被稱之為福建話，但正確來說應該稱為閩南話。客家話和閩南話完全不同，兩者在風俗習慣上也多少有別。

　　因此，如果重新對本省人進行梳理，可知本省人中包括了漢族與高山族，漢族中又有閩南人與客家人之別。由於漢族中有

85%是閩南人，所以被多數人奉為母語的閩南話，不知不覺就被改稱為台灣話，這也讓他們和其他人產生了只有這些人才是台灣人的誤解，甚至於產生自我錯覺。

說起「台灣人」這個用語，日本媒體時常會出現誤用的情形。有時候，這個說法是為了和大陸進行區別，有時候，就連出身大陸的國民政府要員也被稱之為台灣人，這些其實都是不適切的用法。

如今，台灣獨立派的人們開始主張，只有自己的母語才是台灣話，這種說法彷彿也在意味著只有他們自己，也就是所謂的閩南系本省人才是台灣人，然此說法毫無疑問是種「僭稱」。假如本省人＝台灣人的話，那麼高山族就該被視為原住台灣人、高山族系本省人或是高山族系台灣人才對。此外，在終戰前，也就是在日本敗戰以前，客家系本省人或客家系台灣人也早已定居台灣，第三則是閩南系本省人或閩南系台灣人，早在終戰以前他們就有大量人士定居於此。換言之，本省人中包括了高山系、客家系與閩南系，台灣人這個稱呼只有在同時涵蓋上述三者時，才可以說是具備了真正的內容。然而，「多數暴力」舉世皆然，當台灣獨立派高談闊論台灣話、台灣人的同時，他們往往也就無視或者輕視了高山系、客家系的存在。

透過以上說明，我希望能幫助大家對台灣內部的居民結構有大致的認識。

台灣獨立運動誕生的背景

　　接下來，我想針對台灣獨立運動的主張進行評論。說到台獨派，就不能不提起各位都很熟悉的邱永漢。據邱永漢在其著作中提及，他的父親是客家人，他是客家父親與日本女性所生下的混血兒。在1950年代後半到1960年代之間，邱永漢曾以台獨立場，積極發表如「台灣人不是中國人」等說法。但在1972年中美靠攏時，邱永漢卻態度驟變，不但返回台灣，還與蔣經國握手。日前在參議院選舉前，他又再度轉向，歸化成日本籍並且登記參選，之後以落選收場。今天礙於時間限制，我無法在這裡介紹邱永漢的台灣獨立論。總而言之，他的論點就是不可能達成的，也正因為那是不可能的論點，所以他才可以輕易地改變自己的主張，甚至改變自己的立場。不只是邱永漢，舊世代的台灣獨立運動人士裡，後來也有不少人陸續轉向，這是因為台灣民族論終歸只是缺乏內容的幻想，主張由台灣民族進行民族自決的台灣獨立論，因此註定只有失敗一途；或者也可以說，他們已經徹底失敗。

　　批評這些人提出的台灣獨立論是個謊言或是拼湊的結果並不困難，但是他們對於台灣獨立的堅持，還有為求獨立而推動的實踐運動，將無法輕易抹殺或否認，因為他們的思想與行動擁有相應的支撐基礎。

　　我雖然身為客家系的台灣人，但我反對台灣獨立運動；我認為台獨運動既不具有實現的可能，也無法真正的解決問題。

　　我雖然曾經批評台獨派的思想與思考模式，但我認為他們的言論自由仍應獲得保障。再過不久，我們就將進入21世紀，人們

理所當然應該擁有提倡台灣民族論、台灣獨立論的自由。然而，現在台灣的國民政府卻禁止並鎮壓這些行動，這是因為政府對其自身的政治缺乏自信使然。例如，如果在日本提倡九州獨立論就不會遭到任何干涉，因為這個論點缺乏說服力，不具備任何「市場」，所以既罕有人提倡，也少有人採納。

一般多認為，台灣的獨立運動是因二二八事件（1947年2月28日台灣民眾發起的反政府暴動）而起，但我以為原因並非僅止於此，還有一個重大的關鍵，乃在於中共政權的成立。

我想先從二二八事件的關聯性，對台獨派的心理基礎進行分析。

觀察二二八事件的現象與結果可知，二二八事件可以說是本省人（＝台灣人）對國民黨（＝外省人）的「叛亂」與暴動，同時也是一樁劃開省籍對立情結傷口的不幸事件。

當時，我還是一個中學三年級的學生，我既是事件的目擊者，也曾親身經歷其間。經過了三十多年的歲月，現在重新透過社會科學的角度進行分析，不難發現，先前提出本省人（＝台灣人）對國民黨（＝外省人）的圖式，其實有太過簡化之嫌。但問題就在於，這個簡單的對立構圖，如今卻被當成「常識」，並且廣為台灣中上層階級——特別是那些學歷相對較高者——所採納。此一「傷痕」十分慘痛，這個「常識」經由台獨派的各種活動大行擴散，如今就連某些日本人都深受影響。

當戰亂結束之後，由於既存秩序解體鬆弛、社會矛盾激化、經濟混亂，革命、叛亂、起義往往隨之而起，這點不論放眼古今東西皆然。我認為有必要先提醒大家，二二八事件也屬於這一類

的事例；它和大戰後在許多國家與地區發生的事件，諸如日本的罷工運動、血腥的五一勞動節等事件一樣具有相同的特質。

　　不過，二二八事件之所以會在本省人（＝台灣人）對國民黨（＝外省人）的圖式中成為常識並且流傳至今，另有其相應原因存在。

　　其中一點就在於，台灣並不同於朝鮮半島，並非是整個國家遭到合併殖民。

　　如同各位所知，台灣是由清朝「割讓」給日本，也就是從中國內部被切分而出，進而成為他國的殖民地。雖然朝鮮半島內南北對立的中心也展現於意識形態上，但是地區主義的對立卻深藏於冰山之下並不顯著。然而台灣所面臨的情形是，在中國大陸半殖民地化的情形加劇以前，台灣就已經被單獨割讓成為殖民地。是以，當國民黨政權於戰後來台進行接收作業時，台灣省出身人士從一開始就無法進入國民黨政權（在台）中樞。

　　因此，台灣本地資產階級與國民黨政權之間，從一開始就有了隔閡存在。不知道是幸或者不幸，在歷史震盪最激烈的1895年到1945年這50年間，台灣並未一起踏上中國大陸通往「近代」的險徑。除此之外，台灣因為接受日本的殖民地統治，隔著台灣海峽與大陸分離，由此而生的隔閡相當深刻。

　　「光復」（回歸中國＝祖國）之後，由於剛從殖民地中解放、重獲自由的喜悅高漲，暫時遮蔽了隔閡，使其未曾大幅顯現。但隨戰後秩序遲遲無法重建、通貨膨脹，以及復員歸來的台灣青年面臨失業問題，人們開始逐漸感到焦慮不安。

　　遷往台灣的國民黨中樞也不是團結的組織，他們帶來了大陸

時期的派閥問題。這些人圍著「台灣之蜜」，一再重演捍衛派閥
利益與搶奪地盤的行徑。有些缺德的官僚與軍人仗著權勢，為求
中飽私囊，不惜貪污收賄、汲汲於獲利。還有一部分的人利用善
良的台灣女孩，重婚迎娶「當地夫人」，糟蹋了少女純真的心
意。另一方面，為了奪取日本人撤離後所留下的利益與地盤，台
灣人中的「惡勢力」也發生激烈的鬥爭。據說，其中最大的「惡
勢力」甚至不惜與特務機關的「惡勢力」勾結，還聯手幹出了暗
中殺害台籍對手的行為。這一切的惡行惡狀，全部都被算在「國
民黨」（＝外省人）的頭上，至今仍左右了他們的形象。

　　社會治安逐日惡化，人們對這些從大陸新遷來台的外省籍缺
德官僚、軍人的負面印象，慢慢與國民黨發生疊合。這些原本只
是一部分外省人的惡行，卻被當成所有外省人的作為，而無法糾
正這些惡行，不但導致國民黨的施政逐漸失去民眾的信賴，也讓
民眾認為，國民黨＝外省人＝腐敗＝邪惡，這些印象被連成一條
線。當人們抱持太大的希望、期待與歡喜，最後卻遭致背叛的時
候，那種失望、反感與憎惡，將會因為「近親」的身分而加倍放
大，兩者之間於是鴻溝漸寬也漸趨深刻。最後，公賣局取締私煙
時官員的蠻橫行動，終於引爆了民眾的怨怒，進而演變為全省性
的暴動。

　　可想而知，暴動的出現將會導致鎮壓。由於大陸正值國共內
戰，國民政府台灣當局為了迴避責任，遂將此事貼上標籤，指稱
這是因為日本統治遺毒與台灣共產黨介入挑撥，才導致台灣人發
起不講理的反國家暴動。台灣當局逮捕了中上階層的台灣人知識
分子和某些批評體制的團體成員，未經審判就將他們私下處刑。

　　恐怖的帷幕裹住了台灣島，沉默悄悄降臨。躲過一劫的反國民政府人士逃出台灣，流亡香港、日本等地。沒過多久，中共就建立了政權。

　　台灣獨立運動開始萌芽，支持台灣獨立運動的力量主要來自台灣本地的中上層資產階級。一般來說，他們的出身階級使其因而難以接受中共，再加上隸屬長老教會的基督教信徒受宗教因素影響，遂使反共＝反中共＝反大陸的圖式逐漸成形。

　　而如前所述，中上階層的台灣人由於未能參與國民黨中樞的計畫，兩者在意識上出現明顯的隔閡。在《中國白皮書》中，美國政府曾經試探過國民政府，例如為求建立自己的遠東防衛戰線，美國曾經釋放出如台灣海峽中立化、將台灣交由聯合國信託統治等消息以觀察台灣的反應。而在檯面下，美國更虎視眈眈地試圖替換國民政府的首腦，其手法之一是支援台灣獨立運動。

　　當時，支持台灣獨立運動萌芽的國際背景有相當程度的整備。邱永漢在1957年發表的台灣獨立論中就指出，美國在遠東，特別是在台灣海峽的利害關係部分，與台灣人——這是台獨派特有的僭稱，但這充其量只能指某一部分位居中上階層的台灣人，他們常常誤以為自己代表了全體台灣人並且陶醉在此一幻想之中，還因此造成別人的誤解，這些問題相當令人困擾——利害一致，因此台灣獨立必然成功。邱永漢曾經於《中央公論》上發表過這些只想倚靠他人力量成事的主張。

　　但是隨美中靠攏、日中建交等動作相繼發生，情勢變化使得舊世代台灣獨立派的「如意算盤」明顯落空。因此，他們之中有不少人就利用這個機會，「歸順」台灣的國民政府，這是當然的

結果。

　　我在這裡要強調的是，我們不應該把本省人與外省人之間的對立結構看得太過單純、太過絕對，因為一旦採取了絕對化的觀點，就將無法洞視今後台灣的動態。在責備台獨派歸順國民政府的行動之前，我們應該避免流於同情，並且冷靜地對他們的主張與論點進行分析。假如錯將省籍情結當成不共戴天的民族矛盾，最後有可能會遇上出乎意料的反彈。

台灣人資產階級的不滿

　　在地區主義的對立情形之中，還有一個不容忽略的問題，那就是關於國民政府的「法統」之爭。

　　國民政府為了堅持中華民國在法律上的正統性以及一個中國的主張，始終無法對中央民意代表，也就是立法委員、國民代表與監察委員進行改選。因為扣除台灣地區選出的代表部分不談，關於大陸選出的代表這個部分，無論如何都不可能讓如今並未接受國民政府統治的大陸選民進行選舉。

　　而對於渴求參與政治的台灣人來說，如今幾乎已成養老院的立法院、國民大會、監察院，還有那些未經改選、賴著不走的議員，他們的存在顯然並不令人愉快，同時他們也反映出了與民主主義相牴觸的虛構性。

　　不論是關乎國民政府存續的「法統」、名為中華民國的唯一招牌，或者是反攻或回歸大陸這個重要課題，這些對台灣人資產階級來說，都無法引起他們的共鳴，他們基本上也不想捲入這些

問題。多數的台灣人資產階級並不直接涉及國共間漫長的對立歷史，加上日本帝國主義50年來的統治，使得台灣人的政治與社會參與一直遭受阻礙，因此他們習慣性透過「日式想法」來看待世界，許多時候視野相當狹窄。儘管回歸大陸，政治舞台移往中央，但現實上，抱有逐鹿中原「野心」的政治人物並不多見。

　　而儘管他們並未公開明言，但仍暗中主張國共對立、反攻大陸這些事情和台灣人一點關係也沒有，既然流亡台灣，吃台灣人民的米飯、拿台灣人民繳納的稅金，就應該要認同台灣。也有人認為，如果不想認同台灣，不如就離開這裡。還有更極端的例子指出，這些人中有人認為如果國民黨不在台灣，台灣現在就不需要被大陸囉嗦。

　　國民黨從大陸敗退之後，為求穩固自身政權，立刻建構起防止共產黨滲透的堤防，並且徵收台灣人地主的土地從事農地改革。他們的計畫在無損自身利益的情況下獲得實現，大地主或有本事聯繫國民黨要員的少數台灣富豪，則因善用補償轉型成為工業化的要角，之中還有一部分人爾後轉與國民黨高層合謀，他們因此較少發出怨言。但有不少晚了一步的中小地主階層，可以說是直到現在仍怨忿難平；許多前往國外留學、主張台灣獨立運動的留學生前輩，幾乎都是出身這個階層。

　　總而言之，無法取得政權、社會參與遭到妨害、皮包裡的鈔票被抽走，還得接受言論、出入境的限制。家裡的小孩則因徵兵制被送往金門、馬祖的最前線，為了那些與自己無關的內戰去當擋箭牌。但究竟是為誰而戰？這些疑問始終無法抹去，正因如此，他們才會覺得，只要國民黨不在的話，共產黨也就不會來

了，我們想要成為台灣的主人翁。以上就是獨立運動人士們大致的思考模式。

不過如果換成國民黨的立場，結果就完全不一樣。國民黨會說：開什麼玩笑？當初可是我們拉攏美國，並從美國取得這些支援。我們是施行農地改革沒有錯，但不也給了地主們相應的股票嗎？現在台灣不是有了更多的有錢人嗎？如果當初不是我們守住台灣，中國共產黨老早就來了，你們也早就給送進人民公社裡去了！

以上就是這兩者在想法上的差異，以及他們對彼此的看法。由於各位對這點較不清楚，所以我在這裡做個簡單的整理。

尋求政治參與的新世代

接下來，我想稍微介紹一下那些出生於高度成長期、面臨社會經濟結構急速轉變的「新生代」的行動。

誠如各位所知，在1960年代後半到1970年代之間，台灣向日本急起直追，以驚人的態勢達成高度經濟成長。隨著工業化進展，勞動人口急速增加；九年制義務教育實施，職業學校、專科學校、四年制大學、研究所的數量也蓬勃成長。

這些從小學起就接受中文教育，之後又接受高等教育的世代，他們之中意識到民主主義者逐漸增加。這個世代從未體驗過「白色恐怖」〔譯註：指以國家權力逮捕、肅清、驅逐共產主義者或社會主義者〕那種血腥的恐懼感，他們受到海外傳入的美國民主主義刺激，經歷了與華僑或港澳留學生的交流、與留學返國

師長的接觸，再加上社會氛圍也因高度成長影響逐漸轉變，他們因此開始展現出強烈的政治參與、社會參與欲望。

洋溢正義感的大學生、大學畢業生和勞動人口，開始透過批判體制的陣營介入選舉運動。後隨國民政府脫離聯合國、美中接近、日中建交等局勢展開，這些活動也有如熱病一樣擴散。

反體制運動添入了新血，開始進行世代交替。這些行動加上本省人與國民黨外政治人物——在台灣，他們被稱做黨外人士。台灣現在仍實施嚴格的「報禁」（禁止發行新報紙和增頁）與「黨禁」（禁止成立新政黨）（順帶一提，報禁已於1988年1月1日解除，黨禁也在1986年9月28日，「民主進步黨」發表創黨宣言時解除）——對參與政治的強烈渴望，合流成為一股「社會力」，這正是目前台灣所出現的狀況。

1977年，由於不滿國民黨地方政府干涉選舉，選民怒而襲擊警察局，釀成中壢事件。黨外運動的主流力量乘勢而起，他們在1979年12月10日，因美中（大陸）建交（1979年1月1日），看準國民政府當局的處於劣勢，為了爭取國民黨更大的讓步，刻意配合世界人權日在高雄舉行盛大集會，結果卻遭到鎮壓，黨外運動的主要領袖至今仍囚於獄中（截至1988年10月為止，除了一人之外，其餘有關人士均已獲釋）。這也就是有名的高雄事件，或者又稱為美麗島（黨外運動的雜誌刊名）事件。

接下來我們必須思考的是，從1977年的中壢事件到1979年的高雄事件，面對這一連串逐漸沸騰的黨外反體制運動，我們該如何為其定位？

如果單就公開發表的言論來看，台獨派與國民政府當局就這

兩個事件發表的評價，展現了出乎意料的一致性。海外台獨派宣稱，這兩個事件顯示出島內的台獨運動正在高漲。另一方面，國民政府則對包含台獨運動在內等重大潮流提出警告，最後更藉著對高雄的人權日大集會進行鎮壓，試圖徹底拔除黨外運動中的激進部分。

若以一個局外人，同時也是第三者的立場來看，我們雖然不能說黨外運動中絲毫沒有台獨派的苗芽或台獨派的主張摻雜其間，但若把所有的黨外反體制運動都和台獨運動混為一談也有失正確。而若將黨外運動視為尋求與大陸進行統一的運動或行動的萌芽，則毫無疑問有過於浮誇、言之過早之嫌。

我認為，將剛才提到的這兩個事件，視為是那些以年輕世代、憤怒世代為中心的民眾，要求戰後持續了35年的台灣國民政府體制進行改變的行動，才是最妥當的看法。他們提出異議，試圖求取更廣義的人權、社會正義、政治參與和自由最高潮的顯現。

一直到國民政府受迫於大陸和平攻勢在媒體公開發表「三民主義統一中國」的口號以前，人民如果提出統一說法，就會被貼上紅色標籤並遭逮捕。所以直到今天，統一論仍在冰山下隱而未現。而在談論對未來的展望以前，我想先來談談，當我們在判斷今後的動向時，必須先知道的中國人與中國民眾的國家觀念。

三、今後的展望

民眾與執政者的國家觀

　　中國的執政者或掌握實權的軍人，幾乎逕自將國家、政府、政權、政黨視如一物看待。大體而言，日本的民眾自從明治維新以來，幾乎都是和政府一起行動。也正因為日本人是和國家、政府一起行動，所以即使遭遇了原爆轟炸仍能再起，日本政府相對來說也算十分照顧自家國民。

　　但相較於此，中國民眾的情形就不一樣了。在中國人民的認識裡，所謂的政府或政權，指的就是那些長年管理、魚肉人民的存在；掌權者任意把自己操持的政權提升到國家層級，所以誰要是不支持國民黨政權，就會被貶為不愛國的人並遭問罪，北京政權也有將不支持中共者視為不愛國者的傾向，是以人民才會對他們敬而遠之。

　　說得更清楚些，對民眾而言，所謂的國家，指的是那個孕育出綿長的中華文化、傳統文化、生活方式、漢字的世界、山水畫的世界，或是自家祖先曾經生活過、如今仍長眠於彼處的具體的故鄉。它之所以會被稱為中華人民共和國，只是因為中國共產黨正巧在那裡建立了政權，中共的首腦們又恰巧把國號定名為中華人民共和國罷了。中華民國也是如此，是因孫文等人的國民黨辛亥革命成功，又正巧如此訂定國號而已。一般來說，大多數的民眾並不會立即在中國與各個執政者所提出的主張之間劃上等號。一般中國人所抱持的國家意識，和現代政治學中舉出的國家、歐

洲的近代國家論，甚至是一般日本民眾大致的國家意識有著顯著的差別。我認為必須先釐清這點，才可能接近事情的真實。

以此為基礎，應該會比較容易理解「華僑」，甚至是中國人，究竟是如何看待祖先的國家。我在1981年《中央公論》10月號中曾經發表過一篇名為「移民後裔的祖國——美國的「日僑」與「華僑」的生活方式」〔參見《全集》12〕的論文，內容是在比較在美「華僑」與日裔人士，如果諸位有興趣的話，不妨參考看看。

兩大「政權」最近的動向

接著，我想進入下一個主題。剛才介紹過關於台灣海峽的兩岸的具體情況。整體而言，在這種情況下，第三次國共合作的「戲碼」究竟會有哪些變化、或者又會如何展開呢？這是我們在意的內容，也是關心的重點。

中文有句俗話說，「只能意會，不能言傳」（也就是雖能心裡領會，但很難透過言語傳達，或可說是只能體會而無法以言語表達、心領神會的境地）。

我想起大約十年前，有位知名的美籍中國通教授曾經問過我：「金門、馬祖其實是國民黨與中共粉墨登場的舞台，所謂的砲戰則是一齣京劇（京劇中有所謂「殺陣」，在殺陣中死掉的演員繞回台後又會重新登場，再度加入殺陣隊伍，也就是作假的意思）對吧？」依據觀點之別，金門、馬祖開始或停止砲轟的行動，也能被解讀為某種作假或信號。這是這位美籍教授想說的內

容，也正是我想強調的重點。

從張學良的動作可以窺見最近的徵兆。誠如各位所知，張學良是「西安事變」的主角之一，他成功地兵諫蔣介石，促成抗日民族統一戰線成立，是扭轉日後中日戰爭與中國情勢的重要人物。張學良在西安事變後護送蔣介石返回南京，之後卻遭軟禁直至近年；他所率領的東北軍中，有不少精銳其後投身中共陣營。如果從「私」的角度來看，蔣介石可以說是對張學良恨之入骨，人們多認為，他能逃過死刑已可說是不幸中的大幸。

在1979年中秋賞月會上，張學良這號人物獲邀成為蔣經國總統的座上賓，這則新聞還登上國民黨黨報《中央日報》的頭版。不只如此，同年10月的雙十節（按例，國民政府每年都會在府前廣場舉辦大型閱兵儀式），張學良登上閱兵台上的「觀禮台」，隔年10月的雙十節也再度登場。同年10月20日，他還在國民政府國防部副參謀長與總統府副祕書長的隨行下，前往金門進行官方許可的視察旅行。

為了呼應這些舉動，北京政府也請出張學良依然健在的弟弟，並請他呼籲台灣與大陸進行和平統一。

暫且先不談這個話題，從歷史來看，張學良這號人物對民族統一與國共關係而言，可以說是極為重要的一個象徵。這樣一個人物受邀參與總統府的中秋賞月晚會，這則新聞還登上了中國國民黨黨報的頭版，這些行動看在「華僑」界的消息人士眼中，絕非尋常之舉。

其次，各位都知道陳納德夫人，也就是曾經支持中國對日抗戰的美國空軍陳納德（C. L. Chennault）將軍的未亡人陳香梅女

士，她既是廖承志的親戚，也是蔣介石夫人宋美齡女士的親近。
過去她曾是支持國民政府的知名新聞記者，現在她持有美國國
籍，在共和黨中擔任少數民族委員會的委員長一職，和雷根總統
交情深厚。陳香梅女士在1981年元月前往北京，拜會了鄧小平，
之後經由東京前往台北，和蔣經國進行公開餐敘。事隔三十多年
後重訪中國大陸，她寫下的詩[1]裡鄉愁綿綿、十分動人。

　　定居香港的前《大公報》記者、同時也是《明報》（中立性
的月刊）集團總裁查良鏞的大陸行，則多被視為第三個徵兆。

　　查良鏞出身於浙江省，是少數能與蔣經國單獨對談的香港新
聞記者。由於他曾擔任《大公報》記者，無法入境台灣，他的武
俠小說也未能於台灣發行。1973年查良鏞來台，1978年受邀參與
由國民政府主辦、以海內外學者為主的文化人會議（也就是1972
年以來，在暑假召開的國家建設研究會）。他發行的《明報》
（月刊）因立場中立，在「華僑」界深獲好評，擁有一定的知名
度。查良鏞於1981年4月18日接受鄧小平宴請，並與鄧小平交換
意見。

　　這類與統一、合作相關的動靜不勝枚舉，俯拾皆是。

　　我只能說，各種不同於檯面所見「戲碼」，或與國民黨公開
發言有別的動作，正在各處進行中。

　　現在也許無法立即在統一與合作上交出一定的成果，但考量
中國人的國家意識、歸屬感、歷史意識、民族性的使命感等因

---

1 陳香梅女士訪問大陸後發表長詩〈又見北平〉，本文受限於篇幅限制忍痛割愛，僅摘
　引陳女士於前往北京班機上的思鄉筆記內容：「故鄉無恙乎？我苦難的同胞們無恙
　乎？未到北京，我先為我朝思夢想的故鄉祝福。」

素，並予以謹慎斟酌，我認為我們應當注意往後的動向。

統一的有利條件與不利條件

最後，我想來談談對於未來的展望。在看過九條方針政策、胡耀邦對國民黨要員的邀請等各種盛大動作之後，我認為應該避免單就表面所見，便急著判斷這些舉動的成敗。日文中有俗諺云「柿熟而落」，中文裡也有一句話說「水到渠成」，關於這些我剛才提過各式各樣的動向，如果改用日文來表現，就是護城河今後將逐漸被互相填平的意思。

我個人從過去就一直主張，我們不應該單單靠著政治思維或是觀點來看待問題，而是應該從歷史的脈絡檢視問題，並且進行總合的觀察。

人們多認為，台灣與大陸之間在經濟上的落差及心理上的隔閡，是最不利於統一與合作的因素。我雖不認為要改善兩者間的這些隔閡是件易事，但也覺得不必要看得如此悲觀。

儘管人們都說台灣的經濟繁榮，但這並非絕對，雖有財閥開始形成，中產階級也逐漸增加，但我們不應該忽略因資源不足導致經濟基礎淺薄、資本家警覺於大陸施壓致使資金有外流傾向、有如街娼經濟的賣春婦的存在、人口外流至日本打工，以及有賴於此的貧困凋敝農漁村的存在等現象。

接下來再來談談有利條件的部分。就國際情勢而言，目前除了蘇聯之外，已無任何反對海峽兩岸進行和平統一的龐大勢力存在。不論是對日本或是對美國而言，為求確保東亞與東南亞的安

全和安定，維持全球戰略勢力平衡，並維繫資本與貿易市場，與中國大陸保持友好關係已成為不可或缺的條件。

而在台灣，會反對和平統一的，恐怕只有那些現在把持政權的人，如果有朝一日，他們得以戰犯的身分接受各種審判，那麼當然不可能接受統一。或者，假如台灣的現狀會因此急速變化，台灣人民的生活水準會迅速跌落，那麼人們也理所當然會提出反對。但假如不是上述這兩種情形，中國維持現在的路線，也就是近代化開始慢慢地展現成果，反對和平統一的人將跟著極少化，和平統一也將指日可待。正因如此，我不會像其他人那樣，提出正因有第一次、第二次的國共合作，所以必然有第三次的說法。我不認為美國是因喜歡共產黨才與中共建交，就像日本的財界領袖也不是因為喜歡共產主義，才開始與北京進行交易，他們都是為了和自身未來相關的展望，才會和中國大陸攜手合作。

所以，只要中國大陸與台灣之間衍生出共同的利害關係與利益，談判場地自然而然就能構築，開始形成對談的場面。由此，也就會進一步孕育出關於未來的展望。因此，那些立刻就將喊話視為無稽之談，或者視為動搖人心的想法有太過膚淺之嫌。如果我們可以放寬視野，偶爾跳脫出馬克思主義的立場，想想看中國人的傳統、中國人的心理狀態，或是中國人的政治觀，還有他們將會採取什麼樣的行動等，我認為這才不會錯看了對於未來的展望。

最後我想來談談一個問題，也就是關於為什麼北京不願意公開承諾不會動用武力這件事。在我看來，這是政治交易上的一種保留。身為中國人，也是定居日本的中國人之一，我堅決反對台

灣海峽發生戰爭這種悲劇。這對日本來說也有負面影響，絕對不會是什麼好事。那麼，在什麼情況下可能會發生戰爭呢？我認為，假如國民政府向蘇聯靠攏，中國大陸就將動用武力。如果是在這種情況下，不論是日本或是美國都不會反對北京動用武力，所以，台灣當局應該不會冒險做出這麼魯莽的舉動。

　　還有一點，那就是假如台灣進行獨立，中國大陸就可能動用武力。在我剛才提及的民族使命感與政治使命感的驅策下，以蔣經國為核心的政權不可能下定決心宣布獨立。假如台獨派所發動的台灣獨立運動漸上軌道，甚至危及國民黨政權，這個壓力反而可以發揮功能，促使國民黨當局與北平當局坐上同一張談判桌。當然，這麼複雜的構圖，他方是否也可以這樣推想，只是不管怎麼說，我絕對不希望發生武力解放台灣的情形。為了日本經濟的持續發展、亞洲的和平與世界的和平，我由衷地期盼，台灣海峽的國共對立問題可以早日解決。我的演講到此結束，謝謝大家！

問與答

　　小林幸三郎（RKB每日放送〔株〕代表取締役社長〔譯註：董事會主席〕）：剛才提到中國現在正在推行的四個現代化。從老師您最後提到的內容中，我大致可以了解，如果四個現代化無法成功的話，將很難使他們坐上談判桌。我想請教的是，台灣人是不是多半都認為這四個現代化可望全部成功呢？還是說，大家認為這四個現代化終將無法成功？或者在這四個現代化裡，只要農業的現代化無法達成，那麼即使其他幾項小有成績也沒有意

義。這裡頭可能牽涉到很多的問題，如果單純從台灣一般民眾的角度出發的話，概括來說，他們都是怎麼看待近代化的呢？要釐清這點可能並不容易，請老師簡單做個說明即可。

　　戴：對於一般大眾，特別是那些很清楚大陸實情的人來說，我想他們多半是抱著「希望貧窮的親戚能盡早過好一點的生活」的想法。儘管國民政府當局宣稱可以傳授台灣經驗給中國，但誠如各位所知，1,800萬人的經濟與大陸10億人的經濟，在根本上截然不同。再加上當時不論日本或美國，對待中共都採取封堵的態度，所以即使中國大陸延續1956年前中國共產黨的作法，現在也無法斷言情況將會如何。但如今，不論是日本或美國都已擁有共同的利益，所以大陸內部也會慢慢從毛澤東的「極左」偏向中間解放而出。根據我的推測，一般民眾應該都是抱著只要中國再努力一點或許就可能好轉的想法。

　　還有一點，那就是商人的動作非常快。現在台灣的經濟情勢不佳，去年和今年的表現都不好。大家或許已經聽說，台灣大同公司生產的電鍋和收音機可以經由香港並以無關稅的方式銷往大陸，也就是不採出口，而改以移出的形式。只要「Made in Taiwan」就不會課稅，聽說已經有更多產品踴躍銷往大陸。還有一種說法是，台灣約有一成左右的出口額度來自於外銷大陸所得。有趣的是，書面上雖然寫著經由東京，實際上卻已經開始透過更直接的形式運作，這類流言早已在東京傳開。

　　另外還有一個作法，那就是轉經香港的自由貿易區，或是深圳、珠海等等保稅加工特別區。有些企業會以華僑名義在該處進行投資，並以此作為企業的保命策略。這些考量牽涉到很多複雜

因素，但只要不發生如同文革那樣的慘劇，且鄧小平能採取如1956年左右那樣可靠的作法，那麼幫助貧困的親戚也沒有什麼不好。另一方面，也有說法認為由於台灣即將面臨發展瓶頸，分散一點投資到大陸自然比較保險。據說也有這種反應出現。

除此之外，台灣的出版界、旅行觀光業界也值得觀察。台灣現在正值旅行熱潮，不管是東京或是福岡都湧入了大批的台灣旅客。

業界中有人認為，如果開辦前往中國大陸的旅行團的話，應該可以創造驚人業績，還有人非常認真的前來商談。如果沒有辦法直接前往大陸旅行，那就把日籍或外籍攝影師拍攝的中國大陸的近照拿來改改圖說，製作成「祖國風光」的電視節目或出版成寫真集，這些作品不但在台灣贏得高收視率，也創下很好的銷售成績。這些現象非常有趣，人們會基於鄉愁或好奇心有所行動，卻完全沒有前往中國大陸定居或生活於當地的念頭。現在，台灣開始對大陸的風土、中藥產生濃厚興趣，這是一個饒富興味的現象。

接著，我想談談台灣的企業家們自己又是怎麼看待台灣的經濟。相對於日本媒體採取比較寬鬆的觀點，這些企業家們的視角略有不同。日本的媒體認為，中國大陸的喊話不會成功，是因台灣的經濟正值好景。可是對台灣的企業家們來說，台灣企業的貿易依存度太高，再加上缺乏自然資源，沒有出產石油，一旦美國、日本陷入不景氣的恐慌，台灣也難逃一擊斃命的下場。他們認為，現在的台灣乍看走強，但其實相當脆弱。那麼，他們又是怎麼看待中國大陸的呢？對他們來說，只要中國大陸開放自由投

資，中國大陸就將擁有相當的可能性，因為中國大陸的弱勢正是
它的強勢所在。中國大陸的經濟屬於自我完成型，也是能耐匱乏
型，這個弱點正是其強勢之處。再加上，中國大陸還透過民族統
一戰線的形式，給予台灣和華僑特別優惠及待遇。這雖然是基於
商人特有的精打細算提出的看法，但我們不妨把它當成另一種觀
點以為參考。

本文原刊於《日中経済協会会報》，東京：日中経済協会，1982
年9月。後作者係根據刊於福岡聯合國教育科學文化組織協會報
《FUKUOKA UNESCO》第17號（1982年，頁25～47，原題「第三次
国共合作の可能性について」）修潤補正而成

五四對台灣知識分子的影響

　　自清末割台以降，中國大陸所發生的一切歷史事件均與台灣有密切的關係。五四運動自不例外。

　　五四運動分為兩個部分：一為愛國運動，一為新文學運動。就愛國運動來說，早在1919年五四之前，台灣已經武裝抗日久矣。辛亥革命之時，台灣希望能重回祖國懷抱，惜未果。台灣人的愛國運動是間接的、艱難的、曲折而又挫折的，簡大獅在台抗日潛逃福建求取護佑，卻被清廷引渡交給日本。1930年代，王白淵在上海抗日，被軍閥出賣，弄到台灣被關多年，後來又被日本特務釋放，被迫寫詩讚美日本。一廂情願的台籍知識分子在那段苦難的日子裡所面對的敵人不只限於日帝，還得處處提防封建軍閥政權。

　　冷靜地整理，當年中國大陸的民族主義實在還沒有成熟，還談不上民族認同，所以台籍人士屢遭出賣。

　　至於新文學運動方面，1920年7月16日旅東京留學生創辦了《台灣青年》，其名稱當然是受到北京《新青年》的影響，然而沒有想到，40年後，在東京新創的《台灣青年》卻變為台獨運動的主要媒介，這不是對歷史的一大諷刺、一大嘲笑，到底是什

麼？這是教我非常痛苦的一件事。

　　從人物談五四與台灣，旗手胡適之必須一提，因為胡適的父親在台灣做過官，但是，在五四時期父兄輩所辦的雜誌中，卻很少人提到胡適，足見他在當時台灣知識分子的心目中地位並不高。

　　相對的，許地山於1930年代在北京支持台籍人士抗日，他的影響便較為深遠。台籍北大校友有譯著《台灣民眾的悲哀》的宋文瑞，與抗日詩人洪棄生之子、推行國語的洪炎秋。北師大畢業、以華北代表身分參加日本「大東亞文學者大會」的才子張我軍也屬台籍，後來絕口不提往事。由於當事人的諱言，其中歷史頗難查考，死者也難以瞑目。

　　留在台灣的知識分子在抗日鬥爭的過程中遭遇許多挫折。台灣人學世界語、台灣人看魯迅必受日本人干涉。賴和被尊稱為「台灣魯迅」，忠烈祠上原有其名後被除去，最近，賴和文集已能在台公開出版，這是令人高興的一件事。另一位作家楊逵近來也被尊為「台灣魯迅」。從這兩例，可以看出台籍知識分子對胡適與魯迅的看待不同。

　　一位兄長輩感歎說，愈不讓看1930年代文學，愈不談五四，愈把台籍青年趕上台獨的行列上去。

　　赴大陸台籍人士在1949年以後有過各種困境，自1957年反右至文革時期，台籍人士的海外與台灣關係成為反革命的罪行而慘遭壓迫。

　　回憶五四以來台籍知識分子的歷程，我的看法是，不僅要談民族主義、民族尊嚴，也要談個人主義、個人尊嚴。應當仿效英

美，對自己的行為與選擇，自我忠誠，自我負責。我之所以選擇保持中國國籍與護照，既是為維護民族尊嚴，也是為維護個人尊嚴，我相信一個超時空的中國，所以堅守此一原則。

　　無論台灣、大陸，知識分子互相搞自己人，這最令人痛心。

　　而封建的劣根性今天仍然留在台灣和大陸，五四時期所揭示的反帝、反封建、提倡科學與民主仍舊是我們今天的課題。

　　　　本文原刊於《中國時報》（美西版），1983年5月10日。係為戴國煇
　　　　在美國柏克萊加大「紀念五四」座談會的講詞，由《中國時報》記者
　　　　周天瑋記錄整理

研究台灣史的經驗談

　　主席，我所敬愛的各位鄉親。很高興有機會來參加這次盛會，並能上台向諸位做點報告，感到非常榮幸。鄉弟是土生土長的台灣客家人，閩南話大概可以聽懂90%。這個可能是得力於我太太，因為她是有四分之三的閩南系血統。在日本我遇到什麼人就講什麼話，只要對方的話我能講的，我是樂於那樣做的。

　　我並沒有只把閩南話、福佬話當作台灣話來形容過。鄉弟認為台灣話應該包括有高山各族的方言類、客家話以及閩南話也就是福佬話才是合情合理的。但有些「台獨」元老已把閩南話與台灣話劃成等號，甚至於把它定為他們所主張的「民主國」的國語來看待。這個對我們客家系台灣人來看，的的確確「不是個味道」的。我認為那種看待是完全錯誤的。不過我倒很喜歡閩南話的一句話，也就是「騙呷（吃），騙呷（吃）」，我在日本已「騙呷」了日本朋友28年，授課、寫作、上電視、演講用的都是日本話。但今天不能用日本話，也不準備「騙呷」，只好老老實實向諸位交代並請教罷了。

〈清末台灣的一個考察〉 *1

很慚愧，過去我用中文發表的文章實在太少。主辦鄉親問我，有沒有什麼可供鄉親們閱讀參考的，在身邊只有一件中文與一件英文的，我請主辦幹事幫我影印出來，這些原本仍是在芝加哥大學圖書館找出來的。未到美國時，我根本沒有想到會有鄉親來找我麻煩，要我獻醜的（笑），所以事先沒有準備，這一點要央請諸位原諒。

未講本題以前，我先對這兩份參考論文稍微做一點說明。

第一件是《台灣風物》雜誌所譯載的〈清末台灣的一個考察〉。這個翻譯事先我沒有得到通知，等到譯完後譯者交給我一份譯稿的拷貝。但我一看很傷心，譯得不甚理想。一方面因時間匆促，另一方面無從改起，只好把它懸在一旁。沒有想到終於在第30卷第4期被刊出來了。話得說回來，這一篇原論文是在1970年發表的（成稿卻在1967年），當年帶給日本學界一些衝擊，修正了不少日本人，甚至於台灣朋友對台灣歷史的某些看法。

批評日本刪改教科書

另外一件英文是 "Advice for Japan as an Asian Neighbor"。這個該翻為「給亞洲的鄰居──日本──的諍言」的原文是去年（1982年）9月間發表的。當時日本恰好在鬧「篡改教科書」問

---

*1 即〈晚清期台灣的社會經濟──並試論如何科學地認識日帝治台史〉（參見《全集》6）。

題。文章是刊在《世界》（岩波書店發行）的1982年10月號（日本的月刊雜誌通常是提早一個月發行）〔參見《全集6・為「教科書問題，給東鄰日本的諍言》〕。

　　我不敢自鳴得意，更沒有臉皮自我膨脹，但這個文章確是得過好評的。或許是因為這個，芝大的一些日本人（包括亞裔的一群）學者把它翻成英文，小弟這一次來芝大訪問也是因為這篇論文受了注意，所以才被邀請過來的。他們翻得不錯，但有二、三個小地方我不甚滿意，據說他們將要印成書，屆時我當然會把它修改過來。雖然這兩件都不是完整的論文，但只好暫時硬著頭皮請諸位過目參考就是了。

我為何研究台灣史

　　現在，言歸正傳開始我的報告。今天我分三個大綱目來講。第一個是「我為何研究台灣史」，第二個是「我（我們）的小小成果」，這裡所說的我們，是指在日本我們所組成的「台灣近現代史研究會」的同仁而言的。第三個綱目是「來美以後的感觸」，我準備藉第三個綱目向諸位先進請教並一起來思考一些問題，希望能暫時做出些結尾話。

　　剛才小弟已提過，我是客家人。客家人有他的優點，當然也有不少缺點。有意識的客家人往往具有甚為強烈的中原正統意識，有時偏激一點的客家老鄉會自稱這一種意識為「客家精神」。老實講小弟本身多多少少也有這種傾向，帶有不知不覺被塑造出來的中原客家意識。從小家人就期待我，後來逼我念醫，

我始終反抗，認為一個醫生，尤其是開業醫生在自己的小醫院裡，一天、一年，甚至於一生究竟能看多少病人，能救活多少人？而這些病人除了特殊的病例（特殊的病人往往私人的小醫生館是無能為力的）以外，可以說90%是營養不良、公共衛生未完備以及教育水平過低而惹起的。既然中國人80%是靠農吃飯，屬於農民地位的話，中國的基本問題當然是在農業問題上面。只要能善於解決農業問題，解決窮困，克服我們的落後性的話，那就等於減少了一半以上的病人，所以我就選了台灣省立農學院（中興大學農學院）念它的農業經濟系。匆匆忙忙地畢了業，受完了預訓班第三期的軍訓，我就出了國。這是1955年秋天的事。原來想的是留美，已申請到印地安那州立大學（昨天我頭一次跨了印地安那州界，有不少的感慨）的獎學金，準備來學美式大農經營，尤其是機械化稻作農業，準備將來回國對中國農業的現代化事業能奉獻出些力量。

考進東京大學的因緣

出國留學，我先到東京看我二哥，他長我十歲，非常疼我，我們已經十年沒見面了。他到日本留學以來，除了暑假回台省親一次外，因戰爭無法回家，光復後他一直沒有回台過。我二哥希望我留下來好好念幾年書。但我卻討厭日本，罵日本人，也不能原諒日本人。

我哥哥反而勸我說：「我們得好好研究日本與日本人，你我都吃了日本人的苦頭甚多，我們當然可以討厭他們，當然亦可以

大罵他們，但是那種情緒化的所作所為，尤其是漫罵和恫嚇絕不是真正的『戰鬥』，更不屬於社會科學的。日本人在台灣、在大陸以及東南亞做了不少壞事，他們的的確確胡作非為做出違反人性的甚多錯誤。但我們得知道那些日本人是在『日本帝國主義』體制下，也就是說在一種非正常的體制的框框之下做出來的。我們是否該從另外一個角度來看問題，其實日本的老百姓也跟我們一樣是受害者的呀！廣島、長崎的原子炸彈帶來的災禍是悲慘的，這些慘禍多半是由日本老百姓來承擔的呀！你該克服你的情緒化思考，同時你有與他們共謀光明的降臨之意願的話，你得原諒『過去的敵人』，這兩點若是你自己做不好或者做不到的話，是沒有資格搞社會科學的。最好改行。」

我被二哥說服了，很幸運的考上了東京大學，當時我對台灣史是有些關心，但並沒有太濃厚的興趣。所以我第一篇論文為〈從台灣稻米的脫穀與調製看農業機械化〉，第二篇為〈中國農村社會的「家」與「家族主義」〉〔以上2篇參見《全集》10〕是探討家族主義（familism）如何阻礙了中國農村和中國農業的發展。不但不搞歷史，連研究對象都不屑放於區區小台灣。心理上一直嘰咕著有這種不甚成熟的「感覺」。現在想起來真有一點可笑。

慢慢走上「歷史」道路的小插曲

直到了準備寫第三篇，也就是博士論文時才慢慢走向歷史，同時把對象拉回海峽這邊的「寶島」來。這一段心路歷程是有個

小插曲的。前年剛剛退休下來的徐慶鐘博士（前國府行政院副院
長），他在1960年代中期邀請過我回台服務，當時他是國民黨中
央黨部副祕書長。我們東京大學中國同學會請他來開座談會，因
他是我們台灣人第一位拿到農學博士學位的好學之士，亦是我們
龍潭鄉作為原籍的客裔人士，雖然他不會說客家話，我們都很尊
敬他。他問我準備寫哪一種題目的博士論文，我回答準備寫中
國大陸的農業問題。他說：「你為什麼不研究台灣農業？」我
說：「台灣太小不夠味道。」他笑一笑：「小是小，是我們鄉土
呀！」

　　大概晚了半年左右，當時還在農復會當技正的李登輝兄（現
在的台灣省主席，當年他還沒有拿到博士學位）也來了東京大學
訪問。我們東京大學農學院的中國同學們也請他來座談。散會後
他邀請我到他住的旅舍，我們喝了茶、聊了天。他也問我，你準
備以什麼題目做博士論文，我同樣地回答他，雖然對台灣有關
心，但總認為台灣太小、不過癮等等的話。李學長勉勵我說，
「真正研究台灣經濟史的人才太少，老戴請你多多考慮，用一點
心研究台灣經濟史好不好？」

下功夫研究台灣史的原因

　　他們兩位學長的勉勵，當然只是後來促成我研究台灣及台灣
史的一少部分的理由。真正喚起我對台灣史下功夫的原因，現在
整理起來不外是以下三個因素。

　　第一，當年在東京的台獨運動主要人物有廖文毅、邱永漢、

王育德等人。他們的主張當然不會是百分之百是錯的，並不至於百分之百沒有人去同情它的。但總而言之，他們的史觀，尤其是對日本統治時期的看法以及評估，很多地方教我不能同意。後來我發現「媚日」不限止於他們台獨人士，甚多台灣知識分子犯有同樣的毛病。這可不得了，我認為如此下去將自誤誤人，將給台灣及中日兩國國家間的未來關係都可能帶來災禍。

歌頌殖民主義的危險

第二，台獨的言論同時也可能給日本人帶來了災禍，台獨認為日本給台灣帶來了資本主義，促進了近代化云云的話，日本人一般聽起來很順耳，很可能就變成了甜言蜜語，這個可要害人不淺。為害的範圍很可能還要擴展到東南亞。

這個話怎麼說呢？一般來說，日本的一般老百姓是較為單純，心地也較為善良。因為他們的社會不像別的國家那麼複雜，民族、語言、宗教並不甚為多元的。所以反而較易受騙，容易上煽動者的當。

一般日本人若是認為殖民地統治能做出好事，並且有「曾經受過統治的民族」出來見證時，日本老百姓向哪裡去學歷史的教訓呢？很可能他們還會重踏他們的老路子也說不定。如此的話，當然亞洲全域難保和平，中日兩國的友好關係也無法樹立。

我的憂慮從台灣出發一直到有關亞洲的和平。我認為，我們台籍人士假若沒有搞好台灣史的話，將會自誤誤人，同時也擔心台籍知識分子因不諳台灣史的真面目而被借為「殖民統治史的見

證人」害己禍人，並且可能給亞洲帶來了不幸，所以我立志修習
台灣史。

中共大陸對台灣的認識淺

　　第三個因素是與大陸有關係的。在1955年前後，當我初到日
本的時候，我很好奇地收集並閱讀大陸出版有關台灣的書籍。中
共從1950年初期大喊它的「解放台灣」，特別在我們受訓期間
（1954年秋至1955年夏），台灣海峽緊張過一個時期，不待說小
弟也與其他有心人一樣對台灣海峽的情勢是懷有甚大的關心的。

　　當年我能收集到、能閱讀到的差不多都是小冊子之類，很難
找出一部經過學術研究而推出來的文獻。它們除了論調差不多以
外，有的時候我們還可以發現，編著者連漢族系台灣人的風俗習
慣與高山諸民族的風俗習慣都沒有搞清楚的實例。這個可教我傷
心並帶給我無限的失望。幹部級如此的話，我們數億大陸平民對
台灣的認識一定不會太深，也不可能全面的。他們很可能隨口在
空喊「解放台灣」而已，其實台灣究竟在南北或在東西，一般老
百姓很可能不甚了解。中國太大，大陸的「政治掛帥」太猛，老
百姓沒有太多的空閒來認識台灣的真面目。我發現這種情況值得
憂慮，認為我得好好研究台灣而把成果呈獻給大陸同胞，最好能
幫一幫他們開一開眼界才對。

　　下面我繼續講我的第二個綱目。我的野心是滿大的，但工作
進展卻是遲慢，成果也微不足道。今天只好藉我（我們）微不足
道的「成果」來道出研究台灣史的心得。

研究台灣糖業史的目的

　　大概是1963年前後的事，我終於決定博士論文的題目，暫定為台灣糖業史。我最大的目的是想搞通日本帝國主義統治台灣的真相。我們都知道日本統治台灣是依糖米兩項農產品為中心而展開的。尤其以糖業為最重要的榨取手段。

　　很多日本知識界的朋友，包括以馬克思經濟學的方法來看問題的一部分學者先生們，他們認為日本帝國主義在台灣把糖業搞起來，提高了農業生產力，所以日本在台灣的殖民地統治是成功的，是少有罪過的。

　　據我28年的日本生活「體驗」，一般而言日本人對侵略中國大陸是有他的罪惡感，同時亦具有他的贖罪感的。但他們對台灣的殖民統治卻少有罪惡感和贖罪感。原因何在？是值得我們探討的。

　　現在我可以把我整理出來的未成熟的看法向各位披露。

　　第一，「健忘症」是人的通性，尤其是加害者往往不願記憶有關因自己的加害而惹起的不愉快的一切史實。這種心理的作祟，加上光陰的無情流逝，亦加速沖淡一些歷史的悲劇面貌。台灣被納入殖民地早於九一八，更早於七七，因而後生日本人易於忘記。隨日軍在清末期侵台的一輩也早就不在世了，這個也幫助了他們的健忘。

　　第二，日本史書一直以「割讓」來敘述日本統治台灣的契機。清朝既然把台灣割讓給日本，這個該是合法的，不能視為侵略。日本人如此主張。

「負」的歷史意識

　　第三，第一代台獨人士的言論，尤其是邱永漢、王育德兩氏的言論給日本人帶來「負」的歷史意識。他們以東京帝大的校友，以台灣人的菁英（elite）姿態立論著書來肯定日本帝國主義給台灣農業帶來了資本主義，給台灣近代化奠了基，給台灣農業帶來了近代化水利設施——好比嘉南大圳等等。這些言論概以日文發表，它不但變成了「媚藥」還幫助了日本人，把他們原來已經很稀薄的殖民地統治罪惡感沖淡了不少。

　　我沒有意思苛求日本老百姓，一般來說，文化水平在平均線上的一般老百姓，不管他是屬於何種民族、何種人種，我想人人都不願第三者來指摘自己的先人概為敗類，讓父祖的一切事業都被第三者否定而一筆勾消的。

　　儘管人的常情是如此，但我還是力主歷史問題是要交代清楚，要說清楚才對我們未來開創共同的新歷史有所幫助的。因此我點出，第一，我們中國人（包括台省籍民）並不是第三者，就近代日本、中國關係史來言，我們是不折不扣的第二者或是當事人，我們有權揭開歷史的真面目。如此做不但對我們有利，對日本人也具有幫助的效能的。

　　第二，看待與評估殖民地統治史中被殖民、被統治的歷史，我們需要全面地從殖民地統治的動機開始分析，一直到統治的具體過程和結果來做整體的調查、研究才稱得上社會科學。

評估殖民地統治的功過

　　第三，只從殖民地統治遺留下來的「成果」來評估殖民地「母國」的功過是不充分的。就台灣而言，日本人把糖廠留下來並不是他們自願的。日本戰敗了，被逼捲了鋪蓋滾回日本，萬不得已留下糖廠才是真相。去年暑期在日本九洲開幕的國際學術會議上曾經引起一項不大不小的爭議。有一位留美回去的日本人教授，他在會場為了敷衍討好日本文部省，主張日本軍在第二次世界大戰的一切行為不能統統算入罪狀裡頭去，好似日本軍也訓練一批本地人才，他們目前活躍於東南亞諸國是個好例子。鄉弟義不容辭地站了出來，很冷靜地反駁了他的言論。

　　我說，我們都知道日本名古屋戰後所建的地下街、都市計畫是非常漂亮且成功的。因為名古屋被美軍B29炸平而後有所新建。我問當時在場的諸位，名古屋市民該不該感謝美軍空軍，需不需要請美軍再來轟炸一次。還有日本醫學界有關「原子炸彈病」的醫療技術水平是冠於世界的，我不相信日本人將來會為了再提高「氫彈受爆病」的醫療技術水平而央求蘇聯學美國炸廣島和長崎一樣的來轟炸東京，造出病人來貢獻日本醫學界做研究。

　　我本人是在台灣受過日本帝國主義的殖民統治的。家叔念了後藤新平所創立的台灣總督府醫學校（後升為台北醫學專門學校），畢業後成為開業醫生並賺了大錢，在個人的情面上，家叔一家人或許該感謝後藤新平也說不定，但站在社會科學的立場、民族的尊嚴來言，絕沒有感謝後藤的道理。因為後藤在台灣開辦醫學校的目的，不是在搞慈善事業，更不是為了台灣島民的真正

健康、福利來辦的。他的真正目的在於為日本資本家準備健康的
投資地，為資本家提供既健康又高效率的勞動力等，卻非靠台灣
人醫生不可，所以日本人治台不久就開辦醫學校培養台灣人的醫
學人才。模仿英、法諸國在它的殖民地所行一樣。諸位若不相信
我的話，請你們想像一下，「瘴癘之地」有何資本家肯前來投
資，若殖民地的基層勞動力統統是病弱不堪者，要從何種人的勞
動來榨取剩餘價值呢？我們有良知的台灣人不至於感謝日本人的
統治，更不會再度邀請日本人來當統治民族，重新光臨台灣的。
在場的日本朋友吃了一驚，與會的外國學人們給我鼓了不少的
掌。會後他們還特地跑來誇獎鄉弟的道德勇氣。

　　話有點說遠了，其實並沒有離譜。我能得出如上的邏輯，主
要得於我寫成了《中國甘蔗糖業之發展》〔參見《全集》10〕的
心得而形成的。

《馬關條約》裡日本要占台的經濟原因

　　當我進行台灣糖業史的研究過程時，我整理出來，日本當年
的政權為何在《馬關條約》向李鴻章極力地主張侵占台灣、澎湖
的真正經濟原因。日本明治政府，當年為了蹈襲諸先進西歐帝國
主義奪取殖民地，確立它對外擴張勢力的軍事基地外，日本當權
派是另存有它的經濟理由的。日本資本主義在明治維新以後漸漸
脫穎而出，它為了搞起資本主義工業化，需要一大批外匯來向西
歐購進新式工廠設備。

　　但它的國內市場因資本主義經濟的釀成，慢慢地亦形成新的

有關「吃的」消費結構來，因而年年得從外國輸進一大批食糖，花費它25%的外幣支出，而主要輸入市場之一就是我們台灣。

諸位千萬別吃驚，大概我不會記錯，我們台灣的糖商在日本橫濱開設分行是遠在1873年（清朝同治12年），是明治6年間的事。這個糖商即為陳中和一家，它的後裔就是光復後在高雄縣市經營他們的地盤而活躍的陳啟川昆仲。

台灣當年已是「寶島」呀，我們千萬不能被當權者、統治階級、體制派文人官員給台灣及台灣居民所套的「瘴癘之地」、「化外之地」、「三年小反、五年大亂」或「好亂、好鬥成性」一些「框架」語迷亂了自己的心靈。

日本人老早調查清楚台灣的社會經濟，他們在侵台以前和治台早期很少提到台灣是不毛之地。其實，日本人自明末清初已從鄭成功一家治台、開拓台灣、振興台灣糖業得到不少利益。鄭家三代人能依靠「彈丸之地」來抵抗還沒有腐敗、正在興旺的大清帝國，它的主要財源主要靠的是輸出紅糖。當年的紅糖除了輸到日本外還輸到波斯（現在的伊朗）。國府中央剛遷台不久的局面有點相似於鄭家治台的歷史局面。

我們清朝時期的台灣糖業已具有相當規模的基礎的。日本人絕不是憑空在荒地把台灣糖業搞起來的。

奪取台灣的頭十年，日本資本主義的基礎尚是脆弱而淺薄的。狡猾的日本商人以及當權的財政官員，他們並沒有忘記了台島的股商和洋行買辦等人的資金。日本當局動用了台島富庶人家的資金摻入了他們的糖業資本，一方面運作了台島本地豪商士紳的資金搞他們主導的工業化，另一方面驅策了我們台籍的勤勞階

級，盡其所能榨取了他們用血汗產出的剩餘價值。

在我的台灣糖業史研究過程中，不單單發見了以上所報告的史實，還發覺到台灣糖業有它本身的前史，有它的「根」。因而開始追索到海峽對岸的福建，為了弄清楚福建糖業，我繼續探索古籍，然後遇到《本草書》之類書以及《糖霜譜》等的貴重古文獻。《糖霜譜》還告訴了我，四川的糖業早在12世紀已達到相當高的水平。不管是在製糖技術或在社會經濟的水平。

我的博士論文終於1967年3月印成書，書名為「中國甘蔗糖業之發展」。這是我生平第一本書，它幫了我不少忙。我雖學農，但我能在日本的立教大學文學院史學系謀了一個教席，60%是靠它的。它不但是世界第一本有關中國甘蔗糖業史的書，並且它敘述了7到17世紀的中國社會經濟史的一個側面。我引用了不少國內外古籍因而得到學界的肯定。

再談〈清末台灣的一個考察〉

下面我繼續要談的是我的小論文〈清末台灣的一個考察〉。

這篇文章雖然公刊於1970年，收錄於《仁井田陞博士追悼論文集》第三卷（日本東京：勁草書房），但成稿卻是早在1967年夏天。

仁井田陞博士是東京大學名譽教授，他是中國法制史的權威。1956年我在東京大學大學院（研究所）社會科學研究科碩士、博士班聽過他的課。他在東京大學的受業學生和他後期同學們（他們多在日本國、公、私立大學占有重要的教席），大概在

1960年代中期，為了紀念他的退休（東京大學是60歲退休，因為東京大學是國立他們叫退休為「退官」）而籌備公刊「紀念論文集」三大冊。但退休不久的他很不幸地得病於英倫（他退休後受聘於英國倫敦大學研究院），送回東京大學醫學院附屬醫院開刀，藥石無效謝了世。因而書名才改為追悼論文集。

很幸運地公刊了我生平第一本書後，得到了好評，籌備仁井田陞博士紀念論文集的委員先生們知道我是仁井田先生的受業門生，故邀我寫一篇論文紀念他的「東京大學退官（休）」、並祝賀他的「還曆」，即60大壽。

鄉弟說了這麼長的「多餘的話」為的是對歷史要說個明白，所以如此嘮嘮叨叨的，請各位多包涵。能夠在「仁井田陞博士紀念論文集」發表論文，當然是光榮同時也是難得碰上的良機。這裡所謂「良機」含有公私雙重的意思。有關「私」的部分我不必「點睛」，但有關「公」的重要意義我非得詮譯一番不可。

先前我已經稍微提過仁井田先生是位中國法制史研究的世界性權威。紀念他的論文集很可能也可乘他的權威受學界注意並將收藏於各權威圖書館，如此的話當然附帶地也可給我們帶來好機會。我們可以藉這個良機來向日本以及世界，來揭開日本帝國主義統治台灣的一部分真相。

我開始擬稿準備詮釋，為何日本帝國在台灣能夠「留下」較有規模的「殖民地遺產」。我開始整理日本治台前期，也就是清末期的社會經濟概況。

一般日本人大多數都不知道，我們台灣早在日本侵台以前就有了鐵路、煤礦的開採、與對岸福建之間已敷設有海底電纜等。

　　日本學界、知識界向來不甚注意台灣。他們認為台灣只不過是大中國大陸的一個「小盲腸」而已，可有可無，無關重要。加上他們所普遍尊重的中國的傳統文化、文物大可在大陸尋找，不必在「國內殖民地」（明清時期的台、澎兩島可當中原大陸王朝的國內殖民地、邊陲之地來看待）的台灣來撈。人人都了解，國內「殖民地」是不會存有或者是很少存有古色古香的文物和文化的。

　　日本人打敗了帝俄，乘機向「滿洲」侵犯，隨著日帝擴張它在大陸的勢力圈後，他們逐漸消失對台灣的好奇和興趣。日本人已認為台灣是他們的不沉航空母艦，對他們來說，台灣篤定地是屬於他們控制的，不可能變更其既定「存在」的。如此一類的念頭普遍存在於日本人的思考裡頭。這種思考當然不會促進他們的學界去研究台灣史，尤其去研究日本治台以前台灣的的確確有過的「前史」的。

　　我寫〈清末台灣的一個考察〉的主要目的就是來詮釋這個「前史」。讓人人能知道，日本帶進台灣的資本主義，一些現代化的設施等並不是從空中掉下來的、憑空創造出來的。我用了甚多的資料，包括日本人在未治台前所發表的有關台灣的報告文章之類，來證明台灣並不是人云自云的「不毛之地」。的的確確治台十年以後的日本人，居心不良，為保持既得的利益，為了自誇其成就，為了向第三者討回其花在治台的「血汗」功勞，而盡其所能醜化台灣為「化外之地」、「瘴癘之地」、「三年小亂、五年大亂」的難治之地的一些假象。

後藤新平治台的神話

　　我盡力排除後藤新平治台的神話。我說，難道後藤新平是「孫悟空」嗎？好，就讓你一萬步，我也來個肯定吧！那麼為何日本政府不學後藤新平的一套在朝鮮半島來試一試，明治政府對外一直是相當團結，相當有其高效能的政府，為何日本人在朝鮮半島得不到你們所肯定的「成果」。我主張，殖民地是由殖民者與被殖民者合為一個整體的。每一個殖民地不但有其前史，另外還都具有其當為被殖民的「客體」的條件。我們台灣島民雖被逼當了「客體」，飽嘗了不少的苦頭，但我們的父祖輩早在日本侵台以前已在台灣樹立了資本主義萌芽的基礎。不然，如何做合情合理的解釋，為何腐朽不堪的清朝會在「邊陲之地」的台灣敷設鐵路、實施了劉銘傳的新政？我向學界，我向我自己的同胞，尤其被日本人的價值觀念體系迷了心靈的台灣知識界提出了問題，投了一個小小的「炸彈」。

　　但這個「炸彈」好像效果不甚大，在這個時候還有位高伊哥[*2]先生寫出〈後藤新平──台灣現代化的奠基者〉（《生根》第8期）一文，我發覺到我們台籍知識分子病入膏肓與問題的嚴重。俟後我們再給高文來一下論評。

　　繼〈清末台灣的一個考察〉，我連續發表了〈日本人的台灣研究──關於台灣的舊慣調查〉、〈日本的台灣研究〉〔以上參見《全集》7〕、〈晚清期台灣農業的概貌〉〔參見《全集》6〕

[*2] 即楊碧川先生。

等，以及參加了「台灣經濟與日本投資」等座談會〔參見《全集》18〕，繼續我對日本和台灣關係史的詮釋。現在時間已不多，有關我個人的研究心得報告暫時就此結束。

台灣近現代史研究會

諸位大概已經過了目吧！我在櫃台上展覽的《台灣近現代史研究》第一集到第四集的全套和鄉弟編著的《台灣霧社蜂起事件——研究與資料》，另外一本是我的第一位學生若林正丈君的《台灣抗日運動史研究》。

這三部刊物可以說是我們在日本的「台灣近現代史研究會」同仁的小小成就。可惜的是統統以日文書寫，不能供給鄉親們作為參考。

有關我們研究會的緣起，我已在《台灣近現代史研究》創刊號的末頁「補白」〔參見《全集17・《台灣近現代史研究》創刊號補白〕上道出一些。我們的研究會創始於1970年初夏，本來沒有正式會名，到目前為止我們沒有會長，只有輪流義務承擔的「事務局」，以及年報的編輯委員會。

我們的會一貫保持公開，我們沒有會章，但我們有共同的默契三項：

第一，我們同仁不能作假，不作虛，不作「排場」。

第二，我們主張不受「正統」和既存的「框架」的束縛，對學術研究的進展願能保持相對的自由，我們同仁願能驅使富有彈性的思考。

　　第三，我們反對任何人給研究會帶進「政治」。

　　同仁們，曾經要我寫創刊辭，但我力主排除形式主義，反對「排場」而改用「補白」塞了責。

　　我們沒有接受過任何個人、任何團體的資金援助，每一個月開一次「月例研究會」，除了每年八月休一次暑假外，差不多沒有間斷過。事務局每個月還出通訊頒布給會員，有一些台籍同仁出了一次席，交了通訊郵資以後不曾出席，當然不做報告和不參加討論。但他們卻可藉我們的通訊所載的「學界情報」來向台灣或者我們同仁少有機會見到的中文刊物發揮他的「文才」。最近我們察覺到其中的奧妙。我們不反對有關學界情報的廣泛傳播，但我們覺得那些「不參與」的台籍同仁，如此下去是很不易樹立他們自己在學術上的風格的，因而惋惜和憂慮。我們得老老實實做學術研究才有前途，抄襲和騙個學位的作風，我們應該盡快把它丟進垃圾桶裡才對。抄襲日人著作，改譯、改編日人著作等並不是做真正學術工作人士應該採用的正途。別再企圖瞞住台灣人後生，以為他們不諳日語，不通日文資料而來嚇唬。我們可以預料到，在不久的將來，我們的後生會站出來，大大地給「你」來個當頭一棒的痛擊。

　　對不起，話又離了一點譜了。我們再回頭談正題。我們的研究會有種種行業的研究家，有醫生、有小學教員、有商人、有文學家、有搞物理的、有出版社的編輯，但大多部分是在研究所、大專、高等學校服務的老師與研究員。

「霧社事件」的研究

因為同人行業的多元，我們常常選出同人能保持持久關心的共同研究題目。第一個是霧社事件，第二個是後藤新平。第一個題目我們花了十年，收集了不少日方的機密資料，包括一些不曾公布過的殘酷照片。我們等一下再用幻燈機把它放大並加以說明。

這一部《台灣霧社蜂起事件──研究與資料》是很大部頭的著作，加上照片、資料的排版花了甚多精力和成本，因而定價很貴，是日圓13,000圓，折美金等於五十多元。出版社早期認為難銷，只印了1,000部，沒有想到銷得很好，據東京來信說，最近能出第二版（補記：1984年7月30日已出第三版）。

出了這一本書，我雖然曾經受到日本右翼、國粹激進派的恐嚇，但我還得提一提，日本人裡頭畢竟仍有他們的良知的。不然的話，這一本書不可能售完了第一版。他們看了這一本書當然會很難過，不過我相信，我們這本專著對日本人是一部「苦書」。藉「良藥苦口」來比喻的話，屬於他們的「苦書」當能成為日本朋友的「良藥」，也就是正面的歷史教訓才對。

鄉弟亦希望這一本書將來能譯出來，同樣地變成我們自己的歷史教訓，我們同胞間的「苦書」〔按：此書中文版於2002年由國史館印行〕。

我在此還得特別表明，我沒有意思揭發日本朋友的瘡疤，我始終是保持「可恕不可忘」的態度來對待中日兩民族間在近代史所扮演的一切「悲劇」。鄉弟認為揭發瘡疤一類的行徑是屬於低

層次的。那一種作法不但不易說服對方，同時亦不易創造出更高層次的「精神糧食」。

但很可歎的，我們同胞間很多人把批判與漫罵混在一起，始終沒有能夠把學術上的互相論評，互磋互勉，接受批判以提高研究水平的一種學風樹立起來。這一點，我們同人和鄉親們以後還得加緊努力。

第二個共同研究題目的後藤新平研究，我們同人雖然已陸續有過他們個別論文的發表，但我們還沒有編成為一本書。這個得等我明春（1984年）返日後再重新籌劃。

我們同仁除了對共同研究題目下功夫外，也各有各的研究題目。其中已印成書的算是《台灣抗日運動史研究》（東京：研文出版刊行）為第一冊。若林君為了寫這一本書訪台多次，目前他是東京大學的「助手」（等於美國的assistant professor），我來美後，不久他到大陸廈門大學去做半年的有關台灣學術研究。

明年以後，我們的同人將陸續公刊他們有關台灣文史類的著作。敢請諸位拭目以待。

來美後的感觸——後藤新平風波

時間已不早了，我們繼續來談我的第三個綱目，也就是「來美以後的感觸」。

最先，我們可以藉高伊哥先生所著〈後藤新平——台灣現代化的奠基者〉為引子。

高文我已詳讀了，這一篇論文據內容來言，沒有什麼突破亦

沒有什麼新鮮的資料被引用，我猜高君可能連後藤的女婿鶴見祐輔所主編的《後藤新平傳》都沒有詳讀過。

高文一出，台灣內部的黨外雜誌顯然吹起一陣一陣的「狂風」與「反狂風」。據我看問題有兩個：一個是高文的subtitle（副標題）標了「台灣現代化的奠基者」引起了爭議。「現代化」在高文並不等於中性語詞，顯然這個語詞是被附有正面的價值的。下面還來了奠基者，這個就不是個味道了。不但有失民族的尊嚴，同時亦有失被殖民統治大眾的立場。因而引起眾人的批評。

第二個問題該是「被殖民心態」病入膏肓，並不只是高君一人，很多中產階級以上的台籍知識分子，因在台灣戰後史遭遇到太多的挫折及傷痕，必然地生起了憎恨以及不滿現狀，反對體制的強烈願望。但這些一直停滯於情緒化的層次，不易被提高到理性的層次來處理。這種心態的繼續反映了我們台灣內部社會的落伍，這一點是值得我們去探討的。我聽說坐過將近十年的政治牢的人士也犯有同樣錯誤，沒有來得及克服與揚棄那種「被殖民心態」，我感到無限的悲哀和說不盡的心痛。

高文教我痛心，但是來美以後的所見所聞並不全是教我失望的。不少的年輕朋友，搞台灣史的不管他們的省籍和國籍，甚至於不分人種、不分民族來找我談，與我交換意見。他們不單單正在克服老一代台籍台灣史家的「框架」途徑中奮鬥外，他們的熱情很感人，有一批年輕朋友排除了「美元」的誘引力，繼續為了他們的理想而在掙扎，教我感動不已。

高山青年覺醒教我興奮

　　最近我在《暖流》第12期看到〈高山青年的覺醒〉的短文報導，這個報導也是教我興奮的一件事情。鄉弟雖然還未能看到他們的刊物《高山青》，但我總覺得這種刊物的出現，不管它的背景如何，我認為是一個突破。

　　我很早就提出，我們客家人和福佬人雙手並不是頂乾淨的，尤其是參與開拓台灣的客家父祖輩扮演過侵占山地的先鋒隊。因而我始終保有一種「原罪」感。

　　我在《台灣霧社蜂起事件──研究與資料》的序文〔參見《全集17・關於霧社蜂起事件的共同研究》〕裡早有提過，我們非高山籍人士不能夠代替高山籍朋友（我把他們稱謂native Taiwanese，或先住台灣人）來敘述他們的真正歷史。我們只能夠暫時扮演代為收集和整理資料的角色，甚至於我表明了同仁因為同是屬於迫害、欺凌高山籍人士的後裔，所以必然具有不少的局限性。希望最近的將來能看到高山籍青年學人來承接我們小小的禮物《台灣霧社蜂起事件──研究與資料》，然後完成他們自己的歷史書。

　　我的預料好像就要呈現於我們眼前了，這個怎麼不教我興奮！

　　當我們的書上市不久，我們同仁設法給高永清先生（很不幸，他去年謝了世。他是霧社事件倖免於殺禍的一位少年，後來成了醫生，當了霧社鄰近高山部族的領導人之一）帶去這本書。我與高先生從未謀面，但我有很多的同仁和朋友去訪問過他。他寫了一封非常長而且感人的謝信給我，是用日文寫的。適當的時

期我會公布出來請大家作為參考*3。

「龍的傳人」進入大陸事件

高伊哥的一文鬧了「狂風」，但侯德健的進入（我並不很喜歡輕易地把「回歸」一詞套上）大陸，好像也給我們帶來了一陣不小的風風雨雨。

我認為〈龍的傳人〉的歌詞寫得不錯。但我始終不能了解一些黨外人士最近的言論。他們喜歡提出1,800萬的全體台灣人云云的話。我認為他們的提法雖然比起「台獨」第一代等人士常把省籍矛盾無限擴大成「民族」矛盾那一類的言論有些進步，但我覺得1,800萬人云云的提法既沒有「內容」，亦是含糊不明的。至於有強逼一些大陸籍人士，或大陸籍人士的後裔認同台灣人為至上課題，這一種「強姦」民意的作法是少有效果的。它亦不應該是我們追求民主自由、人權至上人士來肯定的行為。

最近黨外論壇內部，有意無意的一而再，再而三地提出「台灣意識」或有意地強調「台灣人意識」的成長和成熟。

我認為他們有一點焦急，有意迴避客觀現實，輕視歷史過程，而一心一意，一廂情願地把自己的「理念」、主觀願望道出來。這個有一點像東條英機提倡大和魂，高揚日本精神的作法。

中共在大躍進時期所搞的一套也足為我們借鑑。他們的領導層當年想調動「主觀的能動性」來做他們一廂情願的大躍進行

---

*3　試從戴國煇教授的相關文物中尋找過濾，惜未能尋獲。

徑。結果吃了虧的不外是9億8,000萬的老百姓。沒有具體的基礎和條件，只靠空喊口號以及自欺欺人的「土法鍊鋼」是鍊不出真鋼的。

〈龍的傳人〉為何能在台灣校園歌曲中保持它的長期地位，還不值得高唱「台灣人意識」成長論者探討的嗎？1,800萬「台灣人」應該包含有多元的存在，我們只要不是裝糊塗，缺乏社會科學的學養的話，是不做這一種提法的。不過我還是同情那些正在玩「政治魔術」的黨外民意代表，不得不做出那一種呼籲的處境。但是，這一種同情是屬於「情絲」一類的，不是一種社會科學的洞察。

我們先前提到的高伊哥先生的論文，很可能是借題發揮的。或許高君為了呼應「台灣人意識」的成熟論，他不得不肯定後藤新平為台灣現代化的奠基者。他和他的同路人有必要肯定日本帝國主義者在殖民台灣過程裡頭，不管它的動機如何，不管它的過程是如何的毒辣、殘酷，不管它只是被迫「遺留」下來它的「奶牛、寶島台灣」，不管這一隻「奶牛、寶島台灣」是我們台灣自己島民付出了莫大血汗才養成的，高君和他的同路人只是為了他們自己的「政治掛帥」非來歪曲歷史不可。這個是值得我們痛心惋惜的。

台灣史的定位

最後我得提出有關台灣史的定位問題。我們台籍人士，尤其是受過日本教育的，易受日本的價值觀念體系的影響。

　　我們因為生長在台、澎兩島，先天地有被染上「島氣」的可能。加上日本人的島氣，我們很可能負荷雙重「島氣」的包袱。我們40歲以上，直接或間接地受過日本教育影響的朋友們，常常透過「日文」、透過「日本式思考」來看問題，來看世界，這一點是需要我們一再反省、自我檢討的。

　　很多同鄉不滿現狀，常常閉關自守地不願把自己的、台灣的「位置」擺在世界地圖、亞洲地圖、全中國的地圖來瞄一瞄，來思考我們自己所站有的地位（當然包括歷史地位）。人總是懶惰的，包括鄉弟是如此。但我們得抖擻振作一番，好好把我們台灣史的定位搞好才對。

　　台灣史當然需要從內部來探討，包括高山各族的歷史，漢族和高山各族間的鬥爭、爭生存的歷史，漢族間的械鬥的歷史等。但我們為了明察「台灣何去何從」的課題，我們還得從全中國史、從亞洲史、從世界史的關聯上面做好台灣史的定位來考察問題，才不至於陷入自己的小「框框」，溺死於「小浴池」裡頭。我們不願意面臨緊急關頭時空喊「救命呀！來人呀！」一類的哭調話。

　　我希望鄉親們，不管他的省籍，只要對台灣海峽的安靜、台灣和大陸雙方老百姓們的福利和人權的進步有關懷的，我們一起來互勉互勵，多謝各位，謝謝！

　　　　本文原收錄於戴國煇，《台灣史研究》，台北：遠流出版，1985年3月25日，頁2～26。係根據1983年7月2日於美國中西部夏令營的演講錄音整理，修正成稿

譯者簡介

林彩美

1933年生。中興大學農經系畢業，日本東京大學農經系博士課程修畢。旅日長達40年，中華料理研究家，曾主持梅苑中華料理研究室（日本）二十餘年。致力於梅苑書庫的保存與研究，長期投入《戴國煇全集》的編譯工作。

著有：《中菜健康瘦身法》（文經社）、《新灶腳的健康料理》（文經社）等；主編：《戴國煇文集》；策劃：《戴國煇全集》等。

魏廷朝（1936～1999）

台大法律系畢業。曾任《美麗島》雜誌編輯，日本大阪經濟法科大學講師。因反對強權統治，三度入獄，失去自由17年2個月，曾旅居日本2年8個月。譯有：《安部公房》（光復）、《細雪》（遠景）、《台灣霧社蜂起事件——研究與資料》（國史館）等。

龐惠潔

1979年生。政治大學新聞研究所碩士，現就讀於日本東京大學學際情報學府博士班。曾任日本樂天（rakuten）公司國際市場開發總部口譯、《動腦雜誌》日本特約記者。

（以上依姓氏筆畫序）

日文審校者・校訂者簡介

◆ 日文審校

林彩美

（簡介略，見前述）

◆ 校訂

吳文星

1948年生。台灣師範大學歷史研究所博士。曾任美國哈佛大學及史丹佛大學訪問學人，東京大學、京都大學等校外國人客員研究員及招聘外國人學者，歷任台灣師範大學進修部教務主任、歷史學系主任、文學院長，現爲台灣師範大學歷史學系教授、台灣教育史研究會會長。研究專長爲台灣近現代史、中日關係史。

著有：《日據時期在台「華僑」研究》、《日治時期台灣的社會領導階層》、《台灣史》等；〈東京帝國大學與台灣「學術探檢」之展開〉、〈札幌農學校と台灣近代農學の展開——台灣總督府農事試驗場を中心として——〉、〈京都帝國大學與台灣舊慣調查〉等論文一百餘篇。

（以上依姓氏筆畫序）

戴國煇全集（全27冊） 各冊內容

戴國煇全集 1
【史學與台灣研究卷一】

著 作 人　戴國煇
策劃／總校　林彩美

編 輯 製 作　財團法人台灣文學發展基金會
　　　　　　10048台北市中山南路11號6樓
　　　　　　02-2343-3142
編 輯 委 員　王曉波　吳文星　張錦郎　張隆志
　　　　　　陳淑美　劉序楓（依姓氏筆畫序）
主　　　　編　封德屏
執 行 編 輯　江侑蓮　王為萱
美 術 設 計　不倒翁視覺創意

出　　　　版　文訊雜誌社
發　行　人　王榮文
發　行　所　遠流出版事業股份有限公司
　　　　　　10084台北市中正區南昌路二段81號6樓
　　　　　　（02）2392-6899
　　　　　　http://www.ylib.com

排　　　　版　浩瀚電腦排版股份有限公司
印　　　　刷　松霖彩色印刷事業有限公司
初　　　　版　民國100年（2011）4月
定　　　　價　全27冊（不分售）精裝新台幣16,000元整
ISBN　978-986-85850-5-8（全集1：精裝）
　　　　　978-986-85850-4-1（全套：精裝）

國家圖書館出版品預行編目（CIP）資料

戴國煇全集. 1-9，史學與台灣研究卷／戴國煇著.
－－ 初版 . －－ 台北市：文訊雜誌社出版；遠流
發行 , 2011.04
　　冊；　公分
ISBN　978-986-85850-5-8（第1冊：精裝）.－－
ISBN　978-986-85850-6-5（第2冊：精裝）.－－
ISBN　978-986-85850-7-2（第3冊：精裝）.－－
ISBN　978-986-85850-8-9（第4冊：精裝）.－－
ISBN　978-986-85850-9-6（第5冊：精裝）.－－
ISBN　978-986-87023-0-1（第6冊：精裝）.－－
ISBN　978-986-87023-1-8（第7冊：精裝）.－－
ISBN　978-986-87023-2-5（第8冊：精裝）.－－
ISBN　978-986-87023-3-2（第9冊：精裝）

1. 史學　2. 文集

607　　　　　　　　　　　　　　100001708